D1272126

REJETÉ
DISCARD

19.95$ R
AVR '12
bea

JACK CANFIELD   MARK VICTOR HANSEN   SYLVAIN DION

Bouillon de Poulet pour l'âme des Québécois

Des histoires de chez nous
QUI RÉCHAUFFENT LE COEUR ET REMONTENT LE MORAL

REJETÉ

BEACONSFIELD
Bibliothèque - Library
303 boul Beaconsfield,
Beaconsfield QC H9W 4A7

BÉLIVEAU
★
éditeur

Conception de la couverture : Alexandre Béliveau
Réalisation de la couverture : Jean-François Szakacs
Illustration de la couverture : iStockphoto

Tous droits réservés
© 2012, BÉLIVEAU Éditeur

Dépôt légal : 1er trimestre 2012
Bibliothèque et Archives nationales du Québec
Bibliothèque et Archives Canada

ISBN 978-2-89092-520-5

BÉLIVEAU   920, rue Jean-Neveu
————★————   Longueuil (Québec) Canada J4G 2M1
é d i t e u r   514 253-0403 / 450 679-1933 Téléc. : 450 679-6648

www.beliveauediteur.com
admin@beliveauediteur.com

Gouvernement du Québec — Programme de crédit d'impôt pour l'édition de livres —
Gestion SODEC — www.sodec.gouv.qc.ca.

Nous reconnaissons l'aide financière du gouvernement du Canada par l'entremise du
Fonds du livre du Canada pour nos activités d'édition.

Reproduire une partie quelconque de ce livre sans l'autorisation de la maison
d'édition est illégal. Toute reproduction de cette publication, par quelque procédé que
ce soit, sera considérée comme une violation du copyright.

IMPRIMÉ AU CANADA

Nous dédions ce livre
à tous les Québécois et Québécoises
d'ici et d'ailleurs,
de souche ou d'adoption.

Puisse ce recueil d'histoires,
écrites par des Québécois,
pour des Québécois
vous émouvoir, vous réconforter
et réchauffer votre âme.

Table des matières

Remerciements

Après plus de quatre années de travail pour compiler, rédiger et finaliser ce *Bouillon de poulet pour l'âme des Québécois*, nous désirons offrir nos remerciements les plus sincères à tous ceux et celles qui ont contribué à la réalisation de ce merveilleux recueil. Sachez que ce projet d'envergure a été rendu possible grâce à vos efforts et à votre appui continu.

À tous ceux et celles qui ont pris le temps de soumettre une histoire, un poème ou une citation dans le cadre de cette publication, recevez notre profonde gratitude. Nous avons lu chacun de vos textes avec un plaisir renouvelé et nous sommes honorés d'avoir pu y déceler la beauté de votre âme.

À notre éditeur, Mathieu Béliveau, qui a cru au projet dès ses premiers balbutiements et à son équipe hors-pair qui nous a offert en tout temps son soutien inconditionnel, mille mercis. À Sylvie Milot, Diane Perreault et Nicole Sauvé, nous apprécions grandement l'ajout de votre touche magique et toute la minutie apportée lors de la révision du manuscrit final. Vous êtes merveilleuses!

À Claude Choquette et Luc Jutras, qui ont facilité l'obtention des droits d'utiliser la marque de commerce *Bouillon de poulet pour l'âme* et rendu possible l'écriture de ce livre dans la langue de Molière... Comment vous exprimer toute notre reconnaissance. Merci pour ce réel tour de force qui témoigne à la fois de votre persévérance et de votre côté visionnaire.

Aux graphistes, Alexandre Béliveau et Jean-François Szakacs qui ont conçu une superbe couverture à ce premier *Bouillon de poulet pour l'âme des Québécois,* bravo! Votre talent artistique réflète à merveille l'esprit des Québécois.

À Marie-Josée Blanchet et Mario Saint-Pierre, de l'équipe des ventes chez Prologue, qui s'assurent que nos ouvrages se rendent jusqu'à vous, chers lecteurs, merci.

À nos âmes dévoués, nos premiers lecteurs et lectrices: Robert Alarie, Claire Leblanc, Geneviève Gosselin, Nathalie Viel, Lise St-Amand, Linda Dupuis, Chantal Asselin, Céline

Jacques et Josée Charreyron, merci d'avoir pris le temps de passer en revue les nombreuses histoires et de nous avoir offert des suggestions fort pertinentes.

À Caroline Dault, Manon Gosselin et Caroline Hébert, votre collaboration à la correction et à la fluidité des textes de nombreuses histoires a été à la fois précieuse et appréciée.

Mille mercis à Josée Lacourse, Marjolaine Larivière et Suzanne Marin, pour votre constant dévouement tout au long de ce projet et pour votre participation enthousiaste aux diverses étapes de sa réalisation, à titre de lectrices, commentatrices et correctrices.

Il y a également de ces rencontres qui sont signées par le destin... Merci à Nathalie Morin, qui a fait preuve d'une très grande disponibilité lors du sprint final et qui a prêté sa plume pour corriger et remanier plusieurs textes.

À nos familles et amis, qui ont partagé nos joies et nos difficultés et qui, en tout temps, ont su nous soutenir, nous inspirer et nous encourager. Sachez que sans vous ce livre n'aurait jamais vu le jour.

Un grand merci à Serge Mallette, pour son art graphique; son souci du détail a su donner vie à quelques anecdotes québécoises à travers ces remarquables dessins.

Vu l'immense travail investi dans la réalisation de ce livre, il se peut que nous ayons omis de mentionner certaines personnes qui nous ont aidés en cours de route. Dans cette éventualité, veuillez accepter nos excuses et sachez combien nous vous apprécions.

* *

En mon nom personnel, j'aimerais remercier ma mère, Johanne Plante, qui s'est investie corps et âme dans la lecture, la rédaction et la correction des textes et qui a toujours su appuyer mes rêves les plus fous.

À Josée, ma compagne de vie et la mère de mes enfants. Je ne pourrai jamais t'exprimer en mots tous les sentiments qui m'habitent lorsque je pense à tous tes précieux conseils, aux

longues heures passées à me corriger et à raccourcir mes phrases qui n'en finissaient plus... Et à tous les sacrifices que tu as
faits pour me laisser vivre cette incroyable aventure. Merci de
tout cœur, mon Amour.

Et à vous, mes chers garçons, Nicola et Samuel, vous avez
été une source d'inspiration quotidienne, du vrai *bouillon de
poulet pour mon âme*!

Sylvain Dion

Introduction

Quatre années se sont écoulées depuis le lancement de ce projet. Il faut dire que sa réalisation est une grande première à travers le monde entier. Jusqu'à ce jour, aucun livre de la série *Bouillon de poulet pour l'âme* n'avait été publié dans une version originale autre que l'anglais. Il nous a fallu plus de deux années avant de pouvoir obtenir les droits de publication d'une version originale en langue française et nous sommes particulièrement fiers que cela se passe ici, au Québec!

Nous avons tenté de faire de ce livre un recueil inspirant et réconfortant avec une touche bien de chez nous, celle de notre patrimoine qui nous rend si fiers d'être Québécois. Pour ce faire, nous avons invité les gens des quatre coins de la province à nous faire part de leurs histoires.

Nous avons lu et recensé les récits de plus de mille personnes qui avaient à cœur, tout comme nous, de partager leurs expériences, leurs souvenirs, leurs joies comme leurs peines. Vous détenez entre vos mains une richesse extraordinaire qui saura vous amener à vous questionner et à réfléchir sur ce qui compte vraiment dans la vie.

Ce livre, écrit par des Québécois et Québécoises, porte sur des thèmes universels, tels que l'amour, la famille, le courage et la réalisation de ses rêves. Son fil conducteur représente tout ce qui nous caractérise en tant que peuple, ainsi que l'amour que nous ressentons pour notre belle province. Tout cela se reflète de façon subtile, et parfois de façon plus évidente, à travers les histoires qui, nous l'espérons, vous inspireront, toucheront votre cœur et réchaufferont votre âme.

Lorsque vous les lirez, nouez une relation personnelle avec elles. Prenez le temps de les écouter résonner dans votre cœur et votre esprit. Laissez-les vous émouvoir... et demandez-vous: «Qu'éveillent-elles en moi?» «Qu'évoquent-elles dans ma propre vie?» «Quelle émotion ou quelle action m'inspirent-elles?»

Goûtez ces histoires. Savourez-les. Puis, prenez le temps de les digérer et de les faire vôtres. Si vous ressentez le besoin de les partager avec quelqu'un, faites-le. Si l'un des récits vous rappelle une personne, téléphonez-lui. Plongez-vous corps et âme dans ce livre et si des idées vous viennent au cours de votre lecture, transformez-les en action. Ces récits sont là pour vous inspirer et vous stimuler.

Nous avons pris soin de demander aux personnes concernées de nous raconter leurs histoires telles qu'elles ont été vécues. Certaines ne seront donc pas converties au système métrique afin de respecter les événements dans le temps avec le langage de l'époque. Ce sont donc leurs voix que vous entendrez, et non les nôtres.

Nous espérons que vous aurez autant de plaisir à lire ce recueil que nous en avons eu à le préparer et à l'éditer. Visitez sans plus tarder notre site Internet *www.bouillondepoulet.com*. Nous y avons préparé un forum afin que vous puissiez échanger avec d'autres les histoires qui vous ont particulièrement touchés, d'une façon ou d'une autre. Également, dans une section bonis, vous y trouverez des témoignages audio et vidéo des auteurs ainsi que plusieurs autres éléments, tels que des lettres et des photographies qui rendront les récits encore plus vivants.

De notre part et de la part de toutes les personnes qui ont fait de ce livre une réalité, de notre cœur au vôtre, nous sommes heureux et fiers de vous présenter *Bouillon de poulet pour l'âme des Québécois*.

1

JE ME SOUVIENS

Nous sommes un peuple bien distinct,
des gens libres et responsables.
À nous de faire notre histoire
et d'inventer nos chemins.

Johanne Plante

Terre de roches

Le jour J est arrivé: nous emménageons dans notre nouvelle maison. Pas d'eau courante, il faut la pomper. L'eau vient d'un puits artésien situé sur le côté de la maison. Pas de toilettes, elles sont à l'extérieur. C'est une petite rallonge attenante au hangar avec sièges jumeaux. L'été, il y a les mouches, guêpes, bourdons et rats. L'hiver, il y a le froid, la neige et les rats. Pour le bain, c'est une cuve remplie d'eau chaude que ma mère fait chauffer sur le poêle à bois en plus d'un *boiler* connexe au poêle. Ça ne fait pas du tout mon affaire de me laver dans la même eau que mes frères, mais c'est la vie à l'état sauvage! Pourtant, une centaine d'années et plus ont passé depuis le début du 19e siècle! Nous sommes les dignes représentants de nos ancêtres pionniers.

Les voisins, en curieux, viennent nous rendre visite. Ils veulent savoir qui sont ces étrangers qui ont acheté la terre de roches que personne ne voulait. C'est quoi une terre de roches? C'est un sol où rien ne pousse. Mon père semble découragé, abattu. Ma mère le rassure en lui disant que des roches, ça s'enlève! Elle pose la statue de saint Joseph solidement sur un piquet en face du champ à dérocher. Six petits miracles ramassent des roches qu'ils mettent dans une brouette et le plus fort va jeter les roches.

Bientôt, une petite montagne s'élève. Le voisin laboure alors que nous, notre travail, c'est les roches. Il faut étendre du fumier, arroser, labourer et finalement semer. Saint Joseph, du haut de son piquet, nous observe; c'est là son miracle! Ce ne sont pas que quelques graines que nous plantons, mais bien des rangs et des rangs de fèves et de haricots pour la *cannerie* de Saint-Hyacinthe, ainsi que du maïs et des pommes de terre pour notre usage personnel. Ma mère adore le maïs en grains et il nous faut récolter au moins cinquante poches de pommes de terre pour passer l'hiver.

Il reste encore beaucoup de roches, mais elles sont plus petites avec les années, et la tribu y contribue. Qu'à cela ne tienne, nous allons faire avaler leurs paroles aux voisins sceptiques. Ma mère, lorsqu'elle décide quelque chose, pourrait déminer à elle seule un champ au Vietnam ou une route en Afghanistan, car rien ne l'arrête. Et des idées, elle en a, ce n'est pas ce qui lui manque. Ce travail est terminé, enfin; je peux me reposer, mes frères aussi. Hélas! ma mère nous avise que l'autre terrain, côté sud du hangar, qui est aussi grand sinon plus que celui du côté nord, va être labouré et il faut le dérocher également. Je déteste la campagne, mais ce n'est pas tant la campagne que le travail physique que cela exige. Je déteste forcer. Je préfère être malade. Je ne comprends pas pourquoi il faut travailler si fort pour avoir quelque chose. «On n'a rien pour rien, mon p'tit garçon!» me répète toujours ma mère.

Que je chiâle, que je récrimine, que je crie à l'injustice, que je fasse valoir mes droits, que je tempête, rien n'y change; il faut enlever la roche, la maudite roche. Le soleil plombe. Heureusement, je ne peux tolérer le soleil, je faiblis très vite, je me déshydrate rapidement. J'en enlève moins longtemps que les autres. La veille, c'est saint Joseph qui a changé de piquet; il a une mission que ma mère lui a donnée, celle de faire tomber de la pluie, tout simplement. Le pire dans tout cela, c'est qu'il lui obéit. Je crois que ça fait maintenant deux semaines qu'il fait beau. Le soir que les semailles côté nord sont complétées, par tous les diables, saint Joseph fait tomber une bonne pluie. Une bénédiction pour ma mère. D'ailleurs, avec elle, tout est béni.

La grêle du mois de mai, celle de juin, la pluie, le soleil, elle a un saint ou une sainte pour chaque élément de la nature. Je vis avec des saints et des saintes constamment. Je baigne dans l'eau bénite. Ça, j'aime ça, ce n'est pas trop forçant. Les roches, y a-t-il un saint pour faire disparaître les roches? Une autre petite montagne de pierres, grosses, moyennes, petites. Plus le voisin laboure, plus les roches sortent de terre. Ma mère, devant la tâche décourageante, met à profit son immense talent artistique. Elle entreprend donc de faire des rocailles. Évidemment, il faut des roches et pas n'importe lesquelles. Elle inspecte chaque roche. Elle les veut les plus rondes possible, environ la grosseur d'une pomme de terre. La *carrière* est en fonction. Nous voulons lui apporter les roches les plus parfaites. Les rocailles prennent forme.

Des fleurs, allant des minuscules pensées aux cœurs sai-
gnants, rosiers sauvages, pensées, dahlias, lys, tulipes, géra-
niums, un arc-en-ciel de couleurs explose dans toute sa beauté.
Elle sait tourner le négatif en positif, le laid en beau, le travail
ardu en amusement. Il y a des fleurs tout autour de la maison.
Elle plante des lilas, des rosiers grimpants, un paradis pour
abeilles et bourdons. Surprise! Le terrain est prêt à temps
pour accueillir un début de deux cent cinquante plants de
tomates, des rangs de concombres, échalotes, laitues, radis,
piments, maman adore ça. Même saint Joseph semble surpris.
Hourra! Ça germe, ça va pousser. Terre fertile, l'école est terminée. J'ai redoublé ma première année, je ne l'ai pas finie, je
n'apprends rien, sauf la religion et le petit catéchisme; dans
cette matière, je suis le plus fort.

De toute façon, j'ai enfin une passion... Regarder pousser ce
que nous avons semé. Au bout de quelques jours, des rangées
et des rangées de petites pousses vert tendre font leur appari-
tion. Miracle! Je cours en hurlant d'excitation! Ma mère sort
de la maison en état de panique. Elle veut savoir ce qui me
met dans un état semblable. Elle crie le nom de mes frères, qui
s'agglutinent autour d'elle. Elle les compte. C'est une habitude
chez elle de nous compter. Elle veut se rassurer qu'il n'en manque pas un. Nous y voilà. Le vaste champ offre sa tendre ver-
dure aux yeux de ma mère qui éclate en sanglots. C'est trop
beau, même mes frères se joignent à nous. Elle nous serre contre elle. Elle a vaincu l'adversité. Il y a encore beaucoup de
roches, mais ça pousse drôlement bien. Il faut dire qu'avec le
fumier que le voisin a répandu très généreusement, il y a de la
vitamine dans cette terre. Pourvu que les roches ne grossissent
pas. Comme c'est beau, la nature! Pour que les petites pousses
soient solides et en santé, il faudra piocher et enlever l'herbe
que la pluie de saint Joseph a fait pousser en même temps que
les petites pousses. Couvrir ces précieux petits plants. Il faut
les dorloter, en prendre soin. Les rangs sont longs, le champ
est vaste!

La semaine suivante, nous empruntons deux pioches chez
le voisin. C'est parti! Il faut faire très attention de ne pas piocher trop près des plants pour ne pas les couper. Enlever délicatement l'herbe autour du plant, le renchausser tout aussi

délicatement en tenant la fragile tête entre nos doigts et, surtout, surtout, ne pas le serrer et ne pas tirer, sinon c'est le déracinement de la tige. Ce sont des légumes en moins, et chaque légume est important.

Allez donc, on pioche, on renchausse chacun son bout de rang. Il n'y a que deux pioches, nous sommes six garçons. C'est la distribution de la corvée. Maman place les plus vieux avec les plus jeunes. Une équipe part au début du rang et l'autre à la fin, pour finalement se rejoindre au centre. Un rang de terminé, ma mère fonctionne ainsi, elle nous implique. Lorsque ce champ sera propre, il y aura l'autre à faire. C'est ainsi tout l'été. Faire la navette entre les deux champs. C'est la guerre du nord et du sud. Nous sommes des petits soldats. Nous allons gagner la guerre.

Les pioches frappent les roches, des étincelles jaillissent, je grince des dents. Ça pousse! Les roches aussi, il me semble. Nous continuons de les enlever. Il fait chaud, beau, trop beau, il faudrait qu'il pleuve. Partout, c'est presque la sécheresse; les champs des alentours jaunissent, sauf nos deux champs qui demeurent, dans les circonstances, verdoyants. La cause? Les roches, ces maudites roches que je déteste tant, sont une source d'humidité.

Vive saint Joseph, vive les roches, vive la vie!

Mathieu Deux,
Montréal

La vie d'une Rose...

*Ce sont tous nos univers individuels qui tissent le cane-
vas des sociétés et de l'humanité tout entière. C'est chacun d'entre nous qui donne de la couleur à cette grande
toile.*

Hervé Desbois

Aujourd'hui, à quatre-vingt-huit ans, j'ai la certitude que
les obstacles mis sur notre route sont ceux dont nous tirons les
meilleurs apprentissages. J'ai dû vivre durant mon enfance
des moments difficiles qui, malgré tout, m'ont permis de grandir et de devenir celle que je suis aujourd'hui.

À ma naissance, mon père et ma mère vivaient chez mes
grands-parents paternels. En mai 1920, alors que j'avais tout
juste quatre mois, mon père fit l'acquisition d'une petite ferme
où il décida de faire l'élevage de plusieurs animaux. Mes
parents, qui n'étaient pas riches, furent très heureux de loger
leur famille dans cette modeste demeure qu'ils pouvaient
appeler leur chez-soi.

À peine quelques années plus tard, en 1926, la crise économique frappa notre région et l'argent devint de plus en plus
rare. Comme nous étions plusieurs enfants, mes parents
devaient dépenser la presque totalité de leurs maigres revenus
pour nous nourrir. Après un certain temps, ils n'eurent plus
l'argent nécessaire pour payer les remboursements du prêt
accordé sur la ferme. Un matin, le *prêteur* nous annonça qu'il
devait reprendre notre ferme et que nous devions quitter les
lieux.

Au même moment, le gouvernement offrit des lots colonisa-
bles aux familles dans le besoin. Sans logement et ayant une
nombreuse famille à sa charge, mon père y vit un moyen de
s'en sortir et fit une demande de lot. Après quelques formalités, il reçut la lettre patente qui confirmait son titre de pro-
priété d'une petite terre à Saint-Juste-du-Lac, dans la région
du Bas-St-Laurent. Dès lors, mon père se mit au travail et

défricha une partie du terrain sur laquelle il commença à bâtir notre maison. Il y travailla sans relâche, mais, malheureusement, une nuit, alors qu'il en achevait la construction, la maladie le frappa. Le 3 septembre 1926, une péritonite aiguë le terrassa et cette petite maison où il rêvait d'installer sa famille ne fut jamais terminée.

Ma mère se retrouva complètement démunie. Non seulement elle devenait veuve à 33 ans avec neuf enfants âgés entre dix mois et onze ans, mais elle était également enceinte de son dixième enfant. Avec du recul, je me rends compte de tout le courage et de toute la force qu'il lui a sans doute fallu pour passer au travers de cet événement. À l'époque, on exposait le défunt dans la maison le lendemain de son décès. Je vis donc arriver deux chevaux noirs attelés à cette voiture noire qui contenait le cercueil de mon père. Bien que très jeune à l'époque, je me rappelle qu'on avait placé mon père dans une petite chambre en face de celle où se trouvait ma mère, et je la revois encore aujourd'hui pleurant à fendre l'âme.

Malgré toute la bonne volonté de ma mère, elle réalisa rapidement qu'une jeune veuve ne pouvait pas subvenir aux besoins de ses dix enfants. Elle prit donc la décision la plus difficile de sa vie : donner ses enfants en adoption. Ainsi, un soir du mois de septembre, à peine trois semaines après le décès de mon père, deux étrangers arrivèrent à la maison accompagnés de ma tante qui devait convaincre ma mère de les laisser prendre un de ses enfants. Ma tante dit alors à ma mère que les gens qui l'accompagnaient étaient honnêtes et qu'ils prendraient bien soin d'un orphelin.

Lorsque ma mère céda enfin, les étrangers déclarèrent : « On veut la petite brune. » Je sus alors que c'était moi puisque mes trois sœurs étaient blondes. Ma mère voulut me rassurer en me disant qu'ils allaient me prendre avec eux, que je serais maintenant leur enfant et qu'ils s'occuperaient bien de moi. Ma tante, voyant ma réticence, intervint : « Ma petite Rose, tu vas être bien avec eux. Ils ont une voiture neuve, tu vas pouvoir faire plein de belles promenades. » Ils m'habillèrent avec beaucoup de peine et, bien vite, ce fut le temps de nous dire adieu. Ma mère m'enlaça pour m'embrasser et je vis de grosses larmes couler sur ses joues. L'homme me prit dans ses bras pour me placer dans la voiture. Les étrangers ont ensuite déposé ma tante chez elle où nous avons passé une partie de la soirée.

Lorsque vint le temps de partir, je remarquai alors que ma tante ne nous accompagnerait pas et, moi, je ne voulais vraiment pas aller avec eux. J'avais avec moi un petit baluchon de vêtements que ma mère m'avait préparé. Mes possessions n'étaient pas très importantes, mais je les tenais bien serrées contre mon cœur. Soudain, comprenant que je devrais suivre ces étrangers, j'ai lâché mon baluchon et j'ai couru. Je courais aussi vite que je le pouvais sur le chemin de terre. Je courais vers chez moi, je courais vers ma sécurité, je courais en criant: «Je veux rentrer chez moi!» Il faisait très noir et ma vision était brouillée par mes larmes, mais je ne cessais pas de courir... et de pleurer.

Je voulais échapper à ce destin qui me séparait de tout ce que je connaissais de la vie, de tout ce que j'en aimais. Je ne sais pas combien de temps s'est écoulé ni la distance que j'ai réussi à parcourir, mais ils m'ont rattrapée et m'ont fait entrer de force dans la voiture. Après ce moment, c'est le trou noir: je ne me souviens de rien. Ils m'ont dit un jour que j'avais fini par m'endormir, épuisée d'avoir trop pleuré.

Ma mère, de son côté, garda les quatre plus jeunes enfants avec elle et emménagea chez mon grand-père. Pour subvenir à leurs besoins, elle travaillait dans des maisons privées où elle faisait le lavage et le grand ménage. Quelle misère, pauvre maman! Malheureusement, le sort s'acharna sur elle puisque, quatre années plus tard, son père décéda et la maison fut vendue. Ma mère dut donner en adoption ses quatre derniers enfants. Je voyais quand même régulièrement ma mère puisqu'elle venait me visiter. Chaque fois qu'elle me prenait dans ses bras et m'embrassait, cela me rappelait à quel point sa présence me manquait.

Mon enfance dans ma famille adoptive ne fut ni heureuse ni malheureuse. Certes, je ne manquais de rien, j'étais habillée et bien nourrie, mais je devais cependant travailler malgré mon jeune âge. Tout l'argent que je gagnais pour accomplir ces tâches ne m'était jamais donné. Je devais également aider ma famille adoptive sur les chantiers de bois où elle travaillait durant l'hiver. Je n'allais donc pas à l'école de la mi-octobre jusqu'au début de mars, et même si j'adorais l'école, je dus y renoncer à onze ans pour m'occuper de la maison.

La plus grande peine de mon enfance est de ne pas avoir pu vivre avec ma mère, mes frères et mes sœurs. J'ai toujours manqué de cette affection que ma mère avait l'habitude de nous donner. Mes parents adoptifs, eux, n'étaient pas très démonstratifs. Les mots *je t'aime* n'étaient jamais prononcés dans leur demeure. Leur devise était plutôt: «Écoute et ne parle pas.» Ils se contentaient de vivre, sans jouir des plaisirs de la vie, sans souligner les anniversaires. Ma mère, de son côté, me faisait toujours parvenir un petit cadeau que j'allais cueillir comme un trésor au bureau de poste. Elle n'était pas riche, mais elle nous aimait tellement.

À dix-huit ans, la chance m'a enfin souri. J'ai rencontré l'homme qui, une année plus tard, allait devenir mon époux. Neuf mois après notre mariage, j'ai enfin pu savourer les joies de la maternité en donnant naissance à mon premier enfant, lequel fut suivi de vingt autres petits anges. Au fil des années suivantes, j'ai eu la chance de partager des moments précieux avec ma mère et de profiter de son affection à travers mes enfants. Elle venait nous rendre visite et elle berçait mes petits, leur chantait des chansons et leur racontait des histoires. Je la regardais agir avec eux et je me rappelais sa douceur.

Le fait d'avoir grandi loin de ma mère, de mes frères et de mes sœurs m'a grandement affectée et c'est pourquoi, lorsque j'ai fondé ma propre famille, j'ai instauré une tradition à laquelle je tiens énormément. Au jour de l'An, pour le repas du midi, je préparais un menu spécial pour mes enfants et mon mari. Maintenant que notre famille s'est beaucoup agrandie, nous poursuivons toujours la tradition en conviant nos enfants, leurs conjoints, nos petits-enfants et nos arrière-petits-enfants à un bon repas au sous-sol de l'église de notre village. Pour moi, le jour de l'An est une journée particulièrement importante où tous les membres de ma famille sont réunis afin que je puisse leur dire à quel point je les aime tous, chacun d'entre eux.

Dernièrement, on m'a posé la question suivante: « Si vous aviez à refaire votre vie, qu'est-ce que vous changeriez? » Même en repensant aux moments éprouvants auxquels j'ai dû faire face durant mon enfance, je ne peux que répondre spontanément que je ne changerais rien du tout à ma vie. Aujourd'hui, j'ai 88 ans, je suis en santé et j'ai un mari aimant, après bientôt soixante-neuf années de mariage, avec qui j'habite toujours notre petite maison au village de Saint-Jean-de-Dieu, dans le Bas-Saint-Laurent. Nous avons la chance d'avoir eu vingt et un enfants, cinquante-quatre petits-enfants et une trentaine d'arrière-petits-enfants que nous aimons sans condition. Ce sont les différents chemins que nous prenons dans la vie qui forgent notre identité, et c'est la façon dont nous les parcourons qui définit notre personnalité.

Récit inspiré de la vie de
Rose-Alma Dubé Sénéchal,
par Isabelle Sénéchal,
Rimouski

La boîte à surprise

Les derniers jours de l'Avent n'en finissaient plus. La neige, qui n'avait pas cessé depuis trois jours, recouvrait tout le village de son épais manteau et semblait l'envelopper de silence. Aussi loin que nous pouvions voir de la maison, seuls se dressaient des arbres dénudés étirant avec ténacité leurs branches malingres vers un ciel opaque dont la voûte sombre semblait vouloir écraser les pauvres humains en laissant leurs ardentes suppliques demeurer sans réponse. Comble de malheur et de tristesse dans notre chaumière, rien ne laissait présager que Noël était à nos portes.

Un bon matin, je partis avec mon traîneau chercher une cruche de mélasse au magasin général. Faut-il le rappeler: en cette période de crise, nous étions bel et bien dans la mélasse, car ce satané dessert accompagnait immanquablement tous nos repas. Pire encore, maman se permettait parfois de la diluer.

En remontant la côte de la grande route pour me rendre chez moi, je croisai un robuste gaillard aux cheveux blancs et touffus, à l'épaisse moustache à la Clémenceau, et au sourire le plus débonnaire qui soit. Mais, ce qui surprit le gamin que j'étais, ce fut la luminosité de son regard qui semblait avoir conservé toute la candeur de l'enfance. Il portait une lourde boîte d'outils, car il était menuisier. Marchant à grandes enjambées, il me salua de la main, puis emprunta une petite rue; sans doute se rendait-il effectuer quelque réparation chez l'un des habitants de notre village.

À la maison, maman affichait son air des mauvais jours. L'œil fixe et le regard impénétrable, elle continuait d'abattre sa dure besogne avec une exactitude que n'aurait pas désavouée un ordinateur. Silencieuse, elle dressait la table avec célérité, car mes frères aînés n'allaient pas tarder à arriver pour le dîner. Ils rentraient fourbus, taciturnes, et s'assoyaient à la table sans dire un mot. Après avoir englouti leur soupe, maman leur servait les restes de viande qu'elle avait pu apprêter, mais ils ne mangeaient pas tout afin de pouvoir en laisser aux plus petits de la famille. Malgré leur appétit de jeunesse, ils vivaient cette générosité depuis déjà un bon bout de temps, et c'était même devenu une pratique courante chez bon nombre d'habitants du village. Ils quittaient la cuisine aussi rapidement qu'ils étaient venus, nous jetant à peine un regard, car ils devaient reprendre la route sans tarder pour aller sillonner en camion les chemins hasardeux et accidentés de la Beauce.

J'avais beau trépigner d'impatience et me torturer l'esprit à me demander continuellement si j'allais recevoir des étrennes à Noël, les aiguilles de la grosse horloge de la cuisine n'en continuaient pas moins de marquer les heures et de faire avancer les dates du calendrier.

Enfin, nous étions la veille de Noël, mais cette journée s'annonçait encore plus sombre que les autres. J'avais perdu tout espoir de recevoir des étrennes, et lorsque j'en parlais à ma sœur Gabrielle, elle prenait un air entendu et me répondait: «Tu verras.» Pour être bon prince, je dois bien avouer qu'elle avait trouvé une solution à cette angoissante question: elle avait jeté son dévolu sur un rondin de bois qu'elle avait vêtu de lambeaux de tissus trouvés dans la maison et lui avait même confectionné un bonnet de nuit. Elle trouvait sa poupée fort jolie et couchait avec elle tous les soirs. Pour ma part, je trouvais que cette poupée avait l'air de Bécassine, et c'est sans doute pour cette raison que, tout au long de mon enfance, j'ai appelé ma sœur *Souris Miquette de bois franc*.

Couché tôt pour aller chanter à la messe de minuit, je m'étais juré de rester éveillé pour épier tous les bruits de la maison, mais je tombai assez rapidement dans les bras de Morphée. Il était passé vingt-deux heures lorsque je fus réveillé par des exclamations de joie. En un rien de temps, je rejoignis toute la famille au salon. Maman, revêtue de sa plus belle robe et encore toute rose d'émotion, racontait pour la troisième fois ce qui s'était passé.

Elle avait entendu du bruit sur le perron d'en avant; le temps d'enfiler un gilet – car il faisait un froid de loup – et d'ouvrir la porte, elle avait aperçu dans la semi-obscurité une silhouette qui s'était rapidement estompée dans la nuit. En se retournant pour rentrer, elle avait vu une grosse boîte carrée.

Elle avait bien essayé de la soulever, mais ses bras trop courts ne le lui permettaient pas. Appelé à la rescousse, Robert, l'aîné de mes frères, avait agrippé la boîte énergiquement et l'avait déposée triomphalement dans le salon, près du sapin de Noël.

J'arrivai juste à temps pour assister à l'ouverture de la boîte qui était solidement clouée. Nous retenions tous notre souffle, mais Robert mit fin à notre attente en arrachant d'un coup sec les derniers clous qui retenaient la boîte fermée.

La boîte était pleine à craquer. Elle contenait une multitude de paquets soigneusement enveloppés dans du papier brun. Histoire de faire durer le plaisir et de piquer encore davantage notre curiosité, maman prenait tout son temps pour développer les paquets. Tour à tour, nous vîmes apparaître des tourtières, de la tête fromagée bien protégée par de la glace, des tartes aux fraises et aux framboises, un gros sac d'oranges, des fruits exotiques qui ne paraient notre table qu'au jour de l'An, et enfin une dinde d'une grosseur plus que respectable. Puis, maman replongea profondément la main dans la boîte et en retira deux paquets enveloppés dans un attrayant papier rouge. Le premier contenait un cahier et des crayons à colorier pour ma petite sœur. Le deuxième m'était destiné: je devins l'heureux propriétaire d'une rutilante toupie dont les sons harmonieux me ravissaient. On m'aurait présenté tout un orchestre symphonique que je n'aurais pas été plus heureux. Je ne la quittais pas des yeux et j'avais interdit à quiconque d'y toucher.

D'où venait ce cadeau des dieux? Je criais au miracle, mais le sourire échangé entre maman et Robert en disait long. L'homme que j'avais rencontré sur la route se nommait Félix. C'est ce même Félix qui, au moment où nous nous y attendions le moins, était venu apporter la félicité à notre famille en ce Noël 1938, le dernier de l'avant-guerre. Cependant, cette grande générosité n'était pas tout à fait désintéressée. J'appris qu'il trouvait maman bien à son goût, mais qu'il était trop timide pour lui déclarer sa flamme. Ce Noël est demeuré le plus beau de mon enfance, pour ne pas dire de toute ma vie.

Guy Loubier,
Gatineau

Gourmandises québécoises

J'ai parcouru le Québec de Stanstead à La Sarre, de Gatineau à Natashquan, de Montréal à Carleton. Et j'y ai marché. Pour manger, pour espérer, pour me changer les idées. Pour affirmer ma solidarité, pour rencontrer des amis et voir du pays... Et du pays, j'en ai vu! En hiver, mes bottes pesantes ont imprimé mes pas sur la neige fraîche le temps d'une tempête. Le printemps venu, j'ai vu les bourgeons, ivres de soleil, gonflés à en éclater de cette lueur vert tendre, porteurs de tous les espoirs. Les étés ont laissé libre cours à toutes mes folies sur les rives de la mer québécoise, le regard au loin, les pieds dans le sable chaud... pour si peu de temps.

Et l'automne m'a toujours accueillie dans ses montagnes colorées de jaunes, d'orangés et de rouges qui s'entêtent à faire perdurer une lumière qui disparaît un peu plus chaque jour. J'ai admiré les paysages du Québec. Les montagnes et les vallons des Cantons-de-l'Est où des panoramas nouveaux apparaissent au gré des promenades. Les vergers fleuris au printemps, puis gorgés de fruits l'automne venu. Les cultures de maïs et les vaches qui vont s'en délecter tout le long de l'autoroute 20. Et, aux abords de la route 117, la mise en scène qui laisse croire à une forêt boréale en pleine santé, mais bien décharnée dans la réalité.

J'ai regardé les sternes et les cormorans s'envoler au-dessus de cet horizon de mer qui me laisse rêver que j'entrevois la Tour Eiffel. À Miguasha, j'ai vu les fossiles témoins d'une époque où personne encore ne pouvait prétendre connaître le Québec, l'aimer et encore moins l'habiter. J'ai traversé les ponts pour entrer au cœur des grandes villes, y connaître l'histoire dans ces rues d'autrefois. Apprécier la vie d'aujourd'hui au cœur des centres-villes pleins de gratte-ciel où j'ai magasiné et travaillé. J'ai visité les régions et leurs villes, les villages aux charmes multiples, presque uniques. Toutes et tous m'ont charmée. Partout, j'ai rencontré les gens qui habitent ces régions. J'ai rencontré des Québécois fiers... Des Abitibiens enorgueillis de leurs racines, celles-là mêmes qu'ils ont tant peiné à défricher. Des Gaspésiens fiers de leur mer. Des Innus établis dans un coin de pays qu'ils ont retrouvé fièrement par traités. Des Montréalais aux origines ethniques diverses qui colorent leur île de toutes leurs fiertés. Des Estriens fiers de leurs origines anglophones et des traces qu'elles ont imprimées dans leur paysage. Des Hurons qui redonnent vie à leurs maisons longues en les transformant en attraits touristiques. Des Québécois – les urbains – fiers d'habiter la seule ville fortifiée en Amérique du Nord. Des gens de l'Outaouais qui, si près des Ontariens, réussissent à demeurer de fiers Québécois. Tant de gens rencontrés... Mon seul regret demeure celui de ne pas avoir pris le temps de les connaître tous.

J'ai aussi goûté ce Québec qui est le mien et auquel, en gourmande incorrigible que je suis, je ne peux résister. L'eau d'érable qui bout jusqu'à devenir sirop et tire. Ce sirop que l'on brasse jusqu'à en obtenir une crème ou du sucre. L'agneau du Québec dont on dit qu'il est aussi tendre que le cœur des Québécois. Ce petit fruit aux couleurs du saumon, la chicouté cueillie dans les tourbières de la Côte-Nord. Le cassis québécois, grand inconnu cultivé dans les Cantons-de-l'Est et sur l'île d'Orléans. Les crevettes de Matane qui font un détour par la Côte-Nord pour être pêchées et transformées.

Les fromages exhalant tous les parfums de leurs terroirs. Le cidre de glace qui est au Québec ce que le champagne est à la France. Les petits fruits que l'on cueille tout l'été le long des rails de chemin de fer lorsqu'on n'est pas trop pressé. Et ceux qu'on achète au marché parce qu'on est plus gourmand. Le homard, le saumon de l'Atlantique, la truite saumonée et autres merveilles de la mer que les pêcheurs gaspésiens se font un plaisir d'aller attraper pour nous.

J'ai senti les odeurs de la terre et de la mer. De l'herbe fraîchement coupée aux champs labourés au printemps. Les senteurs du pin et du pommier me font chavirer. J'aime toujours l'odeur de l'eau d'érable qui bout au printemps, du foin prêt à engranger qui flotte dans les campagnes en été, des feuilles mortes qui jonchent le sol en automne et l'odeur de la bonne soupe aux légumes bien chaude dont les vapeurs réchaufferont mon nez gelé après une promenade hivernale.

Que j'aime le Québec! De cet amour qui aide à vivre et à entretenir l'amitié. Même si l'hiver me pèse à voir venir, je m'ennuierais de sa blancheur si je devais trop m'en éloigner. Oh! que oui, je m'ennuierais aussi de ces Beaucerons, ces Abitibiens, ces Estriens, ces Gaspésiens et tous ces Québécois qui donnent vie à leur pays!

Aujourd'hui, assise bien au chaud, j'écris. Au lieu de m'y promener, j'ai décidé cette fois de l'écrire, ce Québec. Et je le fais tout doucement, en savourant un réconfortant bouillon de poulet pour atténuer la froidure de l'hiver qui s'annonce et me réchauffer le corps, le cœur et l'âme.

Chantal Laplante,
Québec

La traversée

*Apprivoiser le nom de son pays
et se le répéter jusqu'à l'amour...*

Jean-Guy Pilon

On m'avait dit: «Vas-y, tu verras, ce sera beau, ce sera bien... Tu découvriras d'autres pays, tu y boiras du vin... Y a rien d'étrange, juste du ciel, des montagnes et d'autres matins.» Moi, je savais que j'y trouverais des gens différents, des paysages spectaculaires, peut-être l'émerveillement de l'enfant en moi et des villes qui cachent de vieilles histoires, un peu comme dans les romans. J'ai serré des mains, j'ai parfois serré les poings, j'ai ri, j'ai pleuré et j'ai longuement observé...

Puis, un jour d'avril, j'ai vu naître mon être et j'ai découvert ma face cachée. Assise par terre, j'écoute Lapointe, Ferland et les autres, ces autres qui font partie de mes mots, ceux qui écrivent l'histoire de notre vie, ceux qui viennent de mon pays. *Ben* oui, j'ai déserté, je suis maintenant une expatriée, une étrangère dans un autre pays, *une femme du monde*, comme on dit, mais mon monde à moi, en fait, *y é* resté au Québec. Je ne pensais jamais vivre ça aussi fort, ce sentiment d'appartenance, ce cordon ombilical plus long que l'océan, qui me retient et me nourrit en même temps...

Est-ce ça, l'amour de la patrie? Pourtant, j'ai les deux pieds bien ancrés et les yeux qui ratissent ce nouvel horizon, cette magnifique terre d'accueil, un nouvel élan de passion. J'ai toujours eu le goût du monde, *pis là*, le monde *y é* à mes pieds, on dirait! Ici *y a* l'histoire qui se lit sur les maisons, *y a* l'histoire qu'on me raconte tout bas et *y a* l'histoire qu'on écrit, toi et moi... N'avons-nous pas tous le désir caché d'en faire partie, d'être cités?

Mais *y a* aussi la différence, celle que nous vivons et celle que nous projetons. *Y a* cette oreille toujours à l'affût, toujours aux aguets pour reconnaître un accent familier, des mots en *joual*, des *toé pis moé!* Cette déchirure, côté cœur côté aventure, *y a* déjà un bon moment qu'elle dure... Je pense maintenant qu'il est temps de rentrer, d'aller voir chez nous si on y est... D'abord, faire la révérence à ceux d'ici, à nos amis, et les inviter chaleureusement de l'autre côté de l'océan à venir voir notre belle province.

Entre son château *pis* son drapeau, entourés des *bums* et de tous nos *chums*, c'est *toé pis moé* quelque part par là, la fête dans le cœur *pis* le cœur grand comme le monde, qui devront bientôt refaire leur nid, avec des racines qui ont bien grandi.

Québec, attends;

Québec, je reviens;

Québec, mon diamant;

Québec, mon écrin.

Julie Magnan,
Québec

Une «femme» qui sait ce qu'elle veut!

D'aussi loin que je puisse me souvenir, j'ai toujours aimé le hockey! Déjà, à l'âge de cinq ou six ans, c'était une passion, et les Nordiques de Québec faisaient partie de ma famille! Je ne comprenais pas toutes les astuces du jeu, mais j'avais déjà mes joueurs préférés et j'étais triste à chacune de leurs défaites malheureusement fréquentes. Je rêvais de pouvoir aller les voir jouer au Colisée et j'espérais aussi avoir la chance de rencontrer un jour un de mes joueurs favoris!

Un beau matin, mon père m'a fait une grosse surprise: nous sommes allés aux Galeries de la Capitale pour une séance d'autographes avec les joueurs des Nordiques! *Wow!* Mon rêve devenait réalité! Il y avait seulement quelques membres de l'équipe mais, par bonheur, mon beau Mario Gosselin était parmi eux. J'étais vraiment énervée. Si mon père avait pu, je pense qu'il m'aurait donné des calmants pour mes petits nerfs. Heureusement, il était patient. Après quelques minutes d'attente, qui m'ont semblé être des semaines, je suis enfin arrivée devant mon beau Mario.

Déjà, à six ans, mes hormones devaient fonctionner à plein régime. Il était tellement beau! C'était comme dans un film; il a levé la tête au ralenti et il m'a fait un beau sourire. Pendant une seconde, nous étions seuls au monde. Devant la table, il y avait deux photos différentes de lui et il m'a demandé de choisir laquelle je voulais avoir. QUOI? UNE SEULE! Il n'en était pas question! Je lui ai donc répondu que je les voulais toutes les deux. Mon père était très gêné et il m'a donné un coup de coude en disant: «Franchement, Valérie!» Mario lui a répondu: «Laissez-la faire, monsieur, j'aime ça, une femme qui sait ce qu'elle veut!»

C'est à ce moment-là que mon cœur s'est arrêté de battre et que j'ai cru que j'allais m'évanouir et mourir de bonheur. C'était beaucoup trop d'émotions pour une aussi petite fille.

Mon gardien de but préféré m'a donc remis mes deux auto-graphes et mon père m'a *tirée* vers l'arrière pour que je laisse la place à un autre *fan*. S'il ne m'avait pas enlevée de là, j'y serais restée au moins un mois, car je n'étais vraiment pas pressée de partir! À cet instant-là, Marc Simoneau, un commentateur sportif, est venu me voir et il m'a demandé si j'aimais les Nordiques. Évidemment, je lui ai répondu oui, et il m'a alors remis une paire de billets pour aller les voir jouer au Colisée la semaine suivante contre les Bruins de Boston. *Youpi!* J'avais l'impression de rêver. C'est alors qu'un monsieur s'est approché de mon père et lui a offert 100 $ pour acheter mes billets. Je n'ai pas voulu les vendre, ils n'avaient pas de prix à mes yeux. Je flottais sur un nuage, j'avais réalisé deux de mes rêves dans la même journée!

Aujourd'hui, j'aime encore le hockey, mais avec le départ des Nordiques, ma passion a un peu diminué. J'ai un gros faible pour les joueurs québécois, mais puisqu'il y en a dans presque toutes les équipes, je dois partager mon amour entre eux! Je garde précieusement mes autographes de Mario Gosselin et je suis certaine que, lorsque j'aurai 80 ans, je raconterai ces beaux souvenirs à mes petits-enfants!

Valérie Gendron,
Québec

Déplacer les montagnes

La persistance vient à bout de la résistance.

Sylvain Dion

«Qu'à cela ne tienne!» dit ma mère. C'est curieux, mais lorsqu'elle prononce cette expression, j'ai toujours une bizarre de sensation au creux de moi. Ça sent toujours le travail. Elle a une façon particulière de manipuler sa main-d'œuvre. «Pourquoi ne pas joindre l'utile à l'agréable?» nous dit-elle. Je le savais, je le savais, je le savais donc! Je ne suis pas fou. Elle va encore nous faire travailler en nous impliquant dans l'amour du travail et en faire un jeu. Eh oui! manipulatrice en plus. Il ne manquait plus que ça!

«Vous savez quoi, les enfants?» «Non, personnellement, ça ne me tente pas de le savoir. Il faut encore travailler, je suppose?» «Mais non, mon p'tit garçon, on va tous s'amuser. Maman a eu une idée. Vous allez ramasser des roches dans le champ et me les apporter, maman va les trier puis, avec ces roches-là, elle va construire une grotte», dit-elle, tout heureuse de son idée. «Rien que ça! C'est tout? répliquais-je. N'importe quelle roche, vous allez toutes les prendre?» «Ah, ben non! Maman va choisir celles qui font son affaire», répondit-elle, souriante. «Pis, c'est quoi, celles qui font votre affaire? C'est quelle grosseur?» hésitais-je à demander. «Bah... à peu près la grosseur d'une pomme de terre moyenne, quand même assez ronde. De toute façon, maman va les trier et celles qui ne font pas l'affaire, vous irez les porter au bout du champ avec les autres», dit-elle, comme si c'était l'évidence même et que la conversation était terminée.

Il faut nous mettre au travail, pardon... au jeu. La construction commence. Les journées sont très chaudes, et la «brouette» de roches, très lourde. Qui a dit: *Tu travailleras à la sueur de ton front?* J'espère qu'il n'a pas dit cela pour moi. Toujours est-il que ma mère sélectionne les roches moyennes avec un soin particulier. Une vraie usine de triage. Il faut qu'elles soient les plus rondes possible. Elle les examine comme si c'étaient des pierres précieuses. À ses yeux, elles le sont. Elle prépare le ciment qui va unir ces roches et ériger cet abri qui accueillera ce *Couple bibliquement* uni et visiblement ravi.

La Vierge sourit à son époux. Lui, il a compris ce qu'était le «Grand Amour». Elle, elle a consenti à être l'Amour universel. Les travaux de construction vont bon train. La grotte s'érige fièrement grâce au talent artistique indéniable de ma très chère mère. Puis, c'est la touche finale, soit la rocaille qui va entourer ce monument splendide. Les roches doivent être plus grosses et plus plates. Des fleurs y sont ajoutées tout autour. Deux magnifiques rosiers sauvages vont garder de chaque côté l'entrée de ce temple dédié à la Vierge Marie et son époux Joseph. Nous nous sommes laissé prendre au jeu.

Ce n'est plus du travail, c'est devenu une passion! La grotte est tellement magnifique avec toutes ces fleurs qui l'enjolivent que les automobiles ralentissent et s'arrêtent presque pour admirer la beauté, la splendeur de ce logis du Couple biblique. Ma mère a un don certain pour embellir tout ce qu'elle touche. Tout prend une autre forme, une autre couleur, une autre image, une autre dimension. Nous sommes fatigués, mes frères et moi, mais satisfaits de notre édification. L'inauguration aura lieu la même année que celle du Musée de l'Oratoire Saint-Joseph, c'est-à-dire en 1955.

Pour une fois, je ne me plains pas du travail, car c'est comme si j'avais moi-même construit cette grotte. Je suis fier! Une mauvaise nouvelle va pourtant venir assombrir ce tableau. Un nouveau gouvernement est élu. Il faut des routes en asphalte. Les petites routes de campagne en terre n'existeront plus. Pour cela, le gouvernement achète des bandes de terrain afin d'élargir la route et creuser des fossés plus larges. Les travaux doivent commencer sous peu.

Des gens du gouvernement se présentent à la maison pour aviser qu'ils vont acheter notre bande de terrain. Le problème est que le nombre de pieds qu'ils vont s'approprier pour creuser les nouveaux fossés arrive tout juste dans la rocaille et à l'entrée de la grotte, alors ils conseillent à ma mère de la démolir. Rien ne va plus! Ma mère entre dans une telle colère qu'elle leur intime l'ordre de quitter sur-le-champ ce terrain qui lui appartient. Ils l'avisent qu'elle n'aura pas le choix, étant donné que c'est une offre du gouvernement. «C'est ce que nous allons voir. En attendant, dites au gouvernement que je n'ai pas du tout l'intention de détruire ma grotte. Je ne vous conseille même pas d'essayer!»

Ma mère est sur un pied de guerre. Ce n'est certainement pas le gouvernement qui va provoquer la destruction de ce temple. Ces gens ne connaissent pas encore ma mère, mais ce n'est qu'une question de temps. «Ils vont voir de quel bois je me chauffe!» C'est sa phrase classique lorsque sa décision est prise. Elle passe à l'attaque! Attention, ça va chauffer! On ne déplace pas la Sainte-Vierge ainsi que saint Joseph de façon aussi cavalière, comme s'il ne s'agissait que de vulgaires statues de plâtre.

Elle est capable, ma mère. Elle appelle le maire du village qui, malheureusement, ne peut rien faire et qui lui conseille d'en parler au député. Il est toujours à la messe du dimanche dans la paroisse voisine. Qu'à cela ne tienne, elle va y assister, elle aussi, à cette messe. Après la célébration, elle sort de l'église et attend le député sur le parvis. *Ah, non! Pauvre de lui, il sort.* Ma mère demande à lui parler. Devant les revendications de cette femme, il lui répond qu'il serait préférable qu'elle contacte le ministère des Transports, ou le ministère qui s'occupe du dossier des routes.

Sans aucune hésitation, car il n'y a plus de place pour l'hésitation lorsque la décision de ma mère est prise, elle fonce comme un char d'assaut. Elle débroussaille le chemin, rien ne l'arrête. Elle rejoint finalement le ministère en question. Elle demande à parler au ministre même. Demander est un mot excessivement poli pour dire qu'elle lui intime l'ordre de la rappeler s'il ne veut pas avoir des morts sur la conscience.

Comment s'y est-elle prise? Aucune idée, mais devant la détermination farouche de cette femme, il obtempère. «Si jamais vous creusez le fossé sur mon terrain avec votre bulldozer et que ma grotte, que mes enfants et moi avons mis au moins trois semaines de dur labeur à construire, est démolie, je vous jure une chose: je me couche en face de la grotte avec mes enfants et, tous, nous allons avoir les pieds pendants sur le bord du fossé. Vous pourrez creuser à ce moment-là, vous l'aurez sur la conscience. Je ne demande qu'un bout de terrain pour protéger ma grotte, c'est tout.» Puis, elle raccroche le récepteur du téléphone.

Une délégation est venue lui rendre visite et, après des pourparlers intensifs, ils en sont venus à une entente. Bon, une petite bifurcation dans un fossé ne devrait pas être impossible, après tout.

Des petits piquets avec de petits drapeaux rouges étaient bien alignés. Mais plus ils s'approchaient de la divine grotte, si vous me permettez de l'appeler ainsi, plus les petits drapeaux formaient un demi-cercle bien défini afin de contourner la grotte et laisser assez de terrain pour ne pas défigurer la rocaille. Elle avait réussi! Le dimanche, les gens venaient presque en pèlerinage pour admirer cette grotte dont ils avaient entendu l'histoire et, surtout, par curiosité, afin de savoir qui était cette femme qui avait fait changer d'idée le gouvernement.

Mathieu Deux,
Montréal

Texte de Lise Bouchard, Laval
Illustration de Serge Malette, Gatineau

Je me souviens !

Je travaille pour une compagnie américaine et j'ai la chance de voyager dans le monde entier pour donner des formations en anglais à mes collègues de partout. Étant Québécoise pure laine et de langue française, je me suis sentie, dès le début de cette aventure, un peu perdue et en même temps unique. Les gens aux États-Unis m'appellent la *Frenchie* et ceux en France m'appellent l'*Américaine*, mais je ressens constamment le besoin de me justifier pour expliquer mes racines.

C'est quoi, être Québécoise ? Voilà une question que je me suis posée bien souvent et j'ai même dû m'arrêter pour réfléchir sérieusement sur *qui* j'étais vraiment. La plupart du temps, dans chaque pays que je visite, je suis confrontée à mon accent, à ma culture et à ma philosophie. À cause de cela, j'ai pris goût à raconter d'où je viens et l'histoire du Québec.

Ce qui m'étonne toujours, c'est de me faire demander: «Que veut dire *Je me souviens* sur les plaques d'immatriculation de vos voitures ?» et de constater comme cette devise est connue, et intriguante en même temps pour les gens.

Chaque fois qu'on me demande cela, je me surprends à sourire et à vouloir expliquer notre histoire, notre héritage francophone, notre guerre perdue contre les Anglais sur les plaines d'Abraham, la désertion des Français qui, retournant en Europe, nous ont laissé survivre par nous-mêmes dans ce pays de froid souvent austère et, surtout, de parler de notre combat pour préserver notre langue française. Au fil du temps, à force de répéter la même histoire et en y songeant plus à fond, j'ai compris que *Je me souviens* signifie beaucoup plus pour moi, malgré une sorte d'amertume accumulée au fil des ans et d'un sentiment de nostalgie.

Moi, *Je me souviens* des grosses tempêtes de neige sans électricité, à veiller près du poêle à bois dans le sous-sol de mes grands-parents. *Je me souviens* des soupes délicieuses que ma mère me préparait après une bonne journée à jouer au hockey avec mes amis sur la patinoire du village, ou encore du bon chocolat chaud à siroter devant le feu de foyer en revenant d'une journée de ski alpin. *Je me souviens* du retour de la messe de minuit où de bonnes tourtières nous attendaient et, surtout, plein de cadeaux à ouvrir en famille. *Je me souviens* des soirées à regarder la télévision en compagnie des miens où je m'endormais sur le canapé en serrant mon petit chien tout contre moi. *Je me souviens* des week-ends d'été en camping à faire des randonnées en canot, à me faire piquer par les maringouins en espérant pêcher quelques poissons, et aussi des balades à cheval dans les champs à me prendre pour Candi, l'idole des dessins animés que j'ai regardés durant mon enfance.

Je me souviens de l'entraide du voisinage lors de la crise du verglas, apportant chaudières d'eau, nourriture et bois de chauffage. *Je me souviens* des randonnées pédestres dans la forêt en automne avec mon frère à ramasser des feuilles mortes pour pouvoir nous jeter ensuite dedans. *Je me souviens* des cadeaux d'anniversaire que ma marraine m'offrait chaque année de son vivant, elle qui s'était mariée à quinze ans et qui avait eu quinze enfants; malgré tout, elle prenait le temps de penser à moi. *Je me souviens* de la chance d'avoir eu des parents très âgés, mais ô combien remplis d'amour et de sagesse, et aussi de l'héritage spirituel reçu de ma mère pour qui la bonté, la foi et l'amour étaient l'énergie motrice de la Vie. En fait, ce dont *Je me souviens,* c'est de ma chance d'être née et de vivre au Québec et d'apprécier grandement nos quatre saisons, de vivre avec la nature qui nous entoure et de la contempler, et surtout de nous entraider, de respecter et d'accepter les différences. Voilà ce dont je voudrais que mes enfants, mes collègues et surtout les générations futures *se souviennent.*

Quoi de plus beau que de savoir d'où l'on vient, et surtout de vouloir se servir de cette connaissance pour se bâtir un futur encore plus beau et plus positif! C'est donc une invitation à *se souvenir.* Chacun peut interpréter la devise *Je me souviens* à sa manière et en toute liberté. Maintenant, pour moi, *Je me souviens* a bel et bien sa signification: *Je me souviens de tout ça!*

Renée Lemaire,
Drummondville

Québec,
mon amour

Chaque être humain vient sur terre avec un rêve. Un rêve
qui donne un sens à sa vie, et sa quête est de le réaliser. Le
mien venait de se réaliser, celui de vivre au Québec. Une nouvelle vie commençait pour moi... Le Québec, cette terre de
liberté!

«Liberté», ce mot sonnait comme une musique à mes
oreilles et, enfin, je pouvais la vivre pleinement. Le Québec me
donnait la possibilité de réaliser ce rêve, de vivre la liberté
d'expression et d'opinion. Venant d'un pays où la dictature, la
tyrannie, l'oppression, l'endoctrinement et les droits et liber-
tés sont bafoués au quotidien, je sais maintenant ce que c'est
que d'apprécier le goût de cette liberté. Le Québec est une
terre hospitalière, accueillante, de même qu'une terre d'espoir
et de belles opportunités. Ainsi, un nouveau jour s'est levé
pour moi.

Vivre dans la Belle Province, c'est mieux comprendre l'histoire des gens d'ici, leurs origines et leur identité culturelle. Ils
sont le reflet de leur nature intrinsèque, la quintessence qu'ils
ont su préserver depuis des générations contre vents et
marées, car ils sont très fiers d'être des Québécois.

Le Québec, c'est aussi une province francophone avec un
bassin anglophone. Une province où le multiculturalisme
règne avec la volonté d'un peuple qui embrasse toutes les différences pour former une belle relation avec des valeurs humaines et créer l'unité dans la diversité. Je côtoie également la
tolérance et le respect auprès de mon voisin. Je vis chaque jour
des moments précieux et des expériences riches qui bâtissent
un avenir plein d'espoir pour les générations futures. J'ai des
amis de toutes les nationalités, citoyens du monde, se sentant
Québécois à part entière.

Une grande métropole comme Montréal, ville avant-
gardiste, a su garder son caractère humain, son ouverture

d'esprit et son côté romantique. Les Montréalais sont spontanés, intenses, et vivent leur vie à cent dix pour cent. Entre autres, l'été est couronné par des festivals où des milliers de personnes venant de différents pays se rassemblent pour célébrer la vie! Et, dans la profondeur de ces rencontres, se forment des sentiments d'humanité ayant pour principal langage celui du cœur.

Croyez-moi, mon coup de cœur, c'est le Québec! Plus je découvre cette belle province, plus je l'aime; c'est pourquoi j'ai choisi d'y vivre. Sa nature est chaleureuse, attachante et vivante. On partage une belle identité culturelle qui rend la communication plus harmonieuse. Aussi, comme j'aime la langue française pour son raffinement, sa distinction et sa subtilité, je prends aujourd'hui ma plume pour la promouvoir. J'utilise des mots vibrants, des mots pour guérir des maux, des mots qui touchent des cordes sensibles en chacun de nous pour apporter un baume dans le cœur des gens.

J'aime d'un grand amour cette terre québécoise qui m'a accueillie comme une mère m'aurait recueillie, lorsque mon pays d'origine ne pouvait plus prendre soin de moi. Le Québec m'a permis de vivre mon grand rêve. J'ai tellement reçu de mes amis québécois que, à mon tour, je peux redonner à mon prochain afin que la chaîne d'amour se poursuive. Cet élan de solidarité est un processus d'éveil et d'épanouissement de ce peuple. Une fraternité qui ne connaît aucune frontière ni barrière.

Je suis également honorée de vivre dans le même coin de pays que le fondateur du Cirque du Soleil. C'est une fierté québécoise, une vision de création universelle, un symbole de réussite dans le monde entier. Voyager à travers cette belle province qui regorge de nombreux attraits touristiques et de hauts lieux majestueux, c'est demeurer éternellement attaché à elle.

Passionnée, j'aime célébrer la vie. Je retrouve cette joie de vivre auprès de mes amis québécois. Ce sont aussi des épicuriens, car les plaisirs de la table accompagnés d'un bon verre de vin créent toujours une ambiance d'allégresse et de fête.

Et quand l'hiver arrive, c'est l'apothéose; l'enthousiasme est à son apogée. Ce sont des moments merveilleux et marquants, des souvenirs sublimes. Entre autres, la cabane à sucre où la joie et le sirop d'érable coulent à flot. Les recettes sont préparées avec beaucoup d'amour et la générosité du peuple québécois se retrouve dans leur passion; l'ambiance est enchanteresse. La première fois que j'ai assisté à cette visite, j'étais tellement touchée et émue que je cherchais dehors, convaincue qu'il y avait des anges parmi nous et qu'ils avaient caché leurs ailes sous la blancheur de la neige éclatante.

Mille grâces, mille mercis...

Carine Bofunga,
Montréal

Voyons,
père Noël, tu le sais

Illustration de Serge Malette, Gatineau

Ma filleule, âgée de deux ans et demi, est allée voir le père Noël avec sa mère, au centre commercial de Terrebonne, pour lui faire part de sa liste de cadeaux. La semaine suivante, elle se fait garder par sa grand-mère qui habite à Montréal. Celle-ci décide de l'emmener au centre commercial Place Versailles. Ma filleule dit à sa grand-mère qu'elle veut retourner voir le père Noël, car elle a oublié de lui dire quelque chose. Le père Noël la reçoit avec ces mots: «Ho! Ho! Ho! Bonjour, petite demoiselle, comment t'appelles-tu?»

Elle lui répond: «Voyons, père Noël, tu le sais comment je m'appelle, je suis venue te voir la semaine passée à Terrebonne!»

Mario Michaud,
Laval

Un sapin
pour le père Noël

Il y a plusieurs années, sur les terres des cultivateurs, on coupait des sapins pour les expédier aux États-Unis. Ces sapins étaient destinés à décorer les maisons américaines lors de la fête de Noël. Par un soir d'octobre, une famille du Québec, comprenant une dizaine d'enfants, était attablée pour écrire une lettre au père Noël. Les enfants avaient entendu dire que, s'ils écrivaient une lettre puis l'accrochaient aux sapins, peut-être recevraient-ils un présent du père Noël.

Ainsi, l'aîné de la famille, qui avait environ quinze ans, fut choisi pour écrire, au nom de chacun des enfants, la fameuse lettre qui leur apporterait peut-être le cadeau tant désiré. Au petit matin, avant le début de sa journée de classe, il sortit sous la pluie pour accrocher les lettres dans les sapins. Il avait pris soin de les envelopper individuellement dans du plastique, puis de les attacher une à une sur des sapins différents, avec du fil de laiton. Noël passa et la famille oublia un peu cette histoire.

Puis, un jour d'hiver, une boîte arriva portant le nom d'une des petites filles de la maison. Le colis contenait une jolie poupée aux yeux bleus et aux boucles noires. C'était la réponse tant espérée. Sans le savoir, ce fut le début d'un beau rêve pour toute la maisonnée. Peu de temps après, une lettre arriva qui donnait tous les détails de cet envoi.

C'est ainsi que la famille apprit que l'un des sapins porteurs d'une lettre avait abouti à Sea Girt, dans l'État du New Jersey, chez un général de l'armée américaine. Son nom était Chester A. Charles. Il était marié et avait deux enfants, ainsi que deux petits-enfants. Il avait décidé d'envoyer la poupée, car il adorait l'idée de faire plaisir à quelqu'un. La mère, de son côté, répondit à la lettre du général avec grand enthousiasme. Elle décrivit la joie qui avait animé le visage de la fillette lorsqu'elle avait découvert le contenu de la boîte.

Pendant l'année, ils s'écrivirent quelques lettres en se racontant comment allaient leurs enfants et leurs amis. Au mois de septembre de l'année suivante, une autre lettre des États-Unis arriva, dans laquelle on s'informait auprès de la dizaine d'enfants de ce qu'ils souhaitaient recevoir pour Noël. Chaque enfant fit alors une liste, et la mère, par le retour du courrier, put ainsi donner une suggestion de cadeau pour chacun. Quelques jours avant Noël, le téléphone sonna: c'était le chef de gare qui annonçait l'arrivée d'un colis. Les enfants criaient, riaient aux éclats et sautaient. Ils se doutaient bien de ce que contenait le fameux colis. Lorsqu'ils eurent ouvert l'immense boîte, ils découvrirent avec stupéfaction que chaque cadeau était enveloppé individuellement dans un beau papier lustré bien enrubanné. Chaque enfant put lire son nom sur le cadeau qui lui était adressé. Tous et toutes trouvèrent exactement ce qu'ils avaient demandé: ici, une poupée; là, un ballon de football; et ici, un jeu. Le tout encore plus beau que ce qu'ils auraient pu imaginer!

Ce fut ainsi pendant plusieurs années. Tous les mois de septembre, la famille recevait une lettre qui demandait les suggestions de cadeaux pour le prochain Noël. Les enfants étaient au comble du bonheur, car ils savaient que, grâce à ces bonnes gens, leur Noël serait merveilleux! Cela permettrait aussi aux parents de préparer des cadeaux plus pratiques, un peu de tricot, un peu de couture, car nos familles québécoises, à cette époque, n'étaient pas très fortunées. Quand arrivait la boîte de cadeaux chaque Noël, la joie et la surprise se lisaient sur tous les petits visages, car elle contenait également des bonbons, des décorations de toutes sortes et des boules de Noël pour garnir l'arbre. Pour eux, tout était magique parce que ces petites surprises ne se retrouvaient qu'aux États-Unis.

Durant les années de correspondance, les deux familles s'échangèrent plusieurs lettres. La maman envoyait du sirop d'érable pendant le temps des sucres. Et les gens des États, comme on les appelait, ne manquaient pas une occasion de leur témoigner leur amitié; ils offrirent même des cadeaux lors du vingt-cinquième anniversaire de mariage des parents québécois et vinrent les visiter lors de l'Exposition universelle de 1967. Plusieurs années passèrent et l'amitié des deux familles ne s'éteignit pas.

Un jour, la fillette qui avait reçu la première poupée se maria et, pendant son voyage de noces, rendit visite à ces amis éloignés qui avaient toujours été si généreux. Ils étaient très heureux de connaître davantage cette petite fille qui leur avait permis de faire plaisir à toute une famille pendant des années.

Cette fillette, c'est ma mère, et nous prenons toujours plaisir à l'entendre nous raconter cette histoire. Si le vrai père Noël n'existe pas, nous savons, par contre, quelle importance ont la bonté, la générosité et l'amitié au cœur de notre monde!

Hélène Fortin,
Québec

Sur fond de sainte flanelle

C'est sur fond de sainte flanelle qu'a débuté notre histoire d'amour qui dure depuis dix-huit ans. Tous deux invités à une fête-surprise chez mon amie d'enfance, j'ai eu la bonne fortune de rencontrer Benoît le soir du 9 juin 1993. Après un souper bien arrosé, nous avons tellement rigolé ensemble que, d'emblée, nous nous sommes retrouvés assis devant le poste de télévision ouvert tout spécialement pour la finale de la coupe Stanley. Je dois vous avouer que je suis issue d'une famille qui n'était pas fervente de sport, mais je m'intéressais surtout au hockey lorsque les Canadiens gagnaient. Benoît, quant à lui, avait grandi dans un milieu de partisans qui se réunissaient religieusement dans le salon familial avec le traditionnel sac de croustilles et les boissons gazeuses.

À le voir sauter de joie à chaque but compté par le Tricolore, j'admets avoir craqué pour ses yeux rieurs et, surtout, pour cette sorte d'énergie incontrôlable qui le faisait crier malgré lui. Il semblait rire de sa propre réaction sans toutefois pouvoir se retenir. Imaginez mon regard étonné, moi qui me disais à l'époque que ce n'était qu'une simple partie de hockey. Que vous dire de plus? Je le trouvais tellement beau! Cette soirée-là, les Canadiens de Montréal remportèrent la finale 4 à 1 contre les Kings de Los Angeles et gagnèrent leur 24e coupe Stanley. Toutefois, nous étions loin de nous douter que ce serait notre dernière coupe avant un bon bout de temps!

Notre premier rendez-vous eut lieu deux jours plus tard dans le Vieux-Montréal. Nous avions dû modifier notre itinéraire en raison de la parade sur la rue Sainte-Catherine. L'atmosphère était à la fête, mais je n'avais d'yeux que pour mon beau grand blond. Au fil de notre conversation, j'ai vu en lui un futur père merveilleux, un homme doux et attentionné. Mon cœur a subi un accrochage, mais sans pénalité!

Les années ont passé, et nous sortions souvent dans les bars sportifs où régnait un calme redoutable. Les Canadiens n'arrivaient plus à gagner comme autrefois et à faire renaître la fièvre de 1993. Nous avons vu le Forum, notre traditionnel amphithéâtre, être remplacé par l'actuel Centre Bell. Nous avons craint que les légendaires fantômes ne suivent pas l'équipe dans les nouveaux vestiaires. Il y a eu des années de vaches maigres pour le Tricolore en termes de joueurs, et les entraîneurs se sont succédé à un rythme fou.

Sur le plan personnel, nous avons vécu aussi nos revers : la perte de nos mères respectives la même année, des pertes d'emploi, des difficultés financières et familiales. Heureusement, notre amour est aussi basé sur des valeurs spirituelles communes. Nous trouvons toujours du positif dans nos expériences de vie. Nous tentons de nous inspirer de nos héros, de faire preuve de courage et de détermination. En l'an 2000, nous avons décidé de nous *fabriquer* un bébé, qui a vu le jour en mars 2001. Comme nous l'avons eu alors que nous étions dans la trentaine, cela nous rend d'autant plus conscients que nous lui fabriquons des souvenirs d'enfance. Chaque moment devient précieux.

Alexis a le visage d'un ange. Il est sociable, gentil et calme. Il s'exprime avec verve et est doué d'une fine intelligence. Cependant, comme il n'existe pas d'enfant parfait, j'ai dû le sermonner tant de fois pour qu'il cesse d'écorcher ses pantalons. Il fut un temps où nous ne roulions pas sur l'or et je n'arrivais pas à lui faire réaliser la quantité de pantalons qu'il nous coûtait.

Un jour, il est rentré en coup de vent et m'a demandé des jambières de gardien de but ! C'est alors que j'ai compris pourquoi il était presque toujours sur ses genoux. J'ai eu un sourire accroché au cœur. Je venais de découvrir chez lui une nouvelle passion, qui n'est pas étrangère à celle de son père et de son grand-père.

Alexis a maintenant dix ans. Pour se rendre à l'école, il met sa tuque et ses bas des Canadiens. Au retour, notre petit homme se hâte d'enfiler son chandail bleu-blanc-rouge pour aller jouer au hockey dans la rue avec son cher papa. Le soir venu, il ferme sa lampe des Canadiens et s'endort sur son affiche des Canadiens. Chez nous, la passion faisant force de loi, notre fils a le droit de regarder la première période de chaque match diffusé en semaine. Dès son réveil le lendemain matin, il s'empresse de nous demander le pointage final de la partie.

Le soir du 19 février 2008, les Canadiens ont affronté les Rangers de New York au Centre Bell. Alexis est allé se coucher sur un pointage de 5 à 0 pour les Rangers. Il était déçu, presque résigné. Contre toute attente, nos Canadiens, qui ont effectué la plus grande remontée dans l'histoire de l'équipe, nous ont offert en troisième période un jeu d'une énergie peu commune. À un certain moment, Benoît et moi avons échangé un regard complice et décidé spontanément de réveiller Alexis pour qu'il assiste à la fin de la partie. Saku Koivu a marqué ultimement le filet décisif en fusillade en déjouant Henrik Lundqvist et nous a procuré une victoire de 6 à 5. La foule était en délire, dans les estrades comme dans les chaumières.

Comment ne pas souligner la fougue de cette foule si particulière à Montréal, qui ne s'est pas gênée pour huer les arbitres, jeter des objets sur la glace, donner son opinion à travers les cris et les bannières fabriquées à la main. Le septième joueur, comme on l'appelle, c'est l'énergie positive d'une foule qui supporte du début à la fin son équipe, et que son attachement à celle-ci rend puissante.

* *

Aujourd'hui, mon fils est défenseur dans une équipe locale. Quand il n'est pas à l'aréna, son filet installé dans la rue réunit les jeunes du voisinage. Je le vois grandir et je reconnais en lui les traces de nos parents disparus. S'il y a quelque chose de rassurant dans le fait que certaines traditions se perpétuent, c'est bien la certitude qu'une partie de nous-mêmes est transmise aux générations suivantes. Nous lui avons légué notre amour du hockey, l'esprit d'équipe, la complicité ainsi que la persévérance. Il le fera à son tour, en souvenir de ses héros, de ses grands-parents et de nous aussi, je l'espère. Sur fond de sainte flanelle, il fera grandir nos descendants avec la même fierté portée par tout un peuple et, ainsi, ils laisseront, d'une certaine manière, une trace de nous-mêmes.

Mireille Fréchette,
Lorraine

Le premier souper
au Québec

Fraîchement débarquée de France, j'emménage dans ma nouvelle maison à Saint-Jean-de-Matha et, pour faire connaissance avec mes nouveaux voisins, Johanne et Jean-Claude, ainsi que leurs trois enfants, je les invite à souper. Je prépare un très bon plat, considérant ce repas comme un rituel de passage: s'ils aiment ma cuisine, ils m'aimeront aussi!

Chacun se sert et j'observe mes convives, soucieuse de savoir s'ils apprécient. Après quelques bons coups de fourchettes, je pose la question et Jean-Claude me lance, bien fort:

– C'est écœurant! le reste de la famille acquiesçant.

– *Ah*, c'est tout ce que je suis capable de répondre, la mine déconfite, car en France, cela signifie *c'est à vomir*.

Des pensées défilent alors dans ma tête: *Les Québécois sont des gens extrêmement francs, quand ils n'aiment pas, ils te le disent. Et mes voisins ont le droit de ne pas aimer ma cuisine.* Pourtant, je reste perplexe devant leur acharnement à finir le plat: *Ils sont très francs, mais également très polis.* Puis, observant leurs mines ravies et leurs assiettes vides, je n'y comprends plus rien et je leur demande franchement:

– Mais qu'est-ce que vous voulez dire par *c'est écœurant*?!

– C'est très bon, c'est à capoter!

Bienvenue au Québec!

Pascale Piquet,
Saint-Jean-de-Matha

Pour la gentille dame

MONTRÉAL, 1er décembre 2006

Mon conjoint et moi déménageons mon fils Paskal. C'est son premier appartement et tout va pour le mieux.

La précédente locataire est charmante; elle offre à Paskal plusieurs petits meubles d'appoint, de la vaisselle et d'autres objets utiles, en échange qu'il s'occupe de vendre ou de donner ses quatre électroménagers. Paskal lui répond: «Ok, pas de problème.» Après coup, il se tourne vers moi et me dit:

– Qu'est-ce qu'on va en faire, maman?

Je lui réponds aussitôt:

– Qu'est-ce que TU vas en faire?

– Tu sais bien que je n'aurai pas le temps avec mon nouveau boulot. Et les copains arrivent avec mes affaires et mes électroménagers d'une minute à l'autre.

– Eh bien, c'est ça! Sors-les et mets-les devant l'immeuble avec une pancarte.

– Man, aide-moi! T'as toujours de bonnes idées.

– Ok, voyons... il y a ta sœur qui se cherchait une laveuse et une sécheuse. On pourrait l'appeler.

– Génial! Fais ça, maman!

– Quoi? Moi?

– Oui, toi. Moi, je n'ai pas le temps. Je dois aller retrouver les *boys* pour vider mes affaires.

– Ben, voyons!

– Je te laisse ça.

– C'est un honneur! Autre chose avec ça?

– Pas pour tout de suite. À plus tard!

Il se sauve, le petit sorcier.

Merde! Qu'est-ce que je peux faire maintenant? Je réfléchis et trouve une autre idée: l'Armée du Salut est juste à quelques rues de l'appartement. Cet organisme est toujours à la recherche de ce genre d'articles. Je saute dans ma voiture en direction du magasin. J'aime beaucoup aller à cet endroit; j'admire la patience des gens qui y travaillent, des bénévoles pour la plupart, leur écoute, leur empathie.

Fatima, la responsable, m'accueille chaleureusement. Sans perdre de temps, je lui fais part du but de ma visite. C'est alors que, non loin de nous, deux hommes d'une autre nationalité, font de grands signes en notre direction. S'excusant, Fatima va voir de quoi il s'agit et, après une brève discussion, elle revient: «Ces jeunes gens ont entendu ce que vous disiez et ils seraient très intéressés par vos appareils. Le plus jeune des deux essaie de trouver de quoi meubler son nouvel appartement, car il est nouvellement arrivé au pays avec sa femme et ses trois enfants.» J'accepte avec joie, mon souci étant de sortir ces appareils au plus vite!

Elle nous présente, on se serre la main et je leur dis, en bonne Québécoise:

– Ben oui, j'ai quatre électros pas cher, il faut juste que vous veniez les chercher.

Ils ont l'air très excités. Ils parlent entre eux très vite avec de grands gestes. Puis, se tournant vers moi, l'un d'eux s'exclame:

– D'accord, madame, nous serions très heureux de les avoir. Combien, madame?

– Mon cher, venez les sortir et vous serez surpris du prix.

Mon seul désir, c'est qu'ils puissent venir tout de suite. Quelle chance! Dix minutes plus tard, ils reviennent avec un camion et un chauffeur à leur disposition. Dans mon rétroviseur, je vois leur camion me suivre. C'est étonnant de constater qu'à peine arrivés dans un pays étranger, ces gens se retrouvent facilement entre eux et s'entraident de façon désintéressée.

Nous sommes arrivés. J'ouvre la porte de l'appartement, je les conduis à la cuisine et leur montre leur futur achat. Ils restent bouche bée en voyant les électroménagers; c'est le silence, et je me demande bien pourquoi. Sont-ils déçus? La couleur n'est quand même pas si terrible, café au lait avec beaucoup de lait. Puis, tout à coup, je vois le visage du plus jeune, celui pour qui ces appareils sont destinés, et des larmes commencent à couler sur ses joues.

Il serre sa tuque sur son cœur et murmure quelques mots dans sa langue maternelle que je ne comprends pas, bien sûr. Je leur demande s'il y a un problème.

– Aucun, madame, me répond son ami. Il dit qu'il n'a jamais vu de si beaux appareils. C'est comme un rêve, sa femme n'en reviendra pas, ce sera une grande surprise, surtout juste avant Noël!

Remplie de joie mais voyant le temps filer, je les presse de passer à l'action.

– Bien sûr, madame. Tout de suite, madame.

Et là, j'assiste au plus bizarre des spectacles. De toute évidence, ils n'ont pas l'habitude des déménagements.

Au cours du processus, je les entends rire et parler avec animation, comme de grands enfants. Tout à coup... *Bang!* Un silence. J'arrive et fais *Oups!* Ils ont arraché un cadre de porte, frais peinturé à part ça. Ils ont l'air si malheureux. Ils s'excusent en saluant et en me proposant de revenir réparer les dégâts.

– On verra ça un peu plus tard.

Ils se remettent à la tâche quand, tout à coup, *Bang!* de nouveau. Silence encore.

– Qu'est-ce qu'il y a? que je leur demande.

– Pardon, madame, nous avons brisé le comptoir de cuisine en sortant la cuisinière.

Je ne sais pas quoi dire. Ils ont l'air tellement mal à l'aise que j'ai presque envie de rire.

– Nous venir demain pour réparer, faire peinture...

– Oui, oui, on discutera de ça tout à l'heure.

Les appareils sont finalement rendus dans le camion. Maintenant, ces hommes se tiennent devant moi, puis ils demandent:

– Nous voulons payer les appareils. Combien, madame?

Ils me fixent de leurs grands yeux avec plus d'intérêt que je n'en mérite et ils semblent littéralement suspendus à mes lèvres comme s'ils attendaient un verdict. Je les trouve très chouettes. Je pense à ces trois petits Tunisiens qui vont demain courir dans notre belle neige, fréquenter nos écoles, jouer avec nos enfants. Je pense à cette jeune femme qui pourra laver le linge de toute cette marmaille de façon décente. Ce sont de bonnes personnes, j'en suis persuadée.

– Combien, madame?

Tiens, c'est le petit nouveau qui vient de parler.

– Hé! Tu parles déjà français? que je lui dis, et ils commencent à rigoler.

– Écoute, mon beau, tu ne me dois rien. Vous m'avez rendu service en venant les chercher rapidement. Ces appareils te seront plus utiles à toi qu'à bien d'autres personnes.

Aucune réaction. À coup sûr, ils n'ont rien compris.

Ils se jettent un regard et murmurent quelques mots, puis Mohamed me redemande très lentement, comme si je n'avais pas compris:

– S'il vous plaît, madame, combien pour les appareils?

– Dis à ton ami que c'est gratuit. Je ne veux pas d'argent et pas besoin de venir réparer les petits dégâts demain.

Mohamed traduit ma réponse. Le petit nouveau se prend la tête à deux mains et répète quelque chose comme une prière avec Allah dedans. Le chauffeur, lui, part d'un grand rire attendri et Mohamed de me dire:

– Il n'y croit pas, madame; ce n'est pas possible!

– Ben oui, mon cher, on est comme ça, au Québec! On appelle ça des *accommodements raisonnables*.

Il y a soudain un grand rire, bien que le jeune homme ne semble pas comprendre ce qui se passe. Tu lui expliqueras ce que je lui dis.

— Oui, madame!

Par la suite, les deux hommes montent à bord du camion et s'éloignent tout en m'envoyant la main. Tout à coup, le véhicule s'arrête et le plus jeune court vers moi et se jette dans mes bras en pleurant. Il me regarde droit dans les yeux et me dit lentement:

— Le Québec est le plus beau pays du monde, madame!

Il retourne au camion en s'essuyant le visage du revers de sa manche; un dernier au revoir et ils repartent.

J'espère qu'ils trouveront le bonheur et la paix qu'ils sont venus chercher.

* *

Environ trois semaines plus tard, nous sommes le 24 décembre... Mes enfants arrivent pour le réveillon et, pendant la soirée, Paskal dépose sur mes genoux un petit colis attaché avec un joli ruban. Il m'explique qu'il a trouvé ce présent sur le seuil de sa porte ce matin. «Regarde l'inscription», dit-il. On pouvait lire: *Pour la gentille dame et merci encore pour votre générosité.* Lorsque j'ouvre la boîte, je n'en crois pas mes yeux. Je découvre un grand châle coloré et parsemé de mille petites pierres multicolores; c'est une pure merveille. Les larmes me montent aux yeux et je réalise à ce moment que ce présent vient du jeune homme à qui j'ai donné les électroménagers. Quelle générosité! M'offrir ce qui doit certainement être un souvenir ou une partie de l'héritage de son pays, à moi qui n'ai fait, en somme, pas grand-chose. Je n'en reviens pas!

Quelle belle façon de célébrer l'esprit du temps des fêtes et de nous rappeler les vraies valeurs de la vie!

Danielle Lacombe,
Laval

Le service à la clientèle
en 1964

J'avais quatre ans quand j'ai reçu ma première leçon sur le service à la clientèle. C'était à Drummondville.

En 1964, les timbres coûtaient 8 cents, Joël Denis chantait le *Yaya* et il y avait encore des parades militaires l'été sur la rue Lindsay. Les épiceries étaient beaucoup plus petites. Au cinéma, *Zorba le Grec* cassait la baraque. Ma sortie préférée à l'époque était de me rendre à l'arrière d'un restaurant nommé *Monsieur Patate* et de humer l'odeur des frites mélangée à celle du vinaigre. À CHRD, la radio AM de Drummondville, on faisait jouer *J'y pense et puis j'oublie* de Claude François.

À l'époque, les automobiles n'étaient pas munis de freins, de pare-brise ou d'essuie-glaces, mais de *brakes*, de *windshields* et de *wipers*. C'était même *sexy* de fumer... Quelques semaines plus tôt, je m'étais fait très mal en sautant du toit d'un garage voisin, une serviette nouée autour du cou, dans l'espoir de voler comme Batman.

Un jour de 1964, mes parents décidèrent de s'offrir une soirée au cinéma. C'était un événement rarissime. L'argent était rare et une sortie au cinéma constituait un luxe pour eux. Ils avaient convenu d'aller voir le film *Sous le plus grand chapiteau du monde*, au Théâtre Drummond. À l'époque, les cinémas présentaient des programmes doubles et une sortie au cinéma durait des heures.

Je n'étais pas content de me faire garder ce soir-là. Je souhaitais être de la soirée moi aussi. Peu avant le départ de mes parents, je me glissai dehors et, en voiturette, je pris de l'avance avec l'objectif d'être posté devant le cinéma quand ils arriveraient. De cette manière, ils seraient bien obligés de m'inviter...

À leur arrivée, je les attendais près de l'entrée, à leur grand étonnement. En moins d'une minute, ils décidèrent de me ramener à la maison et de tirer un trait sur leur projet de soirée cinéma.

C'est à ce moment que monsieur Marcel Labbé, propriétaire du Théâtre Drummond, ayant vu la scène, s'approcha et offrit à mes paents de me ramener à la maison. En quelques instants, ma voiturette se retrouva dans le coffre de son automobile et moi sur le siège avant, en route vers la maison. Monsieur Labbé avait décidé que mes parents profiteraient de leur soirée.

Qui ferait une telle chose aujourd'hui, dans un monde de chaînes, de gérances et de succursales? Personne. En fait, on suspecterait même la personne qui s'offrirait à rendre un tel service, en redoutant la pédophilie.

Mais en 1964, je fus ramené à la maison, sain et sauf. Mes parents purent s'offrir une rare sortie (ils se séparaient trois années plus tard) et je m'endormis rapidement sans même penser que j'avais raté une belle soirée. Le dossier fut clos, ne ne me doutant pas que le monde changerait autant au cours des décennies qui suivraient.

Alain Samson,
Saint-Jean-sur-Richelieu

2

L'AMOUR

*Celui dont le cœur est fait pour aimer
ne se demande pas si l'objet
de son amour est digne de lui...*

Anonyme

L'amour véritable

Quand Henri, de Sherbrooke, est parti combattre durant la Première Guerre mondiale, en 1917, il a laissé derrière lui son amoureuse depuis quatre ans, Émilie Chevrier. Les deux se sont écrit fidèlement. Toutefois, les lettres ne pouvaient pas toujours traverser les lignes du front; alors, avec le temps, l'échange de correspondance a diminué.

Émilie s'ennuyait terriblement de son Henri et priait constamment pour qu'il revienne sain et sauf. Un jour d'avril 1918, la famille d'Henri reçut une lettre l'informant que leur fils *manquait à l'appel*.

Lorsque Émilie entendit la nouvelle, elle en fut dévastée et refusa de croire que son Henri était mort. Six mois plus tard, n'ayant plus reçu d'autres informations, elle a finalement compris qu'elle ne reverrait plus jamais son bien-aimé.

Cinq mois après la signature de l'Armistice, qui marqua la fin de la Première Guerre mondiale, Émilie reçut une lettre qu'Henri avait écrite presque une année plus tôt. Il lui racontait son désespoir et sa grande impatience de quitter cette guerre horrible. Il ne voulait qu'une seule chose, revenir chez lui au Canada pour épouser Émilie. Dans cette lettre, il lui déclarait son amour véritable et, bien qu'elle gardât toutes ses lettres, celle-ci lui fut particulièrement précieuse.

Émilie sentait au plus profond de son cœur qu'elle ne pourrait plus jamais aimer autant un autre homme qu'Henri. Il était l'amour de sa vie et elle se jura de ne jamais se marier. En 1921 pourtant, elle rencontra Joseph, un homme bon et attentif qu'elle épousa peu de temps après. Le couple déménagea à Ottawa. Ils élevèrent quatre enfants et vécurent heureux jusqu'au décès de Joseph, en 1959.

Émilie avait soixante ans à la mort de Joseph et les enfants, devenus adultes, vivaient leur propre vie. Se retrouvant seule, elle décida de retourner dans sa ville natale de Sherbrooke pour y vivre sa retraite.

Un jour, alors qu'elle faisait des courses, elle rencontra une vieille amie d'école et toutes deux se remémorèrent le passé. Lors de leur conversation, son amie mentionna Henri – ignorant l'histoire de la guerre et qu'il avait *manqué à l'appel.* Émilie raconta alors à son amie ce qui s'était passé il y avait plus de quarante ans.

En entendant cette histoire, son amie répliqua: «Comme c'est curieux! Je suis certaine d'avoir entendu dire qu'Henri a acheté une ferme, plus au nord, dans les années 30.» Émilie répondit à son amie qu'on avait dû mal la renseigner. Après s'être quittées, cependant, Émilie ne put s'empêcher de penser à ce qu'elle avait entendu. *Se pourrait-il que ce soit vrai?* se demanda-t-elle.

Certainement, si Henri était vivant, ils seraient ensemble maintenant. Émilie devait savoir la vérité, mais la famille d'Henri était décédée depuis longtemps. Elle commença à faire ses propres recherches et elle apprit bientôt qu'il y avait un Henri Bissette qui était propriétaire d'une ferme à l'ouest de Trois-Rivières. Émilie décida de se rendre à Trois-Rivières et d'aller à la ferme. Elle n'avait pas beaucoup d'espoir de retrouver son Henri. Elle avait reçu la nouvelle de sa mort il y avait plus de quarante ans. Selon toute probabilité, quand on lui répondrait à la maison sur la ferme, elle n'y trouverait qu'un fermier que son histoire d'amour amuserait sans doute.

Quand Émilie arriva à la ferme et frappa à la porte, elle eut le choc de sa vie. Quand la porte s'ouvrit, oui, un fermier était devant elle, mais c'était son bien-aimé Henri. Il avait beaucoup vieilli, bien sûr, mais il était toujours aussi beau que dans ses souvenirs. Henri, qui la reconnut aussitôt, en eut le souffle coupé et il murmura: *Émilie!*

Les deux tombèrent dans les bras l'un de l'autre, tellement émus que, pendant plusieurs minutes, tout ce qu'ils purent faire fut de s'étreindre, de pleurer et de trembler. Une vie entière s'était écoulée depuis qu'ils s'étaient vus la dernière fois, mais il semblait maintenant que c'était hier.

Retrouvant leur calme, ils commencèrent tous les deux à raconter ce qui était arrivé durant ces années. Henri expliqua qu'après avoir été blessé, il avait passé plus d'un an et demi dans un hôpital en Europe pour sa convalescence. Quand il revint finalement à Sherbrooke, sa famille lui apprit qu'Émilie, le cœur brisé en le croyant mort, s'était mariée et avait déménagé à Ottawa. Sa famille n'avait pas d'autres informations. Henri en fut très attristé, mais il ne voulut pas briser le bonheur d'Émilie. Il acheta sa ferme peu après et il vécut seul toutes ces années. Il ne s'était jamais marié parce qu'il savait qu'Émilie était son seul grand amour.

Pleurant à chaudes larmes, Émilie sortit de son sac les lettres écrites pendant la guerre. «Je ne t'ai jamais oublié, moi non plus, Henri. Pendant toutes ces années, ces lettres m'ont été plus précieuses que tu ne le crois. Je les lisais et les relisais, et quand je commençais à devenir triste, cela me rendait si heureuse de me rappeler que tu avais été une partie si importante de ma vie.»

Immédiatement, les quarante années de séparation s'évanouirent. Ils furent plus heureux que jamais de s'être retrouvés. Peu après leurs retrouvailles, ils se marièrent et passèrent le reste de leur vie ensemble sur la ferme d'Henri.

Cristal Wood,
Winnipeg, Manitoba

Cœurs orphelins cherchent famille

La force de l'amour. Ainsi à la porte de mon cœur,
il est écrit: Entrez, vous serez accueilli...

Johanne Plante

Au Canada, chaque année, plus de deux mille enfants, provenant des quatre coins du monde, sont adoptés. Ce sont des orphelins abandonnés qui, un jour, apprendront que l'adoption leur a fourni une seconde chance dans la vie ainsi que de meilleures opportunités de grandir sainement. Dans les faits, les familles n'ont pas besoin de se rendre en Chine ou en Russie pour sauver un enfant de la misère puisque, en 2008, au Québec seulement, 296 enfants furent adoptés dans le cadre d'un programme du gouvernement provincial qui facilite l'adoption locale.

Mon oncle Réjean se maria tardivement. Plusieurs membres de la famille étaient d'ailleurs convaincus qu'il resterait un vieux garçon endurci, puisqu'il avait déjà fait la promesse écrite que jamais il ne demanderait la main d'une femme. Pourtant, il finit par trouver la femme de sa vie, celle qu'il épousa malgré sa promesse initiale, cette dernière ayant été annulée au nom de l'amour. Pour diverses raisons, toutefois, Réjean ne put malheureusement jamais connaître la paternité de sang. Malgré tout, il eut la chance et le bonheur de pouvoir aimer et chérir les enfants de son épouse. Il le fit d'ailleurs au meilleur de ses capacités et par un extraordinaire don de soi. Ces enfants grandirent et devinrent des adultes indépendants et autonomes.

Au moment de leur mariage, Réjean et sa fiancée firent un pacte. Ils se promirent de donner à de jeunes écorchés de la vie la chance d'être aimés, encadrés et stimulés. Ce fut donc dans le but d'offrir une vie meilleure à un enfant que Réjean s'inscrivit à un programme d'adoption. Une fois sa bonne réputation prouvée, son équilibre psychologique démontré et sa stabilité professionnelle jugée crédible, l'intervenant responsable lui conseilla d'être patient, et qu'un jour il recevrait l'appel tant souhaité.

Un soir, la sonnerie du téléphone retentit. En réalité, l'appel était le cri du cœur d'un jeune enfant malheureux, abandonné et rejeté. On demanda à Réjean s'il accepterait de prendre le bambin sous son aile. Évidemment, il répondit par l'affirmative sans la moindre hésitation.

Une semaine plus tard, le téléphone sonna de nouveau. Au bout du fil, l'intervenant de la semaine précédente demanda à Réjean s'il accepterait de prendre en charge un second enfant, le frère cadet du premier, lequel avait été tout aussi négligé. Encore une fois, sans hésiter, Réjean et sa femme acceptèrent.

Il en alla de même jusqu'au cinquième enfant, tous frères et sœurs issus de la même mère toxicomane, mais de pères différents. Selon la logique de certaines femmes toxicomanes endurcies, le fait de mettre au monde des enfants devient une source de revenus intéressante afin de se procurer les doses de drogue qui leur sont nécessaires.

Le petit dernier, malgré son jeune âge, avait déjà vécu trop de choses horribles. Pendant la première année au sein de sa nouvelle famille adoptive, il pleura sans arrêt. Il était carencé et terrifié. Comme il était paniqué à l'idée de manquer d'amour, d'affection, de soins et de nourriture, son instinct avait pris le dessus et il agissait en mode de survie. À l'approche d'une grande personne, il se positionnait en boule et tremblait de tout son petit corps. C'était beaucoup d'angoisse pour un enfant qui n'avait rien demandé, sinon d'être protégé et cajolé.

Je me souviens d'une discussion durant laquelle j'avais dit à Réjean, sur un ton mi-moqueur, qu'il lui faudrait un aréna pour loger tout ce beau monde! Il m'avait répondu qu'un cœur aimant suffisait, que c'était dans un cœur que ces enfants avaient d'abord besoin de vivre.

La marmaille a grandi et Réjean, lui, a vieilli. Dernièrement, nous sommes revenus sur son expérience de famille d'adoption. Je lui avouais que je l'avais trouvé très courageux d'avoir traversé ces épreuves. Il m'a répondu que cela allait de soi, que personne n'avait le droit de sacrifier le bonheur d'autrui ou de jouer l'indifférent! Qu'on avait refusé à ces enfants l'amour qu'ils étaient en droit de recevoir et que lui s'était donné comme mission de leur redonner cet amour.

– Justement, oncle Réjean, est-ce que l'amour règle tout?

– Je ne sais pas, m'a-t-il confié. Si j'ai pu donner à ces petits la capacité d'aimer et l'espoir de devenir des personnes accomplies, j'aurai sauvé quelques vies. C'est déjà beaucoup. Un cœur aimant qui fait ce qu'il aime est un cœur en santé.

Rémi Robert,
Sherbrooke

Vivre sans amis, c'est mourir sans témoin.
George Herbert

Une amitié salutaire

L'ami le plus dévoué se tait sur ce qu'il ignore...

Anonyme

Nous étions la veille de Noël et ma mère devait se rendre à l'épicerie non loin de la maison pour y faire quelques achats de dernière minute. Depuis longtemps déjà, les caissières avaient appris à la connaître, car à chacune de ses visites, elle se plaisait à leur raconter quelques bonnes blagues. Alors qu'elle avait terminé ses achats et qu'elle se préparait à payer, la caissière lui demanda si, par hasard, elle n'avait pas une bonne blague pour la faire rire. Sans répondre immédiatement, ma mère regarda autour d'elle, question de vérifier qui se trouvait là, et c'est alors qu'elle remarqua une vieille dame non loin, affairée à finaliser ses emplettes. Se tournant vers la caissière, elle lui répondit en souriant: «Je ne peux pas raconter de blague, car celle que j'ai en tête est un peu trop grivoise.»

La vieille dame, qui avait entendu la conversation, s'approcha de ma mère et lui dit sans hésitation: «Vous êtes gênée pour moi? Alors, écoutez bien ceci!» Sans attendre, elle commença à raconter son histoire, à vrai dire assez salée. Ne se contentant pas seulement de la raconter, elle se mit à y ajouter des gestes, à se secouer le derrière et à danser! Vous comprendrez aisément que les gens autour d'elle se sont arrêtés pour l'écouter et la regarder, et tous riaient.

Après cette pause qui, il va sans dire, fut très humoristique, ma mère paya ses achats et ce fut ensuite au tour de la vieille dame de passer à la caisse. Elle demanda alors à la caissière si elle pouvait utiliser le chariot d'épicerie pour se rendre avec ses sacs à l'arrêt d'autobus qui était situé à l'extrémité du stationnement du supermarché. Même si ce chariot semblait des plus nécessaires, la caissière dut malheureusement lui refuser. Elle lui expliqua qu'à cause des bris, des vols et des plaintes reçues auparavant, il n'était plus permis d'utiliser les chariots plus loin que la sortie du magasin. Sur ces mots, la vieille dame, qui avait peine à marcher, fut alors bien embarrassée.

Ma mère, qui avait tout entendu, offrit donc généreusement à la dame d'aller la reconduire chez elle. Après tout, elle lui devait bien ça; quelle bonne rigolade elle avait eue! La dame accepta sans hésiter et les deux femmes quittèrent le magasin. Lorsqu'elles arrivèrent à sa maison, la femme invita ma mère à prendre un café, question d'avoir de la compagnie. Voyant qu'elle avait encore un peu de temps devant elle, ma mère accepta volontiers. Le reste de l'après-midi passa très vite à bavarder et leur rencontre tira bientôt à sa fin. Tout à coup, la vieille dame s'arrêta de parler et, faisant une pause, regarda ma mère et lui dit: «Vous êtes un ange!» Surprise, ma mère lui répondit dans un éclat de rire: «Vous êtes très gentille, mais vous êtes bien la première personne qui me dit que je suis un ange!»

Alors la dame, prenant un air plus sérieux, lui demanda si elle était intéressée à savoir pourquoi. Intriguée et piquée par la curiosité, ma mère lui fit signe que oui. «Eh bien, dit-elle, j'ai soixante-quinze ans et il y a de cela vingt-cinq ans, j'ai cessé de boire. Aujourd'hui, c'est une journée très triste pour moi. Si j'étais restée seule, j'aurais certainement bu. Mais, tout spécialement pour combler ce vide, je crois vraiment que Dieu m'a envoyé un ange!»

À partir de ce jour, les deux femmes se lièrent d'une grande amitié qui dura plusieurs mois. Le temps passa et la vieille dame développa la maladie d'Alzheimer. Bien que cette personne soit encore vivante aujourd'hui, cette maladie a malheureusement mis fin à leur très belle amitié que nous pourrions qualifier de miraculeuse, car depuis leur toute première rencontre, la vieille dame resta toujours sobre.

Johanne Paradis,
Québec

Notre histoire

Il y a vingt-cinq ans, j'ai fait la connaissance de l'homme de ma vie. Je savais qu'il était mon âme sœur, mais aujourd'hui, en plus de nos trois enfants, il y a quelque chose qui nous unit spécialement, maintenant et pour toujours.

Mon conjoint est atteint de diabète de type 1 depuis l'âge de 10 ans. Au fil des années, cette maladie insidieuse a détruit ses fonctions rénales. En 2002, il a dû entreprendre des séances d'hémodialyse à raison de quatre traitements par semaine. Ces traitements sont extrêmement difficiles et sont offerts seulement au Centre hospitalier de Chicoutimi, alors que nous vivons à Dolbeau-Mistassini. La distance à parcourir pour recevoir ces traitements représentait trois heures de route, en plus des quatre heures de traitement, et aucune autre alternative n'était possible.

La vie pour lui était précaire puisque ses reins ne fonctionnaient plus. Il n'était donc plus capable d'uriner afin d'éliminer les toxines présentes dans son corps. Il était tellement malade que le moindre petit effort devenait pour lui comme une journée de travail exténuante.

* *

En 2003, je sens qu'il faut que je trouve une façon de lui venir en aide. Je fais donc le choix de lui donner un rein. J'entreprends ainsi de longs tests afin de vérifier notre compatibilité. «Attention, me prévient-on, ne donne pas un rein qui veut, ma belle!» Mais je ne recule devant aucun obstacle et aucun des nombreux commentaires. Les tests dureront une année entière. Pendant ce temps, mon conjoint continue ses traitements, mais sa santé continue aussi de décliner.

En février 2004, les médecins nous confirment enfin que nous sommes compatibles et que, si c'est vraiment ma volonté, je peux lui faire don d'un de mes reins. Nous fixons alors la date du 28 octobre 2004 afin de subir la chirurgie de notre vie. Le moment venu, nous nous rendons à l'Hôtel-Dieu de Québec, la veille de l'opération. Nous sommes loin de chez nous et très inquiets de notre sort. Mon conjoint est hospitalisé le soir même, tandis que je dors dans un hôtel à proximité. Cette nuit s'avérera la plus longue de toute notre vie. Au matin, je me rends à l'hôpital pour subir une néphrectomie, c'est-à-dire le retrait d'un de mes reins. L'intervention dure quatre heures.

Durant ce temps d'attente, mon conjoint est complètement bouleversé. Il se sent coupable, car il craint que je meure à cause de lui. Lorsque l'intervention chirurgicale est terminée, je suis placée en salle de réveil. Mon conjoint est informé à ce moment que l'intervention s'est déroulée parfaitement et que je me porte très bien. Il entre donc à son tour en salle d'opération pour recevoir la greffe. Dès que l'intervention est terminée, le rein se met à produire de l'urine en grande quantité, au grand bonheur des médecins, puisque c'est un signe de réussite.

Il est ensuite amené en salle de réveil et, lorsqu'il ouvre les yeux, il s'écrie: «Où est ma femme?» Je lui réponds que je suis là, tout près. Nous nous reverrons seulement le lendemain matin à notre réveil. Je savais qu'il irait mieux à la suite de cette opération, mais jamais je n'aurais cru voir la différence aussi rapidement. Il était si beau. Sa peau était passée du vert à un beau rose bébé. J'étais si heureuse!

Maintenant, nous avons ce petit organe, tellement vital, en commun et notre vie en est pour toujours transformée. Nous sommes conscients des possibilités de rejet mais, pour nous, la vie est belle et chaque jour nous remercions Dieu que nous nous soyons rencontrés et que nous ayons été réunis pour partager cette vie!

Josée Gagné,
Dolbeau-Mistassini

Destin de femme

Vous vous souvenez du film *Forest Gump*? Sa mère disait:
«La vie, c'est comme une boîte de chocolat, nous ne savons
jamais sur quoi nous allons tomber. La vie nous réserve de
bien beaux cadeaux sous un emballage parfois moins
attrayant...»

* *

En novembre 2007, j'apprenais que mon ex-époux et père
de mes trois enfants était porteur d'un gène de cancer très
agressif qui avait déjà fait une victime, sa propre sœur, Micheline, quelques années auparavant. Nous étions à peine remis
de la douleur de son décès que cette maladie s'attaquait maintenant à Véronique, la fille de Micheline, seulement une année
et demie après le départ de sa mère.

Habitant et travaillant à Whistler, en banlieue de Vancou-
ver, Véronique est une jeune femme rayonnante de vingt-six
ans, soucieuse de sa santé, passionnée de sport, athlète en
planche à neige. Quelques mois avant d'apprendre que tous
ses rêves, et sa vie entière, vont basculer, elle fait la connaissance d'un magnifique jeune homme d'affaires, lui-même très
sportif et chef d'entreprise d'une compagnie de planches à
neige. Son nouveau prétendant voyage très souvent, pris par
son travail. L'engagement dans leur relation débute donc tout
doucement – courriels, appels téléphoniques. Même si la distance les sépare la plupart du temps, ils gardent toujours le
contact. Ils se fréquentent depuis à peine huit mois lorsque
Véronique apprend qu'elle souffre d'un cancer du sein très
agressif.

Seule, loin de son père et de sa sœur aînée qui résident au
Québec, Véronique apprend cette déchirante et épouvantable
réalité. La mort la guette peut-être comme elle a fauché sa
mère.

Les médecins sont formels, ils la pressent de l'opérer
d'urgence, ce qui entraînera l'ablation d'un sein, et des traite-

ments très intensifs qui pourraient la rendre stérile. Un médecin lui suggère alors de faire congeler ses ovules le plus tôt possible et de trouver un géniteur pour les féconder avant l'opération.

À vingt-six ans, Véronique est si jeune pour se retrouver avec un corps mutilé. Quelle épreuve de ne plus se reconnaître dans son corps de femme! Lorsque son nouvel amoureux lui téléphone, très secouée, elle lui révèle cette terrible vérité qu'elle vient tout juste d'apprendre et l'informe que son corps ne serait plus jamais le même. C'est avec beaucoup d'inquiétude et d'incertitude que Véronique sait qu'elle doit aussi lui annoncer cette autre triste nouvelle et lui poser une question lourde de conséquences: «Rob, est-ce que tu voudrais être le père de mes futurs enfants?» Rob accepta sans hésitation la proposition de Véronique.

Ensemble, ils ont dû faire face à une série d'épreuves plus terribles les unes que les autres. Il fallait opérer, c'était urgent à tel point que le projet de congeler les ovules de Véronique fut impossible à réaliser. De plus, les médecins ont dû procéder à l'ablation complète de son sein. À peine remise de l'opération et des traitements de chimio, Véronique apprenait, quelques semaines plus tard, qu'un *petit miracle* grandissait en elle: contre toute attente et, à la surprise générale, elle était enceinte. Elle mit au monde le plus beau trésor qui soit... une merveilleuse petite fille qu'elle prénomma Charlie! Charlie avait quatre mois quand le médecin de Véronique découvrit, à la suite d'une analyse complète de sa génétique et de celle de sa famille, que sa mère avait hérité d'un gène infectieux causant le cancer de son propre père – donc le grand-père de Véronique – et que maintenant sa fille, sa sœur aînée, ses cousines, ses tantes étaient dans *l'œil du tigre* du cancer...

Ce gène provoquerait assurément à la porteuse un cancer du sein et des ovaires tout aussi agressif que le sien... Les médecins suggérèrent l'ablation de l'autre sein sans tarder, puis des ovaires. Véronique accepta l'ablation de l'autre sein, mais pas celle de ses ovaires. Elle ne pouvait envisager le fait de ne plus avoir d'autres enfants... Ils l'opérèrent en respectant sa demande de conserver ses ovaires.

Rob et Véronique se marièrent quelques mois plus tard et célèbrèrent leur amour sous le soleil du Mexique en compagnie de leur famille et amis. Véronique se retrouva de nouveau enceinte d'un superbe petit garçon, Kéoni, qui est né en mai 2009.

Aujourd'hui, la petite famille vit en Californie et Véronique est toujours aussi radieuse, magnifique et sportive. Personne ne peut imaginer tout ce que cette jeune femme a pu traverser. Elle est une source d'inspiration et d'encouragement pour nous tous... et toi aussi, Rob.

Quand je repense à leur rencontre qui n'était pas encore fondée nécessairement sur un engagement inébranlable, j'en arrive à croire que *l'amour existe encore,* comme Céline Dion le décrit si bien dans sa chanson.

Rob... j'admire tes qualités qui font de toi le plus bel homme qui soit.

Merci, Véronique, de m'avoir permis de partager votre merveilleuse histoire d'amour et de courage.

Je vous aime.

* *

Quel récit!

J'ai partagé cette histoire, car on ne met pas une lampe sous un boisseau mais sur une table afin qu'elle puisse éclairer toute la maison.

Martine Plante,
Sherbrooke

Une histoire de cœur

En septembre 1994, j'ai entrepris des études à l'université, un baccalauréat en travail social. C'était un retour aux études après onze années à la maison comme maman à temps plein. Nous étions les heureux parents de trois belles filles âgées à l'époque de sept, dix et douze ans. J'ai reçu la bonne nouvelle que j'étais acceptée au programme de prêts et bourses.

Au cours de la fin de semaine de l'Action de grâce, mon mari ne se sentait pas bien. Il a décidé d'aller à la clinique médicale pour consultation. Après un court examen, le médecin lui a conseillé de se rendre immédiatement à l'hôpital pour un électrocardiogramme. Mon mari m'a téléphoné de l'hôpital pour m'annoncer qu'il devait rester sur place parce qu'il souffrait d'angine de poitrine et qu'il aurait besoin d'examens plus poussés. Le lendemain, il a reçu la nouvelle qu'il avait fait un infarctus qui nécessitait une chirurgie à cœur ouvert. Je n'en croyais pas mes oreilles! Il m'a semblé que c'était un rêve et que j'allais me réveiller, mais c'était la réalité. Mon époux a subi une opération à cœur ouvert et quatre pontages. Il est demeuré sept semaines à l'hôpital à cause de petites complications. Sa période de convalescence a duré trois mois.

Mon époux était un travailleur autonome sans aucun revenu garanti pendant cette période. Nous n'avions aucune économie. Ma routine consistait alors à ce que j'assiste à mes cours à l'université le jour, et que je retourne à la maison pour voir au repas du soir et m'assurer que les filles allaient bien, puis je visitais mon époux en soirée. J'ai continué cette routine pendant quelques semaines. Il m'arrivait parfois d'être découragée et je me demandais si je devais continuer mes études. Je savais dans mon cœur qu'il était important de continuer afin de nous assurer un meilleur revenu, et l'accès au programme de prêts et bourses devenait notre seul revenu familial pendant cette période.

Notre communauté chrétienne ainsi que ma parenté nous ont prêté main-forte. Chaque jour, une famille nous apportait un repas. Plusieurs priaient pour nous et je sentais la présence de Dieu. Un jour, notre pasteur est venu nous visiter pour nous annoncer que dix familles s'étaient mises ensemble pour nous soutenir financièrement pendant le temps requis. Durant le temps des fêtes, un voisin nous a offert un chèque-cadeau pour l'épicerie. Un autre a laissé à notre porte un jambon et d'autres denrées. Une dame bien connue de notre voisinage, par le biais de sa pré-maternelle privée, a décidé de nous venir en aide en demandant la participation des parents de ses élèves pour amasser des aliments non périssables pour nous.

Chaque semaine portait sur un thème à propos duquel les participants apportaient des articles. Quelques jours avant Noël, quelqu'un frappa à notre porte. C'était une dame vêtue en père Noël accompagnée de son lutin (nulle autre que ma sœur bien-aimée). Elles ont garni notre salon de plusieurs boîtes de denrées ainsi qu'un panier rempli de cadeaux pour la famille. Mon époux fondit en larmes devant toute cette manifestation d'amour et de respect pour notre famille.

Je n'oublierai jamais cette période de notre vie où l'amour, le partage et le respect ont été si généreusement manifestés. Je remercie Dieu pour tous ces anges qu'Il a mis sur notre chemin. Aujourd'hui, mon époux se porte bien et nous sommes devenus d'heureux grands-parents!

Danielle Bergevin,
Gatineau

Cher donneur

Lorsque je me suis séparée de mon mari, j'ai dû réapprendre à vivre. Je me devais de protéger mes enfants afin qu'ils ne soient pas trop perturbés par les changements que nous allions vivre. Je ne savais pas, à ce moment-là, que ce serait moi qui vivrais les plus gros changements!

Quelques semaines après mon départ de la maison familiale, j'ai commencé à ressentir des symptômes bizarres. Je croyais que c'étaient mes nerfs qui lâchaient, ce qui aurait été tout à fait normal, vu les circonstances. Mais les symptômes persistaient et empiraient. J'ai alors consulté un médecin et le verdict est tombé. «Lise, tu seras en dialyse dans quelques mois, tes reins ne suffisent plus, il leur faut de l'aide!» *Ai-je bien compris? Ne puis-je pas avoir un sursis? Je viens de me séparer, je ne peux pas avoir un peu de tranquillité d'esprit, non?*

Tout s'est enchaîné. Les tests préparatoires à une future greffe, une opération dans l'abdomen pour poser un cathéter, les rendez-vous avec les infirmières et les médecins et... le début de la dialyse péritonéale. J'ai continué à travailler, je ne voulais pas arrêter. Mon énergie était faible, j'étais maigre, cernée, fatiguée et je pleurais souvent. J'ai dû me résoudre à diminuer mes heures de travail, mais arrêter, c'était IMPOSSIBLE! Le rein se faisait attendre... Oui, l'attente était longue. Par contre, l'espoir ne me quittait pas... l'espoir d'une greffe, ma seule chance de mener une vie plus normale.

* *

Le 24 octobre 2000, alors que je suis dans la cour de l'école où je travaille, un bruit strident se fait entendre. Mais d'où cela peut-il provenir? L'éducatrice et moi, nous nous regardons en même temps avec de grands yeux: *Et si c'était...?* Je prends mon téléavertisseur, qui est toujours sur moi au cas où, je vois le numéro et je dis tout haut: «Oui, c'est l'hôpital, c'est l'hôpital!»

Depuis près de deux ans que j'attends cet appel et que je garde sur moi ce téléavertisseur qui ne se manifeste jamais et, aujourd'hui, il sonne pour moi!

Mes jambes tremblent, ma voix tremble, je tremble de partout finalement. Je suis énervée, je ne sais plus où donner de la tête. Je fais de la surveillance à l'extérieur, mais la nouvelle court vite et les enfants sautent tout autour de moi. C'est fou, j'ai l'impression d'être dans un rêve! On vient me chercher dehors, car déjà, à l'intérieur, on sait ce qui se passe, les médecins sont au bout du fil, tout va vite!

J'entends une voix calme et douce qui me chante à l'oreille: «Bonjour, Lise, tu dois bien savoir pourquoi je t'appelle aujourd'hui?» Et il ajoute cette phrase tant attendue: «LISE, ON A UN DONNEUR POUR TOI.»

Tout se bouscule à l'intérieur de moi. Le médecin me dit que le donneur est âgé et qu'on doit faire d'autres tests pour être bien certain que je peux recevoir ce rein sans problèmes. «Reste où tu es, tiens-toi prête et on te rappelle d'ici quelques heures», ajoute le médecin.

Comment bouger? Comment aurais-je pu même essayer de faire un geste? Je suis paralysée par la nouvelle, par la peur, par toute une gamme d'émotions. J'ai beau avoir attendu ce jour depuis longtemps, par cette greffe, c'est ma vie qui va changer. Cette greffe, c'est une chirurgie, c'est l'incertitude, c'est l'inconnu! Et là, on me demande d'attendre encore. Je reste positive, je ris, je pleure, je parle, je tremble. Quel choc émotif!

Deux heures plus tard, un second appel! Des tests ont été faits sur les reins du donneur, ils semblent être en bon état. Le médecin me demande alors: «Que fais-tu?»

Moi, ce que je décide? Moi, je ne décide rien, je ne connais rien à tout cela. Alors, je pose la question: «Vous, docteur, c'est vous, le spécialiste, que feriez-vous, grefferiez-vous?» Il me répond: «Avec les renseignements que nous avons, je grefferais.» Et j'ajoute sans même attendre: «Alors, vous greffez.»

Je rentre chez moi. Je fais ma valise, je me prépare, avec une boule d'émotion dans la gorge. Je prends un taxi et je me dirige vers l'hôpital.

Comment cela va-t-il se passer? Je pense au moment présent et aux quelques heures qui vont suivre. J'appréhende et je suis heureuse, c'est un mélange d'émotions assez particulier. Le rein arrive, la civière suit et je pars vers la salle d'opération. On m'attend, tout le monde semble très excité pour moi! Au réveil, retour à la chambre et surveillance, prise de médicaments et processus normaux de l'après-greffe. Comme tout va bien, je retourne chez moi après onze jours avec mon beau cadeau du ciel!

Ma greffe a eu lieu il y a maintenant douze ans. La vie poursuit son cours avec ses bonheurs et ses petits chaos. Ma santé va très bien. Je continue mes visites à l'hôpital régulièrement et je prends toujours mes médicaments. J'avance dans la vie avec le sourire. J'ai une vie très active, une famille extraordinaire et, surtout, je suis bien avec moi-même et mon merveilleux rein!

Quand les gens s'informent de ma santé, ils sont surpris d'apprendre qu'aujourd'hui mon rein a trente ans de plus que moi. Il m'arrive de leur répondre: «Ah! le donneur avait 69 ans quand j'ai reçu son rein, mais c'était celui d'un homme, alors quand il s'est retrouvé dans le corps d'une femme, il en a été tellement heureux qu'il s'est mis à fonctionner comme un rein de 20 ans!»

Souvent, je remercie le ciel d'être encore là et je remercie surtout la famille de mon donneur qui a autorisé le prélèvement d'organes. Même si je n'ai jamais pu la rejoindre après maints efforts, les nouvelles étant toujours négatives, je lui dois une fière chandelle.

Par le biais de cette lettre, je partage donc, à mon donneur et à sa famille, mes émotions qui ne se sont jamais rendues jusqu'à eux.

Cher donneur,

Comment t'exprimer aujourd'hui toute la gratitude que je ressens face à un geste parmi les plus grands qui soient. Ta famille a consenti à faire don de tes organes lorsque tu étais prêt pour ton grand voyage. Cette famille, qui te perdait et qui pleurait ton départ, a décidé de ne pas te laisser partir sans que tu aides d'autres personnes à vivre.

Moi, j'ai reçu un de tes reins. Depuis le 24 octobre 2000, il est en moi, il fait partie de moi et il fonctionne comme un grand.

Ensemble, nous traversons la vie et continuons notre chemin qui, aujourd'hui, est parsemé de joie.

Cher donneur, souvent je te parle; tu le sais, n'est-ce pas? Je te dis à quel point tu m'as fait du bien. Je remercie tant et tant les membres de ta famille qui a eu ce grand geste de générosité. Je ne peux les voir, leur parler, leur dire à quel point je suis heureuse qu'un de tes reins vive en moi. Quand on m'a opérée, ton rein s'est mis tout de suite à fonctionner. Il a dû avoir la surprise de sa vie... tu imagines? Il était sur le point de s'arrêter à tout jamais et là on lui donnait la chance de poursuivre sa route... de continuer à travailler... il a dû en être très heureux.

Pour moi, mon nouveau rein est comme un nouveau-né. Crois-moi, je prends bien soin de lui. Et ce n'est pas terminé, car je compte faire encore bien des années avec lui pour m'épauler.

Ce don a transformé ma vie, car j'étais en dialyse depuis près de deux ans et je n'étais plus que l'ombre de moi-même. Le teint blafard, le corps meurtri, le cœur en miettes. Même l'énergie quittait mon corps. Malgré la dialyse, j'avais tellement de déchets dans mon sang que je n'arrivais même plus à goûter la nourriture, à goûter la vie. Mais toi, tu as changé tout ça! Quelle transformation! Je profite chaque jour de ce don merveilleux... Est-ce que là où tu es maintenant tu peux me voir? Eh bien, regarde ce sourire sur mon visage... il te dit: «Cher donneur, du fond du cœur, MERCI!»

Chère famille au grand cœur, MERCI!

> *Celle qui a vu sa vie changer le soir du 24 octobre 2000,*
>
> *Lise, xxx*
>
> Lise Gagné,
> Québec

Une fleur oubliée

Aujourd'hui je meurs. J'ai fini ma journée. Ma fleur
s'est fanée, j'aurais aimé goûter au bonheur, et voici que
je meurs!

Anonyme

Nous, qui avons perdu notre mère dès notre jeune âge, aurions tout donné pour avoir une maman. Aujourd'hui, comme c'est la fête des Mères, j'ai bien envie de vous raconter une histoire dans laquelle j'ai été impliqué bien malgré moi, afin qu'elle reste à jamais gravée dans nos mémoires.

Quand je l'ai vue la première fois, elle était là, dans la rue, à moitié nue, une serviette crasseuse couvrait une partie de son corps. Je croyais voir un fantôme. Le soleil réchauffait son corps décharné par la misère. Complètement perdue, la pauvre vieille ne savait que faire. Sa poitrine dénudée, ravagée par le temps, laissait voir un sein tombant et l'autre, rongé par le cancer, avait été enlevé. Seule une cicatrice témoignait de ce douloureux moment.

Je me suis approché d'elle. J'avais devant moi la misère du monde. Ses cheveux blancs jaunis n'avaient pas été lavés depuis des semaines. Son corps amaigri, pâle comme la mort, tremblait comme une feuille. Ses beaux yeux remplis de tristesse laissaient couler sur ses joues des larmes de souffrance. Ses jambes, pleines d'urine et d'excréments, avaient encore la force de supporter ce corps si fragile. On aurait dit que la mort invisible la tenait par la main pour sa dernière promenade. La pauvre vieille, effrayée, n'arrivait pas à parler. Ses lèvres, soudées par la peur, auraient eu certainement tant de choses à dire.

Elle ne savait plus où elle demeurait ni même son nom. Elle semblait tellement désemparée, la pauvre. Ses yeux, remplis de détresse, me suppliaient de laisser le soleil caresser son corps décharné une dernière fois. Elle savait bien que le chant des oiseaux et le parfum des fleurs seraient, demain, choses du passé. Elle qui, pendant des mois, peut-être des années, avait vécu dans la crasse et l'obscurité. Ce matin-là, elle était libre comme un oiseau. Elle pouvait enfin respirer l'air pur. Je l'ai prise par la main. Elle tremblait de tout son corps. Même si je ne la connaissais pas, j'aurais aimé la serrer dans mes bras et lui dire que je l'aimais, mais je ne l'ai pas fait. Je le regrette aujourd'hui.

Aussi fragile qu'une coquille d'œuf, la vieille dame a enfin accepté de monter dans ma voiture. Arrivés à la maison, mon épouse et moi lui avons donné une robe de chambre pour cacher sa nudité et, surtout, réchauffer son corps meurtri par la misère. Nous lui avons donné un peu de lait et des biscuits. Mais elle était tellement à bout de forces qu'elle ne pouvait rien avaler.

Assise confortablement dans un fauteuil berçant, attendant les ambulanciers, elle semblait reprendre des couleurs. Sur son visage, creusé par les rides et la désolation, de grosses larmes coulaient. Alors, comme pour nous dire merci, un sourire timide est apparu sur ses lèvres. Quand est venu le temps de monter sur la civière, ses beaux yeux nous imploraient de la garder avec nous. Nous savions qu'elle nous quittait pour toujours.

Comme une fleur privée d'eau, elle se laissait mourir d'ennui. Pourtant, elle ne demandait pas grand-chose, seulement une petite place au soleil et un peu d'amour.

Toi, la bonne vieille dame, ton cœur était trop grand et trop tendre, il a fini par éclater. Là où tu es maintenant, tes souffrances sont terminées. Et je suis sûr qu'un jour, sur ta tombe, une fleur surgira. Elle sortira de terre là où tu es enterrée, pour ceux que tu as tant aimés. Parce que l'amour ne se lasse jamais.

Adieu, ma belle fleur oubliée.

René Morin,
Québec

Une rencontre
dans le métro

Voici un événement que j'ai vécu au début des années 1990. Un jour, alors que je me dirigeais vers une sortie du métro, j'ai aperçu un jeune homme en larmes qui était assis, seul, dans les escaliers; il semblait désespéré. Je l'ai regardé tout en continuant mon chemin lorsque, tout à coup, j'ai entendu une petite voix intérieure qui me chuchotait: «Va lui parler, va le consoler.»

Un peu hésitante, j'ai fait demi-tour et je suis retournée vers lui. Doucement, je me suis assise à ses côtés et, mettant la main sur son épaule, je lui ai demandé: «Ça ne va pas?» Gêné, il n'a pas répondu à ma question. N'abandonnant pas devant son silence, j'ai ajouté qu'il pouvait se confier à moi s'il le voulait, car après tout, nous ne nous connaissions pas et que ça ne l'engageait d'aucune façon envers moi. De plus, je lui ai précisé que je ne voulais que l'écouter. Il a ensuite tourné la tête vers moi et, en me regardant, il m'a dit: «Je suis découragé, j'ai perdu mon emploi!»

«Je te comprends, lui ai-je répondu tout simplement. C'est triste que ça arrive à un beau jeune homme comme toi; je suis certaine que tu vas t'en trouver un autre.» Il m'avoua alors que cette situation l'inquiétait beaucoup parce que sa femme venait d'accoucher d'un petit garçon. Pour lui démontrer ma compassion et mon intérêt, je lui ai demandé s'il avait sur lui une photo de son fils, car j'aimerais beaucoup le voir. Se sentant un peu plus rassuré, il a pris son portefeuille et en a sorti une photo. Lorsque j'ai vu le visage de son bébé, je n'ai pu m'empêcher de lui dire que c'était un très beau petit garçon et je lui ai demandé si ce dernier était en santé. Ce fut un oui sans hésitation.

Je lui ai affirmé que c'était vraiment toute une richesse qu'il avait là et, à mon tour, je lui ai montré une photo de mon mari, de mon fils et de ma fille. Puis, je lui ai tendu une deuxième photo que je tenais précieusement dans ma main. Il la regarda fixement sans rien dire. Il se tourna vers moi, mais ne voyant aucune réaction de sa part, je lui ai demandé: «Est-ce que tu t'aperçois de quelque chose?» puis j'ai continué mon histoire: «Mon enfant est venu au monde trisomique, aveugle et il ne peut pas parler. J'aurais donné tout au monde pour qu'il soit normal, mais personne n'y pouvait rien. Oui, j'ai eu beaucoup de peine et, après plusieurs mois de chagrin, j'ai fini par demander à Dieu de m'aider à accepter les choses que je ne pouvais changer et la sagesse d'en connaître la différence.»

Lorsque j'ai constaté que le jeune homme semblait aller un peu mieux, je me suis levée pour continuer ma route. En fin de compte, il est sorti du métro en même temps que moi en me disant ceci: «Merci beaucoup pour vos bonnes paroles; vous m'avez ouvert les yeux.» J'en ai profité alors pour lui répéter que j'avais la certitude qu'il allait se trouver un autre emploi bientôt et que je lui enverrais des ondes positives. Avant qu'il parte de son côté et moi du mien, il m'a embrassée sur les deux joues et m'a remerciée une autre fois. Étrangement, nous nous sommes retournés en même temps et nous nous sommes envoyé la main en guise d'au revoir. Je lui ai fait alors un grand sourire, puis j'ai levé le pouce en l'air en regardant le ciel. Pendant qu'il s'éloignait, j'ai prié: «Merci, mon Dieu, de m'avoir soufflé les bonnes paroles pour le réconforter.»

Quelques années plus tard, mon fils est décédé à l'âge de vingt-quatre ans, en février 1994. Je garde encore le souvenir de ce jeune homme dans le métro et de la petite voix qui m'a guidée vers lui. J'espère que la vie lui a apporté le travail dont il avait tant besoin et que sa famille et lui vivent heureux et en santé.

Monique Casault,
Laval-des-Rapides

La valse des toilettes

Mes parents ont été mariés pendant trente années. Je suis la fille unique d'un couple qui s'est toujours aimé malgré les grands défis qu'il a su surmonter. J'avais environ 27 ans et mes parents traversaient une période difficile. Ma mère vivait plusieurs déceptions face à son couple. Elle m'avait même confié son doute de demeurer en couple après vingt-neuf années de mariage à cette époque. Étant leur fille unique, j'étais ébranlée, mais dans mon raisonnement d'adulte, je comprenais que ce qui comptait à ce moment, c'était leur bonheur. À l'aube de leur trentième année de mariage, ils avaient décidé, pour l'occasion, de faire un voyage en Europe, question de se rapprocher, de partager des moments ensemble.

Lors de leur retour de voyage, ma mère ne se sentait pas bien. Elle est donc allée voir son médecin pour apprendre assez rapidement qu'elle était atteinte d'un cancer du rein. Ce poison était agressif et il était difficile de prédire si elle serait capable d'y survivre. Évidemment, cette nouvelle a bouleversé toute la famille. Les symptômes se sont manifestés rapidement. Son oncologue a suggéré une opération qu'elle a subie avec tant de bravoure. Malheureusement, l'opération n'a pas aidé à la guérison. Sous le choc, à peine un mois plus tard, ma mère s'est retrouvée dans une maison de soins palliatifs. Avec tout l'espoir qui nous habitait, elle a fait face à son sort avec dignité et courage.

Pendant son séjour de vingt-huit jours dans la maison de soins palliatifs, mon père était à ses côtés quotidiennement. Étant entrepreneur, il devait s'assurer que les activités de son entreprise continuent, mais il gardait en priorité le bien-être de ma mère. Il passait donc le plus de temps possible avec elle. Étant présente moi aussi, je me souviens d'avoir été profondément touchée de les observer ensemble. De voir ma mère démontrer sa vulnérabilité, bien qu'elle ait passé sa vie à être là pour les autres. J'ai réalisé assez rapidement que mon père faisait une différence pour elle et, autant pour lui-même, il se devait d'être à ses côtés. Malheureusement, ma mère a succombé à son cancer le 26 septembre 2000. Jusqu'à son dernier souffle, ils étaient deux, ils étaient amoureux.

Aujourd'hui, onze années après sa mort, j'ai compris pourquoi ces instants de tendresse me touchaient tellement, particulièrement à un moment où ils partageaient une complicité évidente. Lorsque ma mère devait se lever de son lit pour se déplacer, plus précisément pour se rendre à la salle de bain, la plupart du temps, c'était mon père qui l'accompagnait d'une façon bien particulière. Il l'aidait à se lever de son lit, pour ensuite la diriger face à lui afin qu'ils se retrouvent enlacés. Comme deux partenaires de danse, ils avançaient en valsant vers les toilettes. Au retour, la danse continuait vers le lit. À chaque occasion, ils se retrouvaient tous les deux, yeux dans les yeux. Sans trop vouloir se l'avouer, c'était tristement les dernières occasions intimes de leur amour de trente ans. C'est à ce moment-là que je me suis rendu compte qu'ils s'aimaient encore profondément. Malgré les défis de couple, les doutes, les épreuves, cette danse démontrait à quel point ils s'aimaient plus que jamais!

Même après toutes ces années, je n'oublierai jamais ce merveilleux spectacle, cette danse qui interprétait la définition ultime de leur amour! Les souvenirs sont des cadeaux précieux. Bien que ma mère ne soit plus là, je peux fermer les yeux et les voir encore une fois, tous les deux, faire la *valse des toilettes*!

Josée Lacourse,
Gatineau

3

L'ENSEIGNEMENT ET L'APPRENTISSAGE

Il faut découvrir sa source,
trouver le sens du courant, accepter,
se reconnaître, devenir ce que l'on doit être,
porter à la lumière le moi qui agit
au fond de soi.

Martin Gray

Destinée

La soirée s'annonce belle et chaude. Les touristes commencent à envahir peu à peu l'artère touristique. Les gens sont souriants et heureux d'oublier enfin les soirées pluvieuses et fraîches des dernières semaines. Je partage ce sentiment et je déambule avec plaisir dans les rues de la ville.

De plus, ce soir, il y a de l'animation en ville, car un spectacle extérieur sera présenté dans une quinzaine de minutes, à la Place de l'Église.

Je me trouve un endroit un peu à l'écart d'où je peux observer autant l'assistance que le spectacle.

Les gens arrivent par petits groupes. Une famille vient s'installer tout près de moi et je m'amuse à les écouter. Sans l'ombre d'un doute, il s'agit de touristes. Les enfants, un jeune ado et une fille plus jeune, s'assoient non loin de moi pendant que j'observe d'autres personnes arriver.

Comme le spectacle se fait attendre, j'arrive à saisir des bribes de conversations banales entre les parents sur le paysage, la température. Voyant poindre un début d'impatience chez les enfants, le père propose une promenade aux alentours et les rassure en leur disant que leur mère gardera les places. Sans vraiment leur porter attention, je les vois s'éloigner et je continue à laisser vagabonder mes pensées.

Le spectacle débute. Toutefois, ma position me permet de continuer à observer de dos cette maman. Elle présente maintenant tous les comportements typiques de la maman un peu inquiète: elle semble distraite et peu intéressée au spectacle, regarde constamment à sa gauche et à sa droite, vérifie l'heure. Je me surprends à surveiller, moi également, l'arrivée imminente de la petite famille.

Soudain, j'aperçois la petite fille du couple qui grimpe les marches. Elle est suivie de son grand frère. Tiens, il n'a rien de l'allure d'un jeune adolescent rebelle, anticonformiste ou indiscipliné. Non, il a plutôt ce sourire si caractéristique des gens présentant un retard cognitif.

Mon idée se confirme lorsque je vois le papa le prendre par le bras pour le ramener dans la bonne direction. À mes côtés, je sens le soulagement de la maman, heureuse de retrouver les siens. Le jeune garçon s'assoit près de sa sœur, devant leur mère. Je me recentre sur le spectacle, tout en ayant la petite famille dans mon angle de vision. Constamment, j'entends la mère s'adresser à ses deux enfants. Je la vois caresser régulièrement le dos et les cheveux de son fils.

Soudain, je constate que mes yeux s'emplissent de larmes et, quelques minutes plus tard, elles coulent le long de mes joues. Comme je suis heureuse d'avoir gardé mes lunettes de soleil ; je m'installe, les poings sur mes joues, afin de camoufler cet excès de sentimentalité. Je vois les mains de la mère caresser le dos de cet enfant qui en sera toujours un. Je me revois, dix années plus tôt, en train de caresser ma bedaine de huit mois de grossesse, inquiète et soucieuse de tous ces examens médicaux.

J'entends la voix de cette mère qui s'adresse calmement à son fils, avec chaleur et un amour inconditionnel. Je me revois, dix années plus tôt, chuchotant à ma fille nouveau-née des propos qui se veulent rassurants sur tous ces examens, sur tous ces équipements et ces gens qui vont peut-être, un jour, nous expliquer ce que le destin n'expliquera jamais. Je vois ce couple et les regards complices échangés entre eux. Je nous revois, son père et moi, nous soutenant lorsque nous l'avons accompagnée dans les premiers moments de sa vie qui furent également ses derniers. Sept semaines, c'est une courte vie, mais si intense !

Je vois le regard chaleureux et protecteur de cette petite sœur sur ce frère qui devrait jouer le rôle inverse, et je me rappelle tous ces moments émouvants où notre fils de trois ans veillait sur sa petite sœur. Il ne pourra pas, lui, assumer ce rôle de grand frère aîné protecteur... Sans que le destin lui demande son avis, il est devenu fils unique ! Encore aujourd'hui, il parle de sa sœur.

Voilà donc la réponse à ces larmes et à cette émotion qui m'habite depuis l'arrivée de cette petite famille. Tous ces sentiments, ce vécu, font partie de moi. Je remercie tendrement ma petite Jade de faire partie de mon destin.

Martine Boulianne,
Baie-Saint-Paul

L'histoire d'Hélène

Je compte mes amis sur le bout de mes doigts. Les «vrais». Ceux qui traverseraient le pays jusqu'en Alaska pour venir me chercher si j'étais mal foutue. Sans poser de question. Ceux qui peuvent reprendre la conversation là où on l'avait laissée la dernière fois. Même si la dernière fois remonte à six mois. Ceux qui ont des oreilles, de vraies oreilles d'amis. Pour écouter. Sans juger. Juste être là, écouter, sourire, essuyer mes larmes au besoin. Ceux qui m'apprennent la vie. En étant eux, simplement eux.

Ma chum Hélène, je l'ai connue l'été dernier. À notre première rencontre, je me souviens d'avoir dit à mon ex: «C'est presque effrayant quand elle rit...» Hélène, elle rit. Souvent. Fort. Un rire peu commun, particulier. Au départ, ironiquement, presque tout chez elle m'irritait. Elle parle. Souvent. Fort. De ce verbiage existentiel ou pas, peu importe le sujet. Elle bouge. Souvent. Fort. Quasiment comme si elle se préparait à déménager à chaque minute. Elle s'active. Elle mobilise. Elle a un leadership à toute épreuve et une volonté de fer. Hélène, elle est intense. Un peu comme un hyperactif sans Ritalin. Comme Obélix, qui prend un bain de potion. Comme un câble d'Hydro-Québec. Elle semble inépuisable, inébranlable.

Au début, je me tenais loin d'elle. Trop d'intensité, trop de présence, trop de tout. Et puis le temps... Le temps de l'apprivoiser. Qu'elle m'apprivoise aussi. Le temps de savoir. Hélène, c'est une bombe. Sans retardement, juste une bombe. Une belle grande femme bien roulée, la quarantaine, mignonne, châtaine, femme d'affaires, qui entreprend tout comme si sa vie en dépendait. Parce que, justement, pour Hélène, sa vie en dépend.

Quand je l'entends me demander: «Je t'ai-tu déjà conté la fois où je suis devenue veuve?»; cette fois où elle a pris en charge une demi-douzaine d'enfants; cette autre fois où elle a vaincu le cancer du sein; l'autre fois où le cancer s'est attaqué à ses poumons? La violence, puis le pardon. La réalité, puis le rêve. Comment elle a trimé dur pour arriver à prendre une ou deux journées de congé durant l'année? En élevant tous ses garçons. Menant ses deux compagnies de front. Et ses amours. Et la maladie. La vie, quoi.

Hélène, elle rit fort parce qu'elle ne sait jamais quand elle cessera de vivre. C'est notre cas à tous d'ignorer quand l'horloge s'arrêtera. Dans son cas, elle l'a entendue sonner quelques fois et elle sait que la tumeur n'est jamais bien loin. Hélène, elle déplace de l'air parce qu'elle ignore jusqu'à quand son corps pourra la laisser agir. Elle profite de chaque seconde, parce qu'elle ne veut plus les compter mais les vivre. Hélène, elle parle beaucoup. Parce que toute une vie, forcément, ça fournit une tonne d'anecdotes. Et qu'en même temps, elle avale toutes ces goulées d'air en les savourant une à une, réellement. Elle goûte l'air qu'elle respire. Parce qu'elle ignore quand il se raréfiera.

Hélène, elle est intense. Parce qu'elle vit d'intensité. Parce qu'elle a saisi que chaque minute, chaque clignement des paupières, chaque brique qui lui tombe sur la tête sont autant de signes qu'elle est en vie. Et, à la limite, des problèmes, elle en veut. Parce qu'elle sait que, tant qu'elle en règle, elle vit. Et tant qu'elle vit, elle rit.

Elle parle au bon Dieu et fait du chantage avec lui comme on négocie un contrat. «Quand mes enfants auront ceci, alors tu viendras me chercher...», «Quand j'aurai terminé tel projet, alors je pourrai mourir.» Et elle enclenche soixante-deux projets. Comme ça, son bon Dieu ne saura jamais quand elle les aura finis.

Ma chum Hélène... m'a appris que la vie, c'est ça. Juste ça. Rien que ça. *Vivre*. Je comprends maintenant pourquoi elle me faisait peur. Parce que l'intensité, quand on y touche, on peut difficilement s'en passer par la suite. C'est difficile de retourner aux complaintes quand on visite la joie de vivre.

Hélène, c'est une tulipe rouge qui pousse au soleil. Qui émerveille par sa solide présence. Qui sort de terre malgré toutes les adversités. Dur de s'imaginer sans elle une fois qu'on l'a laissée entrer dans sa vie. Aussi dur que d'entendre dans une chanson un cri de joie lancé à la façon d'un loup... sans s'imaginer Hélène en train de crier justement à la lune à quel point elle est belle. Se retourner en souriant et dire très fort: «C'est une belle journée pour être en vie, hein?»

Martyne Desmeules,
Nicolet

Le certificat de l'amour

J'étais en quatrième année du primaire. Je venais d'emménager dans un nouvel endroit et je fréquentais maintenant une autre école.

Dans chacune des classes, des certificats d'honneur étaient remis à des élèves qui réussissaient à se distinguer. Il y avait des thèmes différents chaque fois. La sélection des élèves se faisait par le vote des autres écoliers, et celui ou celle qui obtenait le plus de votes se méritait un certificat.

Il y avait aussi un service de courrier et nous pouvions envoyer des messages à qui nous voulions dans l'école. Une boîte aux lettres destinée à cet effet était située près du secrétariat et nous pouvions y déposer nos gentils mots d'amitié ou d'amour. Le vendredi après-midi, lorsque arrivait le petit facteur désigné à la distribution du courrier, laissez-moi vous dire que nous étions tout excités de voir qui nous avait écrit, qui pensait à nous. Je recevais de temps en temps un mot de ma cousine qui était dans une autre classe. C'était super cool!

Mais en même temps, j'étais malheureuse de voir que, de semaine en semaine, il y avait des élèves de ma classe qui ne recevaient jamais rien. J'en perdais mon sourire. Cela me rendait triste de constater que certains enfants n'avaient pas d'amis qui pensaient leur envoyer un petit mot gentil.

Cette semaine-là, c'était la semaine de l'amour à l'école. Un soir, j'ai préparé des bouts de papier rouge sur lesquels j'ai inscrit la petite phrase suivante: «Joyeuse St-Valentin». Je les ai soigneusement pliés et collés avec un morceau de ruban gommé. Ensuite, j'ai écrit le nom de chaque élève de ma classe sur le dessus. Et, pour être certaine que chacun reçoive sa minilettre, j'ai déposé le tout dans une grande enveloppe adressée à notre professeur, avec un mot à l'intérieur qui lui demandait de les distribuer de ma part, et j'ai ajouté: «Bonne St-Valentin, professeur!»

J'étais super gênée lorsque le petit facteur est arrivé avec ma grosse enveloppe rouge et encore plus quand mon professeur s'est extasié, avec un grand sourire aux lèvres, de tout l'amour que je projetais à la classe. Ensuite, il a commencé à distribuer les minilettres en disant à tout le monde que c'était de ma part.

Malgré ma gêne, rien n'a valu les sourires que j'ai vu apparaître sur le visage de ceux qui ne recevaient jamais rien lorsqu'ils ont tendu la main pour recevoir leur message d'amour et d'amitié de ma part! À ce moment, j'ai senti la chaleur de ma gêne descendre et s'installer dans mon cœur, et j'ai souri largement.

Pour la semaine de l'amour, devinez qui s'est mérité le certificat de l'amour? Moi!... par un vote unanime! *Cool!*

Déïtane Gendron,
Chertsey, Lanaudière

L'émotion
de la dernière fois

Sans prétention et me considérant une personne de tempérament et d'attitudes assez déterminés, j'ai eu l'immense privilège de pouvoir commencer ma carrière d'enseignante à vingt et un ans, dès ma sortie de l'université. Aujourd'hui, après toutes ces années, je repense à ces dévoué(e)s collègues que j'ai eu le bonheur de côtoyer, à tous ces parents qui, je l'espère, ont pu trouver une certaine utilité à mes conseils, lesquels étaient souvent puisés à même le vécu d'autres parents. Mais, plus que tout, je revois et chéris le souvenir de petits visages, parfois joyeux, parfois tristes, de tous ces enfants de quatre ou cinq ans que j'ai accueillis, aidés, consolés et amusés, mais surtout que j'ai tellement aimés…

Lorsqu'on est enseignante, le cheminement de chacun des enfants qui nous est confié pour toute une année scolaire devient une préoccupation continuelle. Le jour, les interventions sont importantes ; le soir, la rétrospection et les préparations sont essentielles. De plus, je me suis souvent fait réveiller la nuit par des éclairs de solution. Pendant les vacances d'été, je me demandais ce que je pourrais faire de mieux pour intéresser ou stimuler mes prochains élèves. Je les aimais déjà, juste en lisant leurs prénoms sur la liste qu'on m'avait fournie pour la rentrée en août.

Ainsi, après trente-cinq années d'enseignement au préscolaire, j'ai décidé de prendre ma retraite. Tout au long de cette dernière année, avec un faux détachement que mes collègues avaient probablement et silencieusement discerné, je minimisais maladroitement mon appréhension, prétendant que ce serait une année comme les autres puisque j'avais planifié mon départ, que j'étais prête à faire autre chose.

Mais, la dernière journée arriva ! J'ai reçu des cadeaux et des mots de remerciements de la part des enfants et de leurs parents. Le cœur serré, j'ai vu pour une dernière fois défiler «mes» élèves qui, comme à chaque fin de journée, prenaient la direction de la maison ou du service de garde.

La maman de l'un d'eux, venue me saluer, dit à son petit garçon: «Embrasses-tu madame Manon?» Alors il m'embrassa sur la joue avec une caresse, mes yeux croisèrent ceux d'une autre petite fille qui, dans une invitation silencieuse et irrésistible, réclamait sa part de câlins. Puis, dans un effet domino qui vous chavire le cœur, il était là, le plus beau rang de mignons que vous puissiez imaginer, réclamant dans un «au revoir», leur dû individuel de bisous et de câlins. Plus j'avançais dans le rang et plus les larmes coulaient sur mes joues. Ce n'est qu'à ce moment que j'ai vraiment réalisé que c'était la dernière fois que j'aurais le bonheur d'être embrassée et serrée par ces petits bras que j'avais tant aimés. Une petite fille qui se voulait réconfortante me dit: «Ne pleure pas, madame Manon, on se verra peut-être à l'épicerie!» Peut-être me répéta-t-elle ce que ses parents lui avaient dit le matin même...

Après le départ des enfants et de mes collègues, j'ai ramassé mes effets personnels pour les rapporter à la maison. J'ai éteint la lumière de ma classe et mon cœur s'est serré. J'ai mis le système d'alarme en fonction et mon cœur s'est serré encore. J'ai fermé la porte de l'école et vérifié si elle était bien verrouillée et mon cœur s'est serré de nouveau. Je me suis assise seule dans ma voiture et j'ai regardé mon école: c'était la dernière fois... Mon cœur s'est brisé et j'ai éclaté en sanglots, pleurant jusqu'à la maison.

La semaine dernière, mes collègues ont souligné mon départ à la retraite par un souper, une soirée amicale et des cadeaux. À la fin de la soirée, j'ai pris la parole pour les remercier et je leur ai lu un texte que j'avais conservé toutes ces années en prévision de pouvoir le lire au moment de ma retraite. Ce moment était venu. Le texte disait que j'avais fait le plus beau des métiers du monde, entourée de garçons qui m'avouaient qu'ils m'aimaient, de filles qui me trouvaient belle, et que, grâce à eux, j'étais restée jeune. Il se terminait en ajoutant que, lorsque je quitterais, je verserais sûrement une larme... Encore une fois, mon cœur s'est serré très fort dans les effluves d'émotions de «*la dernière fois*». Puis, parmi tous ces collègues qui partagaient mes sentiments avec, ici et là, quelques larmes à l'œil, mon cœur a tressailli lorsque l'une d'elles est venue me prendre dans ses bras pour me faire, une dernière fois, le plus doux des câlins.

Manon Léveillée,
Saint-Hyacinthe

Lorsque notre fils Nicola était en maternelle,
il était convaincu que son directeur
se nommait monsieur Laclasse.

Josée Lacourse et Sylvain Dion, Gatineau
Illustration de Serge Malette, Gatineau

Un sixième sens

Il y a des êtres mystérieux, toujours les mêmes, qui se
tiennent en sentinelles à chaque carrefour de notre vie...

Patrick Modiano

Je travaille dans un centre de jour pour personnes ayant une déficience intellectuelle. En septembre 2003, un lundi après-midi, j'étais en réunion d'équipe avec mes collègues et nous planifiions les activités de la semaine. Pendant la réunion, Michel, l'un de nos participants au centre depuis plusieurs années, vint me glisser un dessin. Michel, qui était très peu verbal, adorait dessiner et il reproduisait presque toujours la même image, soit un gâteau de fête avec des chandelles. Jour après jour, il refaisait le même dessin, espérant, à mon avis, que son anniversaire de naissance arrive plus vite, car c'était sa journée préférée de l'année.

Mais, en cette journée d'automne, Michel me remit un dessin qui représentait très clairement une femme enceinte. J'en fus profondément touchée parce que, à ma connaissance, il n'avait jamais fait ce genre de dessin auparavant et, surtout, personne ne savait au travail que j'avais appris depuis deux semaines que j'étais enceinte. Je décidai alors de ne pas en parler dans mon milieu de travail et je gardai précieusement ce *chef-d'œuvre* pour moi.

Curieuse, j'appelai la mère de Michel le lendemain pour savoir s'il y avait des femmes enceintes dans l'entourage de son fils ou s'il avait déjà fait ce genre de dessin, mais elle me répondit par la négative. Je laissai passer encore quelques semaines et j'annonçai officiellement à mes collègues que j'étais enceinte. À ce moment-là, je décidai aussi de leur faire part du dessin de Michel. Pendant ce temps, celui-ci me regardait avec un sourire rempli de sagesse et d'innocence à la fois, semblant vouloir me dire: «Je le savais.» Régulièrement par la suite, lors des ateliers, Michel venait près de moi et touchait mon ventre avec grande douceur. Un autre jour, lorsque nous étions en autobus, il pointa mon ventre en me disant: «Garçon!» Je lui demandai alors comment il savait que ce serait un garçon et, tout simplement, il regarda et pointa vers le ciel, ayant la certitude que c'était vrai. Par la suite, lors de mon échographie, on me confirma que j'attendais bien un garçon. J'appelai donc Michel de l'hôpital pour lui dire qu'il avait vu juste et il se mit à rire en me laissant une autre fois sous-entendre: «Je le savais.»

Ayant travaillé plus de quinze ans avec des personnes en déficience intellectuelle et ayant moi-même vécu avec un frère ayant ce handicap, je crois sincèrement que beaucoup d'entre eux possèdent un sixième sens qui leur permet de deviner et de ressentir. J'ai aussi compris qu'en leur ouvrant notre cœur, nous pouvons revenir à l'essentiel grâce à la pureté de leur âme. Par leur amour inconditionnel, ils peuvent bien souvent nous enseigner qu'il est primordial d'aller au-delà des apparences afin de découvrir la personne qu'ils sont vraiment et la simplicité de leur vie.

Merci à Michel et à toutes les autres personnes que j'ai eu le bonheur de rencontrer sur mon chemin. Vous avez su, à votre manière et avec délicatesse, transformer ma façon de voir la vie et, surtout, les relations humaines.

Sylvie Ohanessian,
Gatineau

Ma petite histoire

Tout homme reçoit deux sortes d'éducation: l'une qui lui est donnée par les autres, et l'autre, beaucoup plus importante, qu'il se donne lui-même...

E. Gibbon

Nous sommes en 1988. La filiale de Steinberg pour laquelle je travaille ferme ses portes et, par le fait même, je me retrouve sans emploi. Je suis un sportif dans l'âme, je fais du culturisme, du jogging et bien d'autres activités, mais en cette même année, comme si la perte de mon emploi n'était pas suffisante, je me blesse au dos. Diagnostic: hernie discale. S'ensuivent des visites en chiropractie, en physiothérapie, en acupuncture. Tous ces thérapeutes m'aident du mieux qu'ils le peuvent, mais les résultats tardent à venir. Il va sans dire que cette période est extrêmement difficile pour moi.

En 1990, après dix-sept années de mariage, ma femme demande le divorce. Je n'ai toujours pas d'emploi, j'ai encore ce mal de dos qui me tenaille... et les dettes s'accumulent. Il ne me reste que l'espoir comme seule consolation. Je sais aujourd'hui que tout était alors en place pour que je me crée une nouvelle vie, mais je ne le réalisais pas à cette époque. Toutefois, comme je continuais différents traitements pour soulager ma blessure au dos, j'ai découvert une technique de massage sportif qui a eu de très bons résultats sur mon état de santé et qui m'a permis de me rétablir à 90 %. À ce moment-là, j'ai décidé de retourner aux études afin d'apprendre la technique du massage sportif.

Depuis 1992, je gagne ma vie en prenant soin des autres. Ma blessure au dos, qui m'a semblé être un malheur de plus parmi les autres à l'époque, a, au contraire, changé ma vie pour le mieux. Mon divorce m'a également permis de me prendre en main et de me retrouver face à moi-même. Parfois, il nous arrive des événements qui nous semblent insurmontables mais qui, selon moi, nous arrivent pour nous permettre d'ajuster notre vie de manière plus positive.

J'ai rencontré une femme merveilleuse qui partage ma vie depuis maintenant douze ans. Nous vivons un amour beaucoup plus sain et épanouissant que celui que j'avais connu auparavant.

Je sais aujourd'hui qu'il est important de suivre son instinct et de ne pas avoir peur du changement. La vie nous amène toujours vers quelque chose de plus grand. Lorsqu'on se fait secouer comme cela m'est arrivé, c'est pour qu'on se réveille à la vie. Il faut faire confiance au lieu de résister au changement. Si un échec survient, c'est pour nous amener à prendre conscience de ce qui nous entoure, afin de mieux nous épanouir par la suite. «Conscience – Décision – Action», les paroles d'un thérapeute que je mets en pratique à chaque instant.

J'ai retrouvé tout ce que je croyais avoir perdu à jamais: l'amour, une maison, mes enfants. J'ai développé le plaisir de m'occuper d'un jardin et les fleurs sont devenues une passion pour moi. Il y a même des gens qui viennent se faire photographier chez moi pour certaines grandes occasions et j'ai le plaisir de les accueillir. Qui aurait cru, en 1988, que mon malheur se transformerait en un bonheur aussi grand. Je considère que c'est une belle réussite et je suis très fier de moi.

Je vous laisse sur cette belle citation: «C'est dans l'action qu'on prend confiance!»

Maurice Robitaille,
Joliette

Le bon père Chaussée

Je ne me souviens pas qui a dit que toute une vie d'adulte n'était pas de trop pour se remettre des stigmates de l'enfance, mais à mesure que les années passent, j'ai tendance à donner raison à cette personne. Les fées qui ont plané au-dessus de mon berceau n'ont pas toujours eu la baguette heureuse. La mort accidentelle de mon père quelques mois avant ma naissance a fait déverser sur moi le flot du surplus d'amour d'un cœur de mère meurtri et inconsolable. J'ai baigné dans cet univers de tendresse pendant mes treize premières années, jusqu'à ce que ma mère décide, fort légitimement d'ailleurs, de se remarier.

C'est seulement beaucoup plus tard que j'ai compris que, en voulant refaire sa vie, elle avait bien involontairement défait la mienne. Un étranger venait de s'accaparer de ce qui m'était le plus cher au monde, déclenchant chez moi une crise d'adolescence fortement perturbée. Parmi les formes de délinquance juvénile qui se sont manifestées, assez nombreuses pour que le juge de paix de Rigaud avance l'idée que l'école de réforme pourrait contribuer à mon salut, il y a eu évidemment mes échecs scolaires.

En classe de versification, malgré tout le mal que je me donnais pour tricher aux examens, j'étais devenu le dernier de classe et le meilleur candidat au décrochage. C'était composer sans la vigilance et la perspicacité du préfet des études, le bon père Chaussée. Convoqué à son bureau, je m'y présentai, crâneur, persuadé d'y entendre le verdict de mon renvoi. Au lieu de cela, la sentence fut impitoyable: «D'Amour, tu seras en retenue tous les jours de congé jusqu'à ce que tu sois parmi les dix premiers de classe.» Quelle catastrophe! J'étais abasourdi. Le ciel venait de me tomber sur la tête et mon avenir immédiat se présentait, le moins qu'on puisse dire, sous de très sombres auspices.

Les longs jours blafards de retenue se succédant inexorablement, j'ai fini par comprendre que cette situation ne pouvait durer indéfiniment, que je n'avais plus d'autre choix que de me ressaisir et de me mettre désespérément au travail.

Aussi étrange que cela puisse paraître, c'est à partir de ce moment-là que j'ai vraiment pris goût aux études en général, et à celle des lettres en particulier. Deux mois plus tard, j'étais classé huitième et libéré des dédales d'une version grecque. L'année suivante, j'étais parmi les premiers en composition française, en version latine et en auteurs grecs. Depuis, je n'ai cessé de remercier le Ciel d'avoir mis ce grand pédagogue en travers du chemin dangereux que j'avais emprunté et dont je n'ose même pas imaginer les écueils qu'il aurait pu me réserver.

Fait étonnant, lorsque le père Chaussée a pris sa retraite quelque trente années plus tard, le hasard a voulu que les étudiants du collège lui remettent, entre autres, un tableau représentant une scène de Rigaud signé *D'Amour*.

Henri-Julien D'Amour,
Gatineau

Sammy

J'aimerais vous raconter une petite anecdote qui démontre combien l'amitié et l'attention portées aux autres peuvent, bien souvent, devenir de vraies valeurs et être assimilées par de très jeunes enfants.

Au cours de l'une de mes trente années d'enseignement à la maternelle, ma mère m'avait donné une vingtaine de petits toutous que je prêtais à mes élèves pour faire leur pause repos qui, souvent, était prévue au retour du dîner. La consigne était que chaque enfant se choisissait un toutou rangé dans une boîte et allait ensuite s'asseoir à une place qui lui avait été assignée pour se reposer. Durant cette période, je leur faisais jouer de la musique douce qui les aidait à se calmer et à se reposer. La plupart du temps, les enfants aimaient changer de toutou chaque jour, mais Étienne, un des élèves, choisissait toujours le même. Instinctivement et avec le temps, les enfants s'en étaient rendu compte et lui laissaient le toutou qu'il affectionnait particulièrement.

À la fin de l'année scolaire, ma mère vint à l'école avec l'intention bien précise d'offrir aux enfants la possibilité de garder pour toujours le toutou de leur choix. Pour la distribution, et afin de rendre cela équitable pour tous, nous avions convenu que ma mère pigerait un à un les noms des enfants et que chacun choisirait à tour de rôle son toutou.

Alors que la distribution se déroulait comme prévu, arriva le tour de Sammy, le meilleur ami d'Étienne, qui choisit le toutou préféré d'Étienne. Oh! quelle surprise! Tous les enfants s'arrêtèrent et restèrent bouche bée. Les yeux grands ouverts, ils regardèrent avec stupéfaction et sans rien dire Sammy prendre le précieux toutou. À la fin, lorsque tous les enfants eurent choisi leur toutou, Sammy alla trouver Étienne. Il lui tendit alors le toutou et lui dit: «Je l'ai choisi avant toi pour être sûr que tu pourras le garder.»

Nul doute qu'après ce geste, les larmes coulèrent sur nos joues, alors que tout devenait plus clair: nous venions de comprendre l'ampleur du geste de Sammy pour Étienne.

Il y a maintenant quelques années de cet événement et, encore aujourd'hui, j'y repense très souvent. Chaque fois, l'émotion se fait réelle, elle me serre la gorge et les larmes me montent aux yeux. Du haut de ses cinq ans, quel beau geste de partage que cet enfant a fait pour son ami!

Manon Léveillée,
Saint-Hyacinthe

Trois mois
d'enseignement intenses

La vie, simplement, est contenue dans
des moments très petits, très gentils...

Claire Gallois

À l'automne 2006, alors que j'habitais dans les Laurentides avec ma jeune fille, ma carrière de journaliste battait de l'aile, puisque je n'étais pas native de la région. Après trois années, j'étais arrivée au bout de mes contacts pour des articles rédigés dans les différents journaux locaux (on me demandait presque de payer pour écrire), et mes économies m'indiquaient clairement que je devais passer à un plan B.

À contrecœur, je me décidai à distribuer mon curriculum vitæ dans les commissions scolaires de la région. Alors que j'aurais préféré être suppléante dans les écoles primaires grâce à mon expérience dans le domaine de la petite enfance, on me qualifia comme spécialiste en français... en raison de mes expériences de travail et de mes études.

C'était le début de cette période où les enseignants partaient en masse en congé de maladie. Il ne me fallut pas beaucoup de temps pour en comprendre la raison. On m'appela pour faire de la suppléance pour une période indéterminée, car l'enseignante était en arrêt de travail pour cause d'épuisement.

Un modeste établissement d'enseignement primaire avait été converti en école secondaire dans un village magnifique entouré de montagnes et de lacs. Tous les habitants du village se connaissaient depuis longtemps.

Ma première journée de suppléance arriva et je dus faire face à la dure réalité. Les élèves étaient amis depuis l'enfance, et les enseignants, presque tous originaires de la région, quand ce n'était pas du village même. De plus, l'enseignante que je remplaçais était très appréciée. J'arrivais comme une «étrange», sans aucune notion de pédagogie, et je devais faire ma place et développer un lien de confiance. On me demanda même si j'étais Française. On démarrait sur les chapeaux de roues, me sembla-t-il.

Même si je n'étais pas Française (et je ne le suis toujours pas!), je compris que la distance venait de s'installer. J'étais remplie de bonne volonté, mais je n'avais aucune idée de la façon de m'y prendre pour diminuer la révolte de mes élèves. Plusieurs fois par semaine, je devais faire appel à la directrice de l'école afin qu'elle vienne calmer les jeunes. Dans ma classe, c'était l'anarchie parfaite. L'effet de masse faisait son œuvre. Ceux et celles qui auraient voulu m'aimer choisissaient de se taire pour ne pas être davantage exclus du groupe. Une forme d'intimidation, certainement.

Je décidai de laisser les jeunes crier et parler. Lorsqu'ils commençaient à critiquer, à juger et à débattre, je m'assoyais et je les regardais. Je leur donnais des devoirs afin de compenser le temps perdu en classe. Pendant ce temps, certains parents se plaignaient, et la directrice de l'école prenait pour eux. Peu à peu, les leaders positifs ont commencé à faire taire les perturbateurs.

En regardant la littérature mise à la disposition de mes élèves en classe, je compris pourquoi ils n'aimaient pas lire. Je décidai d'apporter une boîte de livres de ma propre bibliothèque. Jean-Paul Sartre, Albert Camus, Marguerite Yourcenar, Simone de Beauvoir, Louis Powell et bien d'autres occupaient les heures de classe. Mes collègues me critiquaient. Pourtant, j'expliquais aux élèves l'utilité de la langue française, le besoin de savoir bien écrire, bien parler, les images magnifiques qui ressortaient des écrits; comment arriver à percevoir, à visualiser les scènes lues et ainsi faire appel à l'imaginaire de chacun; comment dire les choses sans les nommer. Je croyais que, avant de leur imposer une matière, ils devaient d'abord en comprendre l'utilité.

Peu à peu, alors que certains demeuraient distants et refusaient de se faire apprivoiser, d'autres devenaient plus conciliants, plus chaleureux à mon égard. On me souriait et on s'intéressait à mes anecdotes. Le début de l'hiver approchait et la sortie scolaire nous mènerait sur les pentes de ski, à quelques pas de l'école. Ce fut lors de cette activité que les élèves découvrirent une femme normale, un être humain qui a une vie autre que l'enseignement. Cette journée fut déterminante pour ma popularité et mon acceptation.

Durant la semaine qui suivit, on fit appel à mes services dans une polyvalente à plusieurs kilomètres de ce village. Je remplacerais une enseignante en congé de maternité, donc pour une période déterminée, soit de janvier à juin. L'offre me plut, car je trouvais toujours aussi difficile ma tâche d'enseigner à ces groupes; de plus, je ne connaissais pas la fin de mon présent mandat.

À l'aube de Noël, je fis donc mes adieux aux élèves. Leur surprise fut complète et, contre toute attente, certains semblaient tristes. Étrangement, les plus coriaces se sont excusés de m'avoir fait la vie dure. D'autres émirent l'idée de se calmer pour que je reste. Je fus émue. Ma décision était pourtant prise et ce n'était pas par vengeance. Je voulais un mandat clair.

Puis, la dernière journée arriva. Plusieurs s'étaient réunis pour créer une carte d'appréciation, d'autres me livraient des témoignages renversants. À la fin du cours, Audrey est venue me voir en pleurant. Plutôt effacée, elle était resté silencieuse depuis le premier jour. J'avais remarqué que ses notes avaient grimpé à la vitesse grand V, mais j'avais simplement imaginé qu'elle travaillait avec plus d'ardeur.

– Ne pleure pas, Audrey, lui dis-je. Ce n'est pas grave, vous aurez une autre suppléante, ne t'inquiète pas.

– Vous ne comprenez pas, me répondit-elle.

– ...

– Avant que vous veniez nous enseigner, je n'aimais pas le français. Je détestais cette matière. Vous m'avez fait aimer le français.

Je la pris dans mes bras pendant que mes yeux se remplissaient de larmes. Je passai ma main dans ses cheveux et lui dis: «Ne cesse jamais d'aimer cette langue, c'est la plus belle! Ne cesse jamais de lire, tu y découvriras la vie.»

Depuis 2006, j'ai enfin compris l'apprentissage qui se cachait derrière cette expérience troublante. Aujourd'hui, je sais parler à des adolescents dans les écoles à travers le Canada. Par le biais de mes conférences, je parviens à les sensibiliser aux effets néfastes de l'intimidation entre eux et aussi envers leurs enseignants.

Marthe Saint-Laurent,
Saint-Jean-sur-Richelieu

4

UNE DOSE DE SAGESSE

La vie est toujours là, quelque part,
en soi ou en dehors de soi.
Il s'agit simplement de s'arrêter
et d'ouvrir les yeux pour la voir.

Hervé Desbois

Une deuxième chance
pour Sophie

Je suis bénévole à la SPCA de Montréal depuis un certain temps déjà. Il y a quelques semaines, cinquante-six chiens nous sont parvenus d'une usine à chiots que les autorités avaient réussi à démanteler. Ces chiens étaient les plus mal en point que j'ai eu l'occasion de voir au refuge; tous avaient été maltraités, négligés et souffraient de malnutrition. Certains avaient une patte fracturée, d'autres, un œil crevé et plusieurs étaient couverts de brûlures d'urine qui engendraient une perte de poils permanente sur plusieurs endroits de leur corps. Nous étions tous d'accord: ces bêtes étaient les plus affectées psychologiquement que nous avions eues depuis longtemps. Mais malgré les mauvais traitements qu'ils avaient subis, la majorité des chiens recueillis demeuraient amicaux et chaleureux.

Physiquement, la plupart se trouvaient dans un état lamentable, sauf Sophie, une femelle Shetland âgée d'environ un an. À première vue, elle semblait en parfaite condition, son corps était intact, mais dès que je m'approchais de sa cage, elle fuyait. Elle me tournait le dos, fixait le mur et évitait tout contact physique ou visuel. Elle était tout simplement terrorisée. Lorsque j'ouvrais la porte de sa cage pour la nettoyer, elle se raidissait et il devenait impossible de la déplacer. C'était comme si elle était collée au sol.

Les jours passèrent et plusieurs chiens furent adoptés par des gens aimants et généreux. Mais Sophie était toujours là, ignorée de tous. Pour diverses raisons, je ne pouvais la prendre avec moi. Si j'avais pu, je l'aurais adoptée dès le premier instant où je l'ai aperçue. Un lien particulier, que je ne peux expliquer, nous unissait. Désespérée, je fis un pacte avec l'Univers: je promis d'envoyer une somme d'argent à une œuvre de charité si on parvenait à trouver un bon foyer d'accueil pour Sophie.

Deux semaines s'étaient écoulées et, ce soir-là, nous fermions les portes du refuge d'urgence. Cette fois-ci, la clé allait être mise dans la serrure de façon définitive. Les chiens qui restaient allaient être acheminés dès le lendemain vers différents refuges pour animaux de l'Ontario. Nous étions vendredi soir, dix-huit heures trente. Onze chiens sur les cinquante-six que nous avions reçus au départ n'avaient pas trouvé preneur et Sophie faisait malheureusement partie de ce groupe. Même après l'heure de fermeture, plusieurs personnes s'étaient présentées à la SPCA pour voir les animaux, mais nous avions dû leur refuser l'accès. Ils devraient malheureusement revenir à la prochaine saisie.

Restée seule à l'écart, je m'occupais en effectuant un peu de ménage dans la grande pièce où se trouvaient les derniers pensionnaires, mais je ne pouvais m'empêcher de pleurer. J'essayais de camoufler mes émotions en restant éloignée des autres bénévoles. Je ne comprenais pas pourquoi personne n'avait voulu de Sophie. Je me suis approchée de sa cage et je l'ai abordée comme je le faisais chaque fois, en la saluant chaleureusement. C'est alors qu'elle se leva, remua la queue et fit quelques pas dans ma direction. Je n'en croyais pas mes yeux! Celle qui évitait jusqu'à maintenant tout contact semblait sur le point de m'accepter! Mais il était déjà trop tard.

Il était maintenant dix-neuf heures trente. Je préparais les cages et la nourriture nécessaire pour le transfert des derniers animaux, prévu pour le lendemain matin. Soudain, Shelley, une autre bénévole, vint à ma rencontre dans un état d'excitation intrigant. Elle m'annonça gaiement que Sophie venait d'être adoptée, que cette dernière s'en allait de ce pas dans une nouvelle famille. Je n'en croyais pas mes oreilles! Qu'est-ce qui avait bien pu se passer? Personne ne pouvait plus entrer dans le refuge depuis la fermeture.

Shelley m'expliqua qu'un couple était venu au refuge durant l'après-midi et qu'il avait eu un véritable coup de foudre pour la petite Sophie. Ces gens étaient partis en disant qu'ils reviendraient le soir même pour récupérer leur nouvelle compagne. De notre côté, nous avions entendu ce genre de promesse tellement souvent au cours de la dernière semaine que nous n'y croyions plus. Plusieurs personnes avaient réservé des chiens sans jamais venir les chercher. C'était donc pour cette raison que je n'avais pas été avertie de l'adoption de Sophie.

Marylin, une bénévole responsable, avait reconnu le couple en question et leur avait ouvert la porte. Comme ces animaux ont vécu une vie de misère, nous ne pouvions pas les laisser partir chez des gens seulement parce que ces derniers les trouvaient mignons. Il était de notre devoir de nous assurer que, dorénavant, ces chiens ne vivraient plus de négligence et de mauvais traitements. Nous devions mettre les gens en garde et les avertir que tout devrait être à recommencer de zéro avec ces chiens, qu'une patience infinie serait requise. Ces pauvres bêtes n'avaient jamais vu la lumière du jour et n'étaient pas habituées à la présence d'êtres humains. Un long et difficile travail de rééducation était requis.

Le couple a finalement réussi le test. Il était maintenant près de vingt heures trente et les responsables ont décidé que nous pouvions leur confier Sophie sans crainte. Pendant que je regardais cette bête, blottie dans les bras de son nouveau maître, je fus prise d'émotions, un mélange de joie et de tristesse. Mais je comprenais que Sophie avait maintenant trouvé sa véritable destinée et je la sentais en sécurité.

Ce soir-là, vers vingt et une heures, Sophie fut donc la dernière chienne à franchir les portes du refuge. Elle allait prendre la direction des Cantons-de-l'Est où une nouvelle vie l'attendait. Elle pourrait maintenant courir librement sur le terrain d'un immense domaine situé au pied d'une montagne et paré d'un lac en son centre. Elle allait être en compagnie d'autres chiens, de chats, de chevaux et surtout de gens prêts à lui consacrer beaucoup de temps et d'amour.

J'ai remercié le ciel pour ce miracle. Il va sans dire que, dès le lendemain matin, mon chèque à l'attention d'une œuvre de charité était à la poste!

Danielle Michaud,
Lachine

Moment magique

Un jour, on me demanda d'aller aider une cousine qui était enceinte et qui devait demeurer alitée. Elle avait déjà deux fillettes en bas âge et il lui était impossible d'en prendre soin convenablement, en raison de son état. Comme j'étais finissante au baccalauréat et je n'avais pas encore déniché un emploi, j'acceptai de me rendre chez elle, à plus de cent kilomètres de chez moi, afin de lui prêter main-forte pendant quelque temps. Je m'occuperais des enfants, des tâches domestiques qu'elle ne pouvait accomplir et je la soutiendrais de mon mieux.

Un soir, pour me remercier, ma cousine me remit une paire de billets pour assister à un spectacle. Elle me posa par contre une condition: je devais donner le deuxième billet à quelqu'un. Comme l'événement avait lieu le soir même et que je ne connaissais personne dans cette ville, je me demandais bien à qui je pourrais donner le billet en question. Je partis donc en direction de la salle de spectacle et je me plaçai dans la file d'attente du guichet. J'observai les gens qui attendaient pour acheter leur billet tout en me demandant quelle personne allait mériter la gratuité d'une entrée. J'aperçus d'abord une dame vêtue d'un long manteau de fourrure. *Elle n'a sûrement pas besoin de ce genre de charité*, pensai-je. Je regardai ensuite les personnes une à une, me demandant qui choisir.

Je trouvais la tâche quelque peu ardue, me questionnant sur celui qui avait un jour affirmé qu'il était plus facile de donner que de recevoir! Si je donnais mon billet à un jeune homme, il s'imaginerait que je cherchais à le courtiser. D'autres pourraient se méfier et douter de mes réelles intentions... Hésitante, je décidai d'attendre encore un peu, tout en continuant d'observer les gens qui entraient dans le vestibule, et de laisser les choses venir à moi. Je retournai de nouveau à la fin de la file du guichet.

Finalement, une jeune fille se plaça derrière moi, accompagnée d'une amie. Je l'entendis confier à sa copine qu'elle voulait acheter un billet bon marché, car elle n'avait pas beaucoup d'argent cette semaine-là, à cause de plusieurs dépenses attendues. Je venais de trouver la personne idéale! Je me tournai donc vers elle et lui annonçai que j'avais le billet économique qu'elle désirait. Je lui tendis le bout de papier et lui dis que je le lui donnais, qu'il était gratuit. Je lui expliquai qu'on me l'avait remis à condition que je puisse à mon tour le remettre gratuitement à une autre personne.

La jeune femme, dont j'ignorais le nom, en fut ravie. Inévitablement, cette dernière se retrouva assise à mes côtés dans la salle de spectacle, puisque mon billet et le sien avaient été achetés pour des sièges voisins. Mais le fait le plus étrange dans cette histoire est que, en comparant son billet avec celui de son amie, la jeune fille constata que le billet que je venais de lui remettre correspondait également au siège voisin de celui de sa copine. Coïncidence pour le moins inattendue, considérant que la salle comptait plus de 1700 places! Le hasard a voulu que je tombe exactement sur la bonne personne.

Presque trente années plus tard, je n'ai toujours pas oublié cette histoire. C'est pour moi la preuve qu'il faut croire que, parfois, la magie opère et fait son œuvre de façon inattendue. À l'occasion, une main invisible nous guide afin que nous nous trouvions au bon endroit, au bon moment.

Suzanne Valois,
Trois-Rivières

Une bague à la mer

Attendez-vous à des miracles...

Sonia Choquette

La météo nous annonçait une énième tempête de neige. Il était inconcevable qu'il neige encore, nous étions déjà ensevelis sous des tonnes de neige et nous ne savions plus où en disposer. Mais je me réconfortais à l'idée que nous aurions bientôt les pieds dans le sable chaud. En effet, mon frère Pascal allait se marier en République dominicaine dans quelques jours et toute la famille était invitée, laquelle comptait plus d'une quarantaine de personnes. Nous devions tous nous rendre à l'aéroport Pierre-Elliott-Trudeau, à Montréal, à bord d'un autobus nolisé, si celui-ci réussissait toutefois à se frayer un chemin à travers toute cette neige. Nous étions inquiets à savoir si l'avion pourrait décoller malgré les conditions météorologiques du moment. Heureusement, un des seuls appareils à avoir pu partir cette journée-là fut le nôtre. Adieu la neige et bonjour le soleil des tropiques!

L'hôtel était magnifique et la chaleur, accablante. Cetains membres de la famille souffrirent de coups de chaleur au bout de quelques jours, mais heureusement, tout le monde put assister à la cérémonie. Le mariage eut lieu sur la plage, au bord de la mer. La mariée était magnifique. L'échange des vœux se fit sous un air de Nicolas Ciccone; le moment fut magique. Après la cérémonie, mon frère montra son alliance à la doyenne du groupe, ma grand-mère. Il s'agissait de l'anneau de son époux, le parrain et grand-père de Pascal, qui était décédé près de vingt années auparavant.

Je me souviens de son décès comme si c'était hier. C'était l'été de mes dix ans. J'avais passé la nuit chez mes grands-parents. Au matin, mon grand-père m'avait déposée à la piscine municipale pour ma leçon de natation. Il me sembla alors avoir senti que son regard était empreint d'une intensité inhabituelle. Je fus la dernière personne à lui avoir parlé. Bien que personne ne m'ait raconté les détails de sa mort, j'ai tout de même pu comprendre qu'il s'était enlevé la vie par noyade dans la rivière des Outaouais; son corps fut repêché la journée même. Au salon funéraire, on me demanda sans arrêt les dernières paroles qu'il m'avait dites avant de me quitter, mais je n'en avais pas saisi toute l'importance à l'époque.

Après le mariage, les nouveaux mariés voulurent se baigner. Marie-Ève, ma nouvelle belle-sœur, retira son alliance et demanda à mon frère de faire de même par crainte de les perdre dans la mer, ce que Pascal refusa de faire. Ce qui devait arriver, arriva! Aussitôt dans l'eau, mon frère sentit l'anneau glisser le long de son doigt et il fut emporté par les vagues. Le visage complètement défait, il cria aux autres, restés sur la plage, de venir l'aider à le retrouver. Les membres de ma famille passèrent la majeure partie du reste de la journée et de la soirée à chercher la bague, sans succès. Pascal était découragé; je ne l'avais jamais vu dans un tel état! Il était tellement triste... La famille tenta de le réconforter en lui disant que la bague était retournée à l'eau afin de rejoindre son propriétaire, mon grand-père.

Le lendemain matin, Richard, mon époux, aperçut un individu à l'allure étrange portant un équipement de plongée. *Et si c'était un homme qui cherchait des bijoux à l'aide d'un détecteur de métal?* émit-il comme hypothèse... Je croyais que c'était impossible, car je n'avais jamais entendu parler d'une telle activité. Je trouvai le courage d'approcher cet homme afin de lui demander ce qu'il faisait là. Richard avait raison! Le drôle de plongeur était un Québécois qui s'était exilé en République dominicaine afin de gagner sa vie en retrouvant des bijoux perdus dans la mer par les touristes. Il me confia qu'il se trouvait devant notre hôtel tout à fait par hasard et seulement pour une courte période parce que les vagues étaient trop agitées et le propriétaire du complexe hôtelier n'appréciait pas sa présence. Nous avons alors négocié un tarif horaire et nous l'avons mandaté pour effectuer les recherches dans le but de retrouver l'alliance égarée. Cette dépense serait mon présent aux nouveaux mariés; un présent symbolique puisque je ne nourrissais aucun espoir de retrouver le petit anneau dans cette mer immense.

Contre toute attente et après plus d'une heure de recherches, le plongeur trouva l'alliance! Pascal était submergé par l'émotion. Ce fut alors la fête sur la plage. Nous échangeâmes des accolades avec notre sauveur qui nous semblait maintenant faire partie des nôtres, d'autant plus qu'il avait, comme nous, l'accent québécois. Mon frère expliqua à ce dernier la valeur sentimentale que représentait l'anneau repêché. Il s'enquit du nom de l'homme, qui lui remit sa carte d'affaires. Nous pûmes y lire son prénom, Roland, qui est également le prénom de mon grand-père! Mon père se mit à pleurer. L'univers semblait s'être mobilisé afin de nous aider à retrouver l'alliance perdue.

Je me sens tout près du ciel depuis ces événements et sans savoir exactement pourquoi, j'ai la certitude qu'il existe quelque chose après notre passage sur terre.

Janick D. Lalonde,
Ottawa

«Pourquoi» et «comment» sont des mots si importants
qu'on ne peut les utiliser assez souvent.

Napoléon

Une rencontre
hors du commun

Il y a des histoires qui sont parfois difficiles à croire tellement elles semblent tirées par les cheveux. Des histoires empreintes de magie, de ce je-ne-sais-quoi qui rend la vie tellement plus riche et colorée, où nous avons l'impression qu'un autre l'a écrite juste pour nous, pour nous permettre d'avoir foi que, en tout temps... on veille sur nous.

Notre histoire s'est passée dans le temps des fêtes en 2005. Isabelle et moi avions décidé de faire un grand voyage dans la famille. Noël se fêterait à Shippagan, au Nouveau-Brunswick, dans ma famille et le jour de l'An à Québec, dans la belle-famille.

* *

Pour ce voyage, je ne laisse rien au hasard. La voiture reçoit un entretien mécanique et tout est vérifié de fond en comble avant le grand départ. Je veux rouler l'esprit en paix avec nos deux beaux enfants âgés de dix et cinq ans, et un troisième dans le beau ventre rond de ma belle.

Nous nous rendons sans encombre à Shippagan. Le voyage, bien sûr, est long en partance de la région de l'Outaouais, mais il y a toute l'effervescence de cette saison magique. Revoir ma mère, mes frères et sœurs, leurs conjoints et les jeunes enfants nous anime de ce feu pétillant et de cette énergie en ébullition.

Nous sommes heureux d'être entourés des nôtres au cours de cette belle semaine.

Puis, nous nous remettons en route très tôt le 31 décembre. Nous avions prévu partir une journée ou deux avant, mais la météo nous a cloués sur place avec une tempête de neige et une visibilité nulle sur les routes.

Nous roulons depuis près de cinq heures quand, soudain, le véhicule fait entendre un bruit sourd. Je suis à la fois surpris par cet ennui mécanique alors que j'avais pris soin de tout faire vérifier à peine dix jours plus tôt... Heureusement, nous arrivons à Edmunston et je m'arrête à un Canadian Tire pour voir de quoi il en retourne.

Le garagiste m'informe que le problème est beaucoup plus sérieux qu'il n'y paraît et qu'il ne peut pas me laisser reprendre la route comme ça. Une pièce sur la voiture doit être remplacée. Malheureusement, le magasin ferme ses portes à midi, nous sommes le 31 décembre après tout, et les réparations sur la voiture ne pourront être faites que le 4 janvier, lors de la réouverture du magasin.

Tout se met à tourner très vite dans ma tête, j'essaie de trouver une solution, un plan B, un plan C et, sans doute, un plan D. Le budget est maintenant beaucoup plus serré avec les dépenses encourues pour la voiture, le voyage et les fêtes.

PLAN B : Je pourrais louer une voiture. Après quelques appels téléphoniques, je me rends compte que nous sommes dans de très mauvais draps : les autres commerçants ferment également leurs portes et toutes les voitures semblent avoir déjà été louées.

PLAN C : Je pourrais descendre en autobus et aller chercher une voiture dans la famille et revenir chercher les miens. Un calcul rapide me permet de déterminer que je serais aisément douze heures sur la route sans arrêt, que nous ne serions pas arrivés à temps pour le souper et que je devrais loger les miens pour les prochaines huit heures.

Je suis au bout de mon rouleau quand, soudain, un parfait étranger vient me voir et me dit : «Monsieur, je n'ai pas pu faire autrement que d'entendre votre histoire, ça m'a particulièrement touché et, honnêtement, ça me ferait grand plaisir de vous passer ma voiture.»

Je regarde Isabelle et je suis bouche bée. Le parfait étranger se présente, monsieur McDonald, employé bénévole du Canadian Tire, et il est prêt à nous donner, avec toute la générosité de son cœur, le plus grand coup de main de ma vie. Je ne sais pas quoi penser. Après une quinzaine de minutes, alors que nous avons fait plus ample connaissance, je lui demande si je peux lui donner un peu d'argent pour son offre si généreuse.

«Non, je vous fais confiance, me dit-il, et puis, votre argent, vous êtes mieux de le garder pour votre petite famille et pour les réparations à venir sur votre voiture. De toute façon, je vous revois en début de semaine quand vous allez revenir récupérer votre véhicule.»

Je le remercie du fond du cœur, car nous allons, malgré tout, pouvoir fêter le jour de l'An en famille grâce à ce charmant Samaritain.

Isabelle et moi passons le reste du voyage à se dire qu'il y a des gens vraiment très bien, des gens qui agissent comme des anges gardiens alors qu'on s'y attend le moins.

Puis, nous arrivons à Québec, accueillis comme des rois par la belle-famille. Nous en profitons pour leur raconter nos péripéties de la journée et notre rencontre avec monsieur McDonald, qui a permis de faire de ces retrouvailles et de ce temps des fêtes un moment mémorable.

Tôt, le mardi 4 janvier, nous reprenons la route vers Edmunston. Une autre surprise nous attend. La pièce commandée n'est toujours pas arrivée et nous devons rester au moins une autre journée. Je revois alors monsieur McDonald, qui me dit de ne pas m'en faire, qu'il est heureux de nous rencontrer de nouveau et prêt à nous accueillir chez lui pour la durée de notre séjour.

Le repas est succulent et nous apprenons un peu plus à connaître notre hôte. Père de quatre enfants, cheminot à la retraite, monsieur McDonald travaille depuis quelques années bénévolement au Canadian Tire.

Quand il nous a vus la première fois au magasin, il a immédiatement lu à la fois la détresse et la déception sur nos visages. Il s'est dit qu'une situation semblable aurait pu arriver à l'un de ses fils. Une seule solution s'imposait! Il devait nous passer sa voiture parce qu'un autre Samaritain, habitant dans une autre ville, aurait agi de la même manière pour l'un de ses enfants...

Le 5 janvier au matin, notre voiture est réparée et nous nous apprêtons à rentrer chez nous. Si heureux de la tournure incroyable des événements, et d'accueillir parmi les nôtres, quelqu'un qui, hier encore, nous était inconnu et qui s'est révélé être un ange gardien.

Merci encore pour toute votre magie, monsieur McDonald!

Nathalie Morin, Gatineau,
tel que raconté par Yoland Mallet,
Gatineau

Garder espoir

Adolescent, mon fils Sylvain jouait dans une ligue de hockey bantam. Un certain week-end, nous devions disputer une partie à Windsor, en Estrie, qui était à environ quarante minutes de route.

Notre départ de Magog était en soi une expédition des plus périlleuses, car une fougueuse tempête de neige était bien présente. Le seul fait de tenter de nous y rendre était un acte de bravoure pour nous, les parents! Enfin, nous voilà arrivés à l'aréna de Windsor. Juste pour passer de notre voiture à la porte de l'aréna, c'était livrer une bataille contre mère Nature. Nous dévêtir de notre costume de bonhomme de neige était la première chose à faire.

Quelle ne fut pas notre étonnement lorsque nous nous sommes présentés dans la chambre des joueurs. Seulement cinq joueurs et un gardien de but étaient présents. Selon les règles de l'Association du hockey mineur de l'Estrie, à cette époque en 1985, il fallait un minimum de huit joueurs et un gardien pour disputer une partie. Habituellement, dans une situation semblable, nous devons déclarer forfait, nous plions bagage et l'équipe adverse remporte automatiquement la victoire. À la suite de discussions entre les entraîneurs et les arbitres, et comme nous avions fait tout ce chemin dans la tempête, nous avons décidé de jouer, et cette partie serait considérée officielle.

Nous voilà donc en face d'une équipe de dix-huit grands gaillards, bien bâtis et impressionnants. Je suppose que nous les trouvions plus effroyables face à nos jeunes de quinze ans, si peu nombreux. Nous avions des instruments bruyants de toutes sortes qui serviraient à encourager nos joueurs.

La mise au jeu inaugurale est lancée, c'est parti, tous nos joueurs sont sur la glace. L'entraîneur accompagné d'un de ses entraîneurs adjoints, seuls au banc, font pitié à voir.

Aucune relève, cinq joueurs extrêmement essoufflés, épuisés, et pas question d'aller s'asseoir sur le banc. Et que dire de notre gardien de but qui multiplie les acrobaties. L'entraîneur envoie les joueurs de la défense à l'avant, puis inverse ceux de l'offensive à la défense, question de leur donner un peu de répit, à tour de rôle. Nos opposants sont assurés d'une victoire incontestable!

Comme cela devait arriver, l'équipe de Windsor marque le premier but, mais ses joueurs ne l'ont pas eu facile, car les nôtres étaient déchaînés dans leur détermination à gagner. Un autre but, mais cette fois, c'est notre équipe qui marque sous les cris euphoriques et les applaudissements des quelques parents présents, qui semblent être une foule en délire. Après deux périodes, c'est l'égalité un à un. Les flûtes, les cloches, les cris dans les estrades se multiplient. C'est fou, fou, fou... Puis, nous voilà à la troisième et dernière période. Nous regardons sans cesse le décompte de la minuterie sur le cadran indicateur; la période tire à sa fin et nos jeunes sont à bout de souffle. Ils n'en finissent plus de dégager la rondelle à l'autre bout de la patinoire afin de créer un dégagement refusé et ainsi forcer un arrêt de jeu, ce qui leur permet d'avoir un répit de quelques secondes. Heureusement pour eux, ils survivent à la troisième période et la marque finale est: Magog, un; Windsor, un.

Nous venons d'assister à tout un exploit de la part de nos jeunes guerriers. Soudain, un peu confuse, je remarque que les joueurs sont attroupés autour de leur banc et que l'arbitre fait retentir un bruit strident de sifflet. Je réalise à ce moment que nos vaillants garçons se préparent à débuter la période de prolongation, car lors d'une partie de séries éliminatoires, nous devons déclarer un gagnant, coûte que coûte. Comme si nos joueurs avaient besoin de ce jeu supplémentaire!

À la suite d'une sortie de zone bien orchestrée de notre capitaine, notre joueur de centre du moment file à toute allure, avec l'énergie du désespoir. Il se retrouve face à un seul adversaire qui, en tentant de pivoter sur lui-même, trébuche et, comme si le destin s'était manifesté, le temps sembla se figer un instant. Nos regards rivés sur lui, le porteur de la rondelle se retrouve seul devant le gardien adverse et, sans hésiter une seconde, il lance... et cooommmmmppptteeee!

Ce but nous assura la victoire, c'était incroyable! Je n'avais jamais assisté à un tel spectacle, j'en avais les larmes aux yeux. Nos gars avaient travaillé si fort pour tenir le coup. Ils ont réussi l'improbable. Tous, debout, criaient à perdre haleine. Nous sautions sur place sans arrêt, même les parents de l'équipe adverse se sont levés pour applaudir chaleureusement et féliciter le courage et la détermination de nos joueurs. Ils nous offrirent une ovation de plusieurs minutes.

Je n'oublierai jamais cet exploit de toute ma vie. Les garçons de l'équipe adverse avaient tous la mine basse. Je suis convaincue qu'ils en ont tiré une grande leçon. Il ne faut surtout pas croire que tout est gagné d'avance. Cette victoire prouva à mon fils que, hors de tout doute, il ne faut jamais, au grand jamais, s'avouer vaincu avant même d'avoir essayé et que tout est possible lorsqu'on donne tout ce qu'on a.

Il y a plus de vingt-cinq ans de cela et cette partie de hockey restera gravée dans ma mémoire pour toujours. Simplement en la racontant, je revis toute l'énergie, l'excitation et les sensations de cette merveilleuse journée de tempête.

Sylvain Dion, Gatineau et
Johanne Plante, Sherbrooke

Un coup du destin

Jamais je n'oublierai cet horrible cauchemar que je fis cette nuit-là.

C'était une froide journée d'hiver. Je marchais au bord de la rue pour me rendre à mon appartement. J'avais l'étrange impression que quelque chose allait m'arriver. J'ai poursuivi mon chemin d'un pas de plus en plus rapide. Mon cœur battait la chamade. Soudain, tout devint noir dans mon esprit.

Je me suis réveillée en sursaut, complètement en sueur. J'étais obsédée par l'idée d'avoir été frappée par une voiture sans même avoir vu l'accident dans mon cauchemar. Cette nuit-là fut très courte.

Le lendemain matin, j'ai eu toutes les difficultés du monde à sortir de mon lit. J'étais très fatiguée et j'avais l'étrange impression que je devais rester au lit. Malgré cela, je me suis rendue au cégep de Sainte-Foy. Mon cours de basketball pourrait sûrement m'aider à me relaxer après la nuit dernière trop mouvementée. Après son monologue pour nous présenter le cours, le professeur nous donna le choix de jouer au basketball ou de partir. De toutes les décisions que j'ai pu prendre dans ma vie à ce jour, ce fut celle qui a eu le plus grand impact. Ainsi, j'ai choisi de retourner chez moi.

Sur le chemin du retour, mon insécurité et mon anxiété revinrent me hanter. À chaque pas, j'étais de plus en plus convaincue que j'allais être heurtée par une voiture. C'est à cet instant qu'un homme, plus loin devant moi, cria quelques mots que je ne compris pas bien sur le moment. Je me suis retournée pour voir à qui il s'adressait mais je n'ai rien vu, tout était devenu noir. Tout à coup, j'ai senti quelque chose de dur et de froid comme du métal à travers mes mitaines.

C'est ainsi que j'ai réalisé que j'étais sur le toit d'une voiture. Puis, j'avais été propulsée dans les airs et j'avais atterri sur la voie opposée dans la rue. J'étais à quatre pattes, essayant de reprendre mon souffle, lorsque, en un temps record, une foule m'entoura en m'observant comme si j'étais un phénomène de foire. Je me suis affaissée sur la glace. Je venais d'être renversée par une voiture dont le conducteur avait perdu la maîtrise en tournant sur la rue glacée. Moi, je marchais simplement sur le côté de la rue en longeant les voitures stationnées, étant donné que les trottoirs étaient ensevelis sous la neige.

Il faisait tellement froid, la pire journée du mois de janvier. Une policière arriva et me bombarda de questions. Vingt-cinq minutes plus tard, une ambulance arriva. J'étais gelée et j'avais même perdu une de mes bottes au cours de l'impact. Mais, étrangement, je ne ressentais aucune douleur.

J'ai tenté de me relever pour retourner chez moi, mais des spectateurs du drame m'ont retenue au sol pour ne pas que j'aggrave mes blessures. Je suis finalement arrivée à l'hôpital de l'Enfant-Jésus, spécialisé dans les traumatismes.

Après plusieurs radiographies, le docteur Dufour m'exposa la situation: «J'ai de mauvaises nouvelles à t'annoncer. Tu as plusieurs fractures: ta clavicule gauche, trois côtes, le tibia et le péroné de ta jambe gauche sont cassés. Nous allons devoir opérer ta jambe pour rassembler les trois morceaux de ton tibia.» À ce moment, j'ai éclaté en sanglots. Je n'avais jamais autant pleuré de toute ma vie. Ensuite, quand je n'ai eu plus de larmes à verser, j'ai téléphoné à mes parents. L'opération se déroula bien, mais mon réveil fut assez brutal. En fait, mon corps n'accepta pas très bien les produits utilisés lors de l'anesthésie. Ainsi, je suis demeurée cinq jours à l'hôpital.

Au cours de mon pénible séjour, j'ai reçu plusieurs visites d'amis et de membres de ma famille qui m'ont remonté le moral. À ma plus grande surprise, Massinissa, l'homme qui m'avait heurtée avec sa voiture, entra dans ma chambre avec un gros bouquet de fleurs et un ourson en peluche. Il était très mal à l'aise, car il se sentait coupable pour l'accident. Nous étions en train de parler lorsque, soudain, j'ai encore vomi à cause des médicaments contre la douleur qui étaient trop forts pour moi. Notre conversation fut donc écourtée. Mais, avant de partir, il me donna son numéro de téléphone et me dit de l'appeler en cas de besoin.

Je suis restée une semaine chez mes parents, mais je dus rapidement reprendre mes cours au cégep. Je ne pouvais pas manquer plus de deux semaines, sinon j'aurais échoué ma session. Je revins donc sur les bancs d'école en fauteuil roulant. En un sens, j'étais heureuse de quitter la maison familiale parce que j'avais l'impression d'être un poids, surtout pour ma mère qui avait dû s'absenter de son travail pour m'aider. Je ne pouvais presque rien faire toute seule.

Parfois, lorsque je repense à tout cela, je me demande comment j'ai fait pour traverser cette épreuve. Sans le soutien de mes proches, je ne serais sûrement pas là où je suis maintenant.

Lorsque je suis retournée à Sainte-Foy, j'ai appelé Massinissa parce que j'avais besoin d'aide pour être transportée au cégep. Il accepta gentiment et, tous les jours, il me conduisait à l'école et me ramenait chez moi. Il m'aidait même à mettre mes chaussettes. Je me suis très bien rétablie et je ne garde aucune séquelle, sauf quelques cicatrices à la jambe.

Ce coup du destin m'aura aussi permis de trouver l'amour, le vrai. Massinissa et moi sommes ensemble depuis maintenant cinq ans, toujours aussi amoureux. Le destin m'a mise sur sa route et nous a réunis.

Josée Gosselin,
Québec

On voit parfois clairement plus loin les yeux fermés.
Raymond Giguère

Y a rien comme
un bon film de Zorro

Je suis le cinquième d'une famille de huit enfants. Quand j'avais quinze ans, les télévisions étaient encore en noir et blanc et les bonnes émissions étaient rares. Un matin, mon bon ami Robert, qui habitait avec sa famille dans le logement en haut de notre maison, me dit: «Luc, il faut trouver un moyen de ne pas aller à l'école demain, car il y a un film de Zorro à la télévision, il faut voir ça.» «As-tu une idée?» que je lui répondis. Robert avait déjà un plan. On avait simplement à s'inventer un mal de dents pour aller chez le docteur (il n'y avait pas de dentiste dans le village) et ensuite on aurait l'après-midi de congé. Je n'étais pas enchanté à l'idée, mais Robert était convaincu que c'était la meilleure solution.

Le lendemain, comme défaite, nous avions tous les deux un horrible mal de dents. Ma mère me dit: «Va voir le docteur pour lui montrer ça.» Quand j'ai montré au docteur ma molaire en lui disant que j'avais une douleur insupportable, il ne se posa pas de question et arracha immédiatement ma dent. Tout heureux, je suis rentré chez moi, la joue tout enflée, avec, comme consolation, l'après-midi entièrement disponible pour enfin écouter mon film de Zorro avec Robert.

Le film était tout simplement palpitant et, à notre grande surprise, il se termina avec la mention *Suite demain*. J'ai regardé Robert en lui disant: «Qu'est-ce qu'on fait?» Il m'a répondu: «Une autre dent». Comme prévu, le lendemain, le docteur nous arracha à tous les deux une deuxième molaire. Je dois avouer que la suite du film était extraordinaire et il se termina encore avec la mention *Suite demain*. On se regarda l'un et l'autre pour comprendre finalement que c'était une télésérie. J'ai dit à Robert: «Non, deux, c'est assez!» Nous n'avons jamais vu la fin de la télésérie, mais chaque matin, quand je mets mon *partiel*, je pense à Robert.

Luc Tremblay,
Val-d'Or

Le diamant

Ma mère me répète régulièrement de me faire confiance, de suivre mon intuition. J'ai récemment décidé d'écouter son conseil, avec le plus étonnant des résultats.

Cette journée-là, ma mère et moi avions magasiné tout l'après-midi, faisant le tour du grand centre commercial. À la fin de notre journée, ma mère alla à l'épicerie pendant que je l'attendais dans la voiture. Quelle ne fut pas ma surprise de la voir revenir quelques minutes plus tard, l'air paniqué! «Annie, ça ne se peut pas, mon diamant. J'ai perdu mon diamant!» Interloquée, je lui demandai des précisions. Elle était dans une allée quand, soudain, en tendant la main pour prendre une boîte de conserve, elle nota l'absence de l'éclat familier du diamant de sa bague de mariage. Elle en fut estomaquée, d'autant plus qu'elle allait célébrer son trentième anniversaire de mariage le mois suivant...

Maman se mit à chercher dans le stationnement et voulut retourner à l'épicerie pour refaire son trajet. Je n'osai pas lui dire que je trouvais son idée un brin irréaliste (un petit caillou d'à peine quelques millimètres), mais sa bague revêtait une grande importance à ses yeux. Je la suivis en cherchant son précieux diamant, sans trop y croire. Après quarante minutes de recherches intensives, ma mère me regarda d'un air découragé et me conseilla de laisser tomber.

Je ne sais pas trop ce qui me prit à ce moment-là, mais je ressentis profondément que je ne pouvais pas abandonner. Je me suis dit aussi que, si c'était moi qui avais perdu mon diamant, maman se démènerait pour le retrouver. Je lui répondis donc de me rejoindre en voiture à l'autre bout du centre commercial, que je referais toutes les boutiques où nous étions allées! Arrivée à la dernière boutique, j'allai voir la préposée pour lui expliquer l'histoire. Elle se montra très coopérative et voulut regarder avec moi dans la cabine d'essayage où ma mère était entrée. En nous y rendant, je lui exprimai mon désarroi en gardant les yeux rivés au sol d'un air découragé. *Que vis-je?* Un éclat, un scintillement... à dix centimètres devant moi, entre mes deux pieds! Mon cœur s'arrêta de battre. *Non, cela ne pouvait pas être le diamant de maman...* Je me penchai pour vérifier si je ne rêvais pas. Mais non, c'était bel et bien le diamant en question! Je lâchai un cri et je sautai au cou de la préposée. Bien évidemment, maman n'en revint pas, pas plus que moi, d'ailleurs. Mais comme elle était heureuse!

Combien de chances avais-je de retrouver ce diamant? Une sur un million? Il aurait pu être n'importe où! Autant retrouver une aiguille dans une botte de foin! Cet incident m'a prouvé qu'il faut suivre notre intuition, même si la raison nous pousse à croire que tout espoir est vain. Nous ne devons jamais cesser de croire; il faut espérer l'impossible pour l'obtenir.

Annie Drouin,
Québec

Une vraie histoire de pêche

En hiver, lorsque les visiteurs sont à peine arrivés dans le village de Sainte-Anne-de-la-Pérade, l'odeur des petits poissons des chenaux venus frayer dans la rivière rejoint rapidement leur odorat. Chaque année, des milliers de touristes s'y rendent pour pratiquer la pêche sur glace; et chaque année, je fais partie de ce nombre. J'y ai vécu une aventure mémorable à l'aube des années 2000, dont mes parents, mon frère et des amis ont été témoins.

À l'époque, l'excitation du gamin que j'étais augmentait chaque fois que notre voiture descendait la petite pente qui menait sur la rivière gelée. Dans peu de temps, la pêche tant attendue commencerait. J'observerais alors patiemment les allumettes de bois fixées aux fines cordes auxquelles nous accrocherions des morceaux de foie ou de crevette. Au moindre balancement de celles-ci, je remonterais vigoureusement les lignes à pêche dans l'espoir qu'un poulamon, ou peut-être même deux, y serait accroché.

Heureux de pouvoir pêcher en hiver, nous gagnâmes rapidement la cabane qui allait nous abriter du froid mordant tout au long de la journée. Il était toujours impressionnant de voir naître sur la rivière Sainte-Anne un petit village hivernal où nous pouvions nous promener en voiture. La cabane de bois où nous nous installâmes était encore chaude, grâce à la braise rougeoyante que les précédents pêcheurs avaient laissé dormir dans le poêle. Le lieu était impeccable. Le plancher et les murs avaient dû être lavés et les lignes à pêche avaient été soigneusement enroulées autour des paires de clous alignées au-dessus du trou percé dans la glace.

Soucieux de profiter pleinement de notre seule journée de pêche de l'hiver, nous commençâmes à désembobiner les lignes pour les mettre à l'eau. Il fallait ajuster méticuleusement la hauteur des cordelettes afin que nos appâts soient intéressants et vus des poulamons. Comme d'habitude, mon père s'acquitta de cette tâche.

Avant de piquer les appâts au bout de nos hameçons, il fallait enlever les morceaux de glace qui se formaient et qui se figeaient au-dessus de l'eau du trou. Autrement, nous ne verrions pas les mouvements lorsque les poissons des chenaux s'accrocheraient à nos lignes. Mon père prit donc un filet et se pencha au-dessus du cercle découpé dans l'épaisse couche de glace de la rivière. Ce faisant, son trousseau de clés glissa de la poche de son veston et tomba dans l'eau. En quelques secondes, nous avons vu les clés disparaître alors qu'elles descendaient vers le fond sombre de la rivière Sainte-Anne.

Vu les circonstances, nous dûmes accepter de retarder l'heure à laquelle nous allions commencer la pêche. Avisé de la situation, le pourvoyeur nous apporta une immense perche à laquelle étaient fixés une lampe de poche et un immense aimant. Ce dernier était si puissant qu'il parvenait à soulever les ronds du poêle lorsque nous le placions au-dessus.

Peu de temps après avoir commencé les recherches, nous aperçûmes les clés tant désirées reposant au fond de l'eau. En passant l'aimant à proximité de ces dernières, elles s'y accrochèrent et nous réussîmes à les remonter tout près de la surface. Ma mère s'accroupit alors sur le plancher de la cabane et plongea sa main dans l'eau glacée afin de recueillir les clés qui étaient suspendues au bout de l'aimant. Toutefois, le poids des nombreuses clés et l'agitation de l'eau causée par la main de ma mère, si petite fut-elle, eurent pour effet de séparer les clés de l'aimant. Elles replongèrent dans les profondeurs obscures de la rivière en nous laissant l'amère impression que nous venions de perdre notre unique chance.

Nous continuâmes tout de même à remuer la perche dans l'eau trouble de la rivière pendant les deux heures qui suivirent, mais seuls des bouchons de bières, des canifs et des fourchettes échappés par les pêcheurs s'accrochaient à l'aimant.

Mon père décida de mettre un terme à la recherche des clés. Tant pis, elles avaient dû être emportées par le courant. Nous allions profiter de notre journée de pêche! Ainsi, nous pêchâmes tout le reste de la journée. Après de nombreuses heures de pêche, il sembla que le petit poisson des chenaux ne se laissait pas taquiner facilement. En fait, la pêche commença à être fructueuse seulement au début de la soirée, une heure avant notre départ. Nous commencions tout juste à apprécier l'abondance des poulamons alors que nous allions devoir remonter les lignes à pêche.

En effet, il fallait prendre le temps de nettoyer la cabane de manière à la laisser dans le même état où nous l'avions prise. Au moment où nous allions cesser la pêche, le pourvoyeur vint nous rendre visite. Il nous annonça que les prochains pêcheurs allaient arriver tard en soirée et que, par conséquent, il nous allouait la cabane pour deux heures supplémentaires. Il soutenait que ce temps compenserait pour les heures où nous avions cherché les clés dans la rivière au lieu de pêcher.

Pendant ces deux heures, nous remontâmes quelque cinq cents poulamons sur les six cents au total que nous avons remontés de la rivière ce jour-là. Celle-ci fut très généreuse en ces derniers instants, mais l'heure arriva où il fallut pourtant quitter. Nous remontâmes les lignes à pêche. Ma mère remonta la dernière ligne qui traînait encore dans l'eau de la rivière puis, en rigolant, elle s'exclama: «Hé! regardez ce qu'il y a au bout de mon hameçon!» *Les clés! Les clés!* Elles s'y étaient accrochées, comme par magie, par le plus petit des œillets du porte-clés. Nous aurions pu croire que quelqu'un était venu les suspendre avec délicatesse au bout du crochet!

Notre amie Diane sourit et, excitée par un tel dénouement, elle reprit aussitôt l'appareil-photo qu'elle venait de ranger dans son sac à dos. Il fallait absolument immortaliser la scène! *Clic, clic!* Il fallait pouvoir montrer la photo lorsque nous raconterions cette histoire à nos amis! *Clic, clic!* Quelques semaines plus tard, Diane nous rejoignit à la maison pour nous montrer les photos développées. On y voyait ma mère, tenant dans ses mains l'inoubliable ligne à pêche. Toutefois, la photo s'arrêtait tout juste à la hauteur des hameçons, de telle sorte qu'on n'y voyait que ma mère, béate, tenant dans ses mains une ligne à pêche... et uniquement une ligne à pêche!

Voilà une autre histoire de pêche qui, lorsqu'elle est racontée, demande qu'on y prête foi!

Martin Giguère,
Shawinigan-Sud

Le décollage

Lors d'un long week-end, il y a quelques années, nous avions décidé d'aller faire une petite escapade à Toronto. Pour pouvoir en profiter au maximum, nous avions préféré prendre l'avion.

J'étais très nerveuse à l'idée de faire un tel voyage avec de jeunes enfants et j'espérais vraiment que tout se passe bien. Nous sommes partis un vendredi matin et nous étions les premiers à embarquer dans l'avion.

Les autres passagers étaient surtout des gens d'affaires, et plus ils s'installaient avec leurs journaux et leurs livres, plus ils me donnaient vraiment l'impression de vouloir voyager sans se faire déranger, ce qui me rendait de plus en plus nerveuse. Je voyais bien, à leurs regards, qu'ils ne voulaient surtout pas entendre pleurer, crier ou chiâler.

Lors du décollage, ma nervosité a atteint son maximum. Mon fils de quatre ans assis à côté de moi et celui de deux ans assis sur moi, je récitais des *Je vous salue, Marie*. J'avais tellement peur, l'avion n'étant pas mon moyen de transport préféré, surtout que le vol Québec-Toronto se faisait dans un petit avion.

Tout allait bien jusqu'à ce que mon fils de quatre ans se mette à crier:

– Maman, maman!

Oh! non, la catastrophe... Que se passe-t-il? A-t-il peur, a-t-il mal aux oreilles?

Je n'osais même pas lever les yeux, mais je sentais les regards de tous les autres passagers qui pensaient: *Faites-le taire au plus vite.*

Alors, tout doucement, j'ai demandé à mon fils:

– Que se passe-t-il, mon grand?

Il m'a répondu:

– Maman, maman, regarde... les nuages sont tombés!

Illustration de Serge Malette, Gatineau

Tout le monde s'est mis à rire et le reste du voyage s'est très bien déroulé!

Andrée Chouinard,
Québec

Des hasards
qui n'en sont pas

LORETTEVILLE, 2003

J'ai terminé mes études et je veux trouver un emploi dans ma ville natale. Je prépare mon déménagement vers le Lac-Saint-Jean. Du coup, je décide de changer le mobilier de la chambre à coucher de Benny-le-kid. Il a un lit tubulaire à deux étages que je trouve gros et encombrant. Je passe donc une petite annonce avec photo sur LesPac. «Je déménage au Lac dans sept jours et je vends rapidement un lit superposé, demande 50 $, contactez M.D. au...» L'après-midi même, je reçois un appel étrange en réponse à mon annonce. La femme au bout du fil semble très ébranlée, surtout quand je lui dis mon prénom. Bref, je comprends que son mari passera dans quelques minutes chercher le lit. Parfait!

Quand le mari arrive chez moi, il est surexcité, il bégaye, cherche ses mots, devient rouge puis blanc. Je trouve ces gens plutôt *weird!* Jusqu'à ce qu'il m'explique... La semaine précédente, la mère de monsieur est décédée. Elle s'appelait M. et D., également originaire du... Lac-Saint-Jean. Jusque-là c'est une coïncidence, mais ça passe.

Il m'explique que la veille de son décès, l'autre «moi», c'est-à-dire sa mère, lui avait dit que, pour le cadeau de deuxième anniversaire des petits jumeaux, elle leur offrirait un lit super-posé afin que les enfants puissent dormir ensemble dans la même chambre à coucher. Ils avaient choisi exactement le modèle que je leur vendais, même forme, même couleur. Puis, elle est décédée dans un accident de voiture. Le monsieur me montre une photo de ses jumeaux mignons, avec leur grand-mère du même nom que moi. Émue, je me dis que si c'est ainsi, eh bien, je vais compléter la «mission» des homonymes en lui offrant le lit. Oui, oui, j'insiste. Le monsieur, un Tremblay du Lac–Saint-Jean, est donc reparti, tout sourire, avec le lit.

Nicolet, 2007

Je suis à l'hôpital pour des prises de sang suivant mon hospitalisation de la semaine précédente. La salle est bondée, c'est plein de microbes, je panique. Je descends alors au premier étage me chercher un café en attendant mon tour. Dans l'escalier, je croise une petite famille: un homme et ses deux petits garçons de cinq ou six ans. Le monsieur est vraiment très triste et il ravale ses larmes pendant que les gamins dévalent l'escalier.

J'insère la monnaie dans la machine distributrice de la cafétéria et je prends mon café. J'entends alors l'homme dire à ses deux petits: «*Merde*, il manquait plus que ça, j'ai perdu mon portefeuille. *Remerde*, qu'est-ce qu'on va faire?» Les deux gamins beuglent qu'ils ont faim et soif, qu'ils n'ont rien avalé depuis cette nuit, qu'ils veulent boire et manger, bon! L'homme leur demande alors d'attendre assis sagement pendant qu'il part à la recherche de son portefeuille. Je vois bien qu'il s'inquiète de les laisser là, seuls... Je m'avance donc doucement, je dis bonjour aux enfants et je propose au monsieur de divertir ses garçons le temps qu'il parte à la recherche de son portefeuille.

Finalement, après une vingtaine de minutes (et à moins deux secondes que je manque totalement d'inspiration pour divertir deux gamins de six ans qui ont faim!), le monsieur revient, complètement dévasté. Cette fois-ci, ses larmes coulent. Il tente de parler, mais il n'y arrive pas, la gorge coincée entre deux sanglots. Les gamins se taisent. Je souris, pleine d'empathie. Je lui offre alors de payer pour la collation des enfants et de lui acheter un bon café, le temps qu'il reprenne ses esprits.

Pendant que nous sommes à la distributrice avec les enfants, le monsieur commence à me raconter que sa femme est restée à Québec avec le petit bébé, et qu'il est seul ici avec les garçons. Il est arrivé pendant la nuit en catastrophe, son père ayant été hôpitalisé la veille, en ambulance, et les médecins ignorent s'il survivra à sa crise cardiaque.

Ça fait *boom* dans ma tête, ça fait *bang* dans mon cœur, qui se remplit naturellement de compassion. Avec mon plus grand sourire, je tente de réconforter le monsieur. Un Tremblay du Lac–Saint-Jean. Finalement, je lui dis que je dois remonter pour mes prises de sang. Il me remercie chaudement puis, en me regardant partir, il s'écrie du bout de la cafétéria: «Madame, je ne sais même pas comment vous vous appelez…» Quand je lui ai dit mon nom, il est devenu figé, puis il s'est mis à pleurer, pleurer, inconsolable. Naturellement, je suis retournée vers lui pour le réconforter du mieux que je pouvais…

J'ignorais alors ce qu'il m'a appris, en me regardant droit dans les yeux, ses grosses mains humides de larmes sur mes épaules. «La première fois qu'on s'est rencontrés, me dit-il, vous aviez pris les traits de ma mère pour nous aider avec le lit superposé, vous vous en souvenez? Nous n'avions pas beaucoup d'argent et vous nous avez donné votre lit. Maintenant que j'aurais tellement besoin d'elle alors que papa est en danger, vous revenez nous aider, comme par magie. Je ne sais pas quoi ajouter, mais si vous êtes vraiment en communication avec ma mère là-haut, dites-lui merci de veiller sur nous comme ça.» Puis il m'a embrassé la joue. Il a souri au ciel et m'a serrée contre lui, très fort, comme si nous nous connaissions depuis quarante ans. Les enfants m'ont saluée et je suis retournée dans la salle d'attente, encore bouleversée.

Martyne Desmeules,
Nicolet

Ce ne sont pas nos actes qui nous sanctifient,
c'est nous qui sanctifions nos actes…
Eckhart Tolle

Le destin
d'une rencontre

Depuis quelques années, nous assistons aux compétitions de duathlon auxquelles mon conjoint participe. La première année que Francis a participé au Duathon de Saint-Sauveur, nous avons rencontré Jean. Francis a fait sa connaissance de façon bien particulière. Rendus à l'épreuve du vélo, l'homme qui le suivait se mit à l'encourager et lui demanda d'où il venait. Comme nous habitons l'Abitibi, il est facile de faire des liens. Il lui demanda alors s'il connaissait Robert Maillotte. Francis de s'étonner, car ce Robert fut son patron durant les deux dernières années. Évidemment, après la compétition, la conversation s'est poursuivie.

* *

Nous apprenons que la conjointe de Jean vient elle aussi de l'Abitibi. Malheureusement, elle n'est pas présente à cette compétition. La deuxième année, à la même compétition, nous rencontrons de nouveau Jean et, cette fois, nous faisons la connaissance de Lise, sa conjointe. C'est une belle rencontre, nous découvrons des gens passionnés tout comme nous. Nous apprenons à nous connaître et nous cherchons à établir des liens puisque Lise vient de Normétal alors que je suis native de La Reine. Nous nous laissons en nous promettant de nous revoir l'année suivante.

La troisième année, encore la même compétition à Saint-Sauveur, mêmes gens. Nous rencontrons de nouveau Jean et Lise. Après la compétition, nous décidons tous d'aller prendre un bon déjeuner dans un resto de la place. Nous avons d'agréables discussions et nous nous découvrons de plus en plus d'affinités. À la fin du repas, pour je ne sais quelle raison, Lise me redemande si je viens bel et bien de La Reine. Je lui réponds que je suis, effectivement, native de La Reine. Elle me demande alors comment ma mère s'appelle, et je lui réponds

Suzanne Philippon. Ensuite elle s'informe si j'ai eu une mamie qui a eu le cancer. Je lui confirme que ma mamie est décédée du cancer il y a de cela dix ans.

Elle s'exclame: «Jean, Jean, je n'arrive pas à y croire... Sa mamie, c'est la mamie de Georges!» Je ne comprends pas trop ce qui se passe. Pourquoi connaît-elle ma mamie? Qui est ce Georges? Elle me regarde avec ses grands yeux bleus et me demande si ma mamie a été hospitalisée à Montréal pour des traitements expérimentaux. Je confirme qu'elle a, effectivement, fait quelques allers-retours à Montréal pendant sa maladie. Tout énervée, elle m'explique que ma mamie s'est retrouvée dans la même chambre que Benoît, un jeune homme atteint du cancer et que Georges, le père de Benoît, est partenaire d'affaires avec eux.

* *

Georges a souvent raconté l'histoire de cette mamie qui était comme un ange venue sauver la vie de son fils. Lise la partage maintenant avec moi, à son tour, parce qu'elle sent que je la comprends puisque je viens de l'Abitibi. Je lui confirme alors, chair de poule et larmes aux yeux, que c'est bien de ma grand-mère dont il s'agit. Elle qui était tellement généreuse et aimante.

Le jeune Benoît, alors âgé de seize ans, était atteint d'un cancer et ma grand-mère l'a beaucoup soutenu durant sa maladie. Elle trouvait regrettable qu'un jeune homme de cet âge se laisse aller. Elle l'a encouragé à combattre son cancer, puisqu'il avait devant lui de belles choses à vivre.

Aujourd'hui, dix années plus tard, Benoît vit toujours et il parle encore de la mamie qui lui a sauvé la vie. Cette mamie, c'est aussi *ma* mamie que j'ai beaucoup aimée. Comme quoi il y avait une raison à cette première rencontre pendant une compétition à Saint-Sauveur. Encore grâce à cette même mamie, une amitié à vie venait de se créer!

Caroline Saint-Louis,
Landrienne, Abitibi

S'accepter

Mon adolescence ne fut pas de tout repos. Je tentais d'oublier qui j'étais. Vers l'âge de quinze ans, j'ai sombré lentement dans des problèmes d'alcool et de drogue dans le but de devenir quelqu'un d'autre, quelqu'un que je ne serais jamais. Je souhaitais simplement être normale, vivre comme tout le monde. Autant je voulais me démarquer des autres, autant j'avais envie de faire partie de la masse. Mon humeur était en montagnes russes, et les gens ne savaient plus comment m'aborder. La drogue n'aidant pas mon comportement, j'étais une véritable bombe à retardement. À l'âge de dix-sept ans, j'ai quitté la résidence familiale pour me rendre dans l'Ouest canadien, croyant que là-bas je découvrirais ma véritable identité. Je pensais pouvoir y être enfin heureuse, loin de ma famille, de mes amis et du regard des autres.

Je fus de retour chez moi après un peu plus de deux mois. Mon voyage s'était bien déroulé et je revenais quelque peu chamboulée. J'avais beaucoup appris et ma vision des choses avait changé. J'avais connu là des gens formidables qui m'avaient enseigné à m'aimer, à m'accepter telle que j'étais. Ils m'avaient appris à vivre une journée à la fois, à m'apprécier autant pour mes défauts que pour mes qualités. C'était pour moi un nouveau départ, je me lançais tranquillement vers l'acceptation de moi-même, mais j'avais peur. Peur de la réaction des gens autour de moi, peur d'être jugée pour qui j'étais. Il m'a fallu près de trois ans pour avouer ouvertement à mes parents qui j'étais vraiment. Trois ans à craindre leur jugement.

Mais un jour, j'en ai eu assez. Assez d'avoir peur, assez de me cacher. Prenant mon courage à deux mains, j'ai finalement avoué à mes parents que j'étais homosexuelle. C'était le point culminant qui me permettrait de m'accepter pour de bon. J'étais résignée à assumer leur réaction, résignée à l'idée qu'ils ne m'aimeraient plus, qu'ils me renieraient. C'est alors que ma mère m'a dit la plus belle chose qu'on m'a jamais dite: «Nous t'aimons pour toi, comme tu es.»

Aujourd'hui, j'ai l'impression d'être enfin moi-même. Je me suis libérée d'un fardeau immense, d'un poids que j'avais porté beaucoup trop longtemps. Je suis libre d'être enfin moi, tout simplement.

Jo,
Trois-Rivières

5

LA FAMILLE

Ce n'est pas ce que nous avons amassé
qui reste après cette vie; mais ce que
nous avons donné, partagé avec ceux
que nous avons aimés, les nôtres...

Johanne Plante

Un été à la campagne

J'adore les saisons de vacances! Un vol plané en toute liberté.

J'avais dix ans. Nous passions l'été à la maison de campagne. C'était fabuleux! Je plongeais dans l'eau froide du lac jusqu'à ce que ma mère me crie de venir dîner. J'entrais dans la cuisine en tremblant de froid, les lèvres d'un bleu foncé. Le repas chaud et réconfortant calmait les eaux froides de mon corps.

Chaque après-dîner nous étions obligés d'aller faire la sieste... mais cette journée-là, le repos allait se faire attendre.

C'est le son du klaxon de la voiture qui a interrompu la dernière bouchée portée à ma bouche. J'ai couru dehors avec la pulsion du lancer d'une fusée. Sans que je sache pourquoi, il y avait au fond de moi une émotion si vive et un instinct si fort que cela m'habitait tout entière.

Je l'ai vu sortir de la voiture, le corps un peu raide, le regard penché vers le sol et son sourire... son sourire si facile. Comme s'il le semait au gré du vent.

J'ai couru vers lui et je l'ai pris dans mes bras. Je l'ai serré si fort que ma mère a dû crier et, pour s'excuser, elle a murmuré: «Cette façon qu'elle a d'aimer les gens!»

J'aimais très fort ce cousin qui n'émettait pas de son et qui vivait dans un monde sans bruit et sans parole. Je l'aimais et je l'aimais encore plus en cet instant-là. Il venait passer quelques jours à la maison, car l'hôpital où il habitait avait décrété une grève. J'en prendrais soin comme on prend soin d'un malade ou d'une personne abandonnée.

Je lui ai fait visiter la maison en lui présentant chacune des pièces, mentionnant qui dormait où et qui étaient ces personnes. «Ici, ce sont ma mère et mon père qui y dorment. Ils sont ta tante et ton oncle. Ma mère est la sœur de ta mère», et j'entendais des voix au loin qui me criaient: «Il est sourd... il ne comprend rien de ce que tu lui racontes!» Mais, moi, je m'en foutais, car je voyais dans ses yeux une douce lumière et des rires qui n'arrivaient pas au bon moment de mes interventions, mais ça n'avait aucune importance: je l'aimais!

J'ai dû négocier très fort, lui mettre trois ceintures de sauvetage et promettre que je longerais la rive pour emmener mon cousin dans la barque et le faire naviguer. Nous sommes partis tous les deux. À cette époque, sur le lac, on permettait les bateaux à moteur. Lorsque nous en avons croisé un et que la vague fut forte, je riais aux éclats de voir son visage sans réaction et son corps qui se laissait tomber dans tous les sens. Il n'entendait pas mes éclats de rire mais il me regardait, inquiet, ballotant de tous côtés. Puis, j'ai triché. J'ai ramé jusqu'au milieu du lac, car je voulais qu'il voie l'immensité de l'eau et du ciel. Je lui ai fait regarder le firmament. C'était ardu, je devais lui tenir le menton pour qu'il puisse regarder vers le haut. On devait seulement lui avoir appris à regarder vers le bas et ainsi ne voir qu'une infime partie du monde. Il a fini par laisser sa tête penchée vers l'arrière et par me regarder du coin de l'œil. Évidemment, il ne pouvait pas dire que c'était merveilleux, ce ciel rempli de nuages, mais il ne bougeait plus. Je l'ai pris par la main et, là, j'ai entendu son silence. Tout est devenu immobile, excepté sa main qui serrait la mienne. Une mer est montée à ma gorge. J'ai fermé les yeux et serré très fort sa main dans la mienne.

Cette nuit-là, j'ai mal dormi. J'avais peur que mon cousin se lève en pleine nuit et qu'il sorte dehors, ou qu'il lui prenne quelque idée folle et qu'il s'égare dans les bois, ou encore qu'il veuille regarder le ciel peuplé d'étoiles au milieu du lac. Dans le silence de la nuit, je me suis levée et suis allée l'observer dormir. J'ai pris ma petite lampe de poche et, sur la pointe des pieds, je me suis approchée de son lit. Je l'entendais respirer et j'ai pointé la lumière vers le bas de son visage de façon à pouvoir le voir. Après quelques instants, j'ai constaté qu'il n'y avait rien de différent. Il dormait comme tout le monde. Un corps assoupi sans contrôle sur ses rêves.

Le lendemain, dans l'après-midi, j'ai préparé un goûter que j'ai glissé dans un panier et nous sommes partis en balade, mon cousin et moi.

Nous avons marché très longtemps, sans toutefois nous rendre loin. J'ai assis mon cousin en dessous d'un arbre et je lui ai fait la lecture. Je savais qu'il n'entendait pas, mais j'y mettais beaucoup d'expression et il me regardait, buvant chacun des mouvements de mes lèvres. Parfois, il éclatait de rire et ensemble, je crois, nous avons touché au bonheur. Moi, c'était celui de le sentir bien, loin de ces murs où on l'enfermait. Lui, ce devait être le vent, les feuilles qui dansaient dans l'arbre ou, encore, ces vols d'oiseaux silencieux.

Nous avons mangé notre collation. Il a dévoré une banane pendant que je lui chantais des airs inventés. J'avais apporté des bonbons. Il a tout de suite aimé. Je ne sais pas si c'étaient les couleurs ou le goût, c'est difficile à dire quand l'autre ne donne pas ses impressions.

Le soir venu, ma tante lui a donné un bain. Lorsqu'il est sorti de la salle de bain, je l'ai coiffé. Longtemps. Je lui ai fait toutes sortes de coiffures. Le toupet à droite, le toupet à gauche puis au centre, les cheveux lissés vers l'arrière. De toutes les façons, il était beau. Il se laissait bercer par les dents de mon peigne et il ne souriait pas, ne riait pas. Il était béat, calme et merveilleux.

Mon cousin est demeuré quelques jours à la maison de campagne. Je lui ai parlé dans son silence, je l'ai fait rire sans en comprendre le sens, je l'ai serré fort sans attente.

Quand il est parti, il n'était ni triste ni joyeux. Il est retourné là-bas dans son immense château aux murs vert pâle et aux clôtures gigantesques. Il s'est assis dans la voiture sans me faire de signe de la main lorsqu'il s'éloignait. Avec mes dix ans, j'aurais pu penser qu'il était sans cœur, sans émotions. J'aurais pu croire tout ce que l'on dit. Je sais qu'il ne garde pas les souvenirs dans sa tête comme nous. Mais je sais aussi que l'instant où il fut heureux, il le fut sans se demander si cela revient, comme les saisons de vacances.

Joe Bocan,
Sainte-Marcelline-de-Kildare

Un ange bien spécial

Ceux qui partent ne sont séparés de ceux
qui restent que par l'apparence des choses...

Anonyme

D'aussi loin que je me souvienne, j'ai toujours été passionnée par les chevaux. En mars 1998, après cinq années de cours
d'équitation, mon père a enfin consenti à acheter un premier
cheval pour la famille. Toutefois, en février 1999, la vie a basculé... Le centre équestre a été incendié, emportant ainsi tous
les chevaux, y compris le nôtre. En colère, peinée et complètement anéantie, j'ai détesté la vie de m'avoir pris ce cheval et, à
partir de ce moment-là, j'ai décidé de ne plus faire d'équitation.

Comme un malheur n'arrive jamais seul, un mois seulement après cet événement, ma grand-mère a appris qu'elle
avait un cancer. Malgré le fait qu'elle ait su dès cet instant
qu'elle allait peut-être mourir, elle est toujours restée forte,
positive, avec la ferme conviction de guérir, de sortir vivante
de cet hôpital qu'elle détestait tant.

Un jour, sentant probablement que la fin approchait, elle
profita d'un instant seule avec moi et me promit que, dès
qu'elle sortirait de l'hôpital, j'aurais le cheval de mes rêves:
grand, noir et d'une beauté à couper le souffle.

Le 4 juin 1999, ma grand-maman s'éteignit en laissant derrière elle cette promesse inachevée. Malgré cela, elle m'avait
laissé le plus beau cadeau: celui de croire en la vie, de rester
positive et de foncer malgré les obstacles, de ne jamais laisser
rien ni quiconque détruire mes rêves.

Les semaines passèrent... un mois s'écoula. Par un bel
après-midi, mon père m'emmena faire un tour de voiture et
s'arrêta à l'endroit où ma grand-mère avait grandi. Cet endroit
est aujourd'hui transformé en ferme d'élevage de chevaux de
course. J'ai fait une visite rapide des lieux, seulement pour

revoir un peu ces animaux qui commençaient, bien malgré moi, à me manquer.

Puis, une dame, la propriétaire des lieux, se présenta et me confia qu'elle ne savait trop que faire avec un de ses chevaux. Après avoir investi des milliers de dollars sur ce cheval qu'elle croyait prometteur, elle n'arrivait toujours pas à le faire courir suffisamment vite pour qu'il participe aux courses. Elle voulait essayer un dernier type d'entraînement pour encore deux semaines et s'il ne courait toujours pas plus vite, elle devrait s'en débarrasser.

Intriguée, je lui demandai de me montrer ce cheval. Quelle ne fut pas ma surprise! Grand (beaucoup plus que la moyenne de cette race), noir comme de l'ébène, l'œil doux mais vif. Il était le portrait même du cheval de mes rêves. Je suppliai alors la dame de me téléphoner si jamais elle devait s'en départir, lui promettant que j'allais réfléchir à la possibilité de l'adopter.

Il ne fallut que quatre ou cinq jours avant que le fameux appel retentisse. La dame était prête à me le vendre à un prix ridicule, car elle voulait s'en débarrasser. Normalement, elle aurait dû l'envoyer à l'abattoir comme les éleveurs font avec les chevaux non performants, mais celui-là, elle tenait à lui trouver une famille, ajoutant que jamais elle n'avait connu un cheval aussi gentil et aussi doux.

J'avais seize ans et peu d'argent. Je devais convaincre mon père de me laisser acheter ce cheval. Quarante-huit heures de pleurs, d'angoisse et de supplications avant qu'il accepte enfin ma demande. Il me l'annonça à la fin d'un quart de travail, vers une heure du matin, en me faisant promettre de le revendre dans un an, dès mon entrée au cégep.

À seize ans, je réalisais enfin mon rêve de posséder mon propre cheval. C'est alors que j'ai su que ma grand-mère avait tenu sa promesse. Sur son lit d'hôpital, elle m'avait répété que, dès sa sortie, elle retournerait là où elle avait grandi et que j'aurais le cheval de mes rêves. C'était bien vrai. Aujourd'hui, à l'âge de vingt-cinq ans, j'ai toujours ce cheval. Il a onze ans. J'ai réussi à le garder malgré les difficiles contraintes de temps et d'argent que m'ont imposées le cégep et l'université.

J'habite à la campagne depuis cinq ans, dans une vieille maison au bord de la rivière, où mon cheval coule tranquillement ses jours avec six autres compagnons. J'ai trouvé des gens qui ont accepté de me faire confiance malgré mon jeune âge. J'y habite sans frais et je m'occupe de leur maison, de leurs chevaux et de leur ferme. Un échange de services hors du commun qui m'a permis de garder mon cheval tout au long de ces années.

Depuis le décès de ma grand-mère, ma vie a pris une tournure tout à fait différente de ce que j'aurais pu imaginer. Les événements s'enchaînent tout naturellement, alors que je lève un à un les obstacles qui se dressent devant moi. Ce que les gens pensent impossible, je le réalise. Du moins, j'ai gagné le pari de garder mon cheval, d'habiter la maison dont j'avais toujours rêvé et j'ai effectué une quinzaine de voyages à travers le monde. Je sais toutefois que je n'y suis pas pour beaucoup, car ma grand-mère veille sur moi et elle me trace le plus extraordinaire des chemins. Elle est tout près de moi, je la côtoie chaque jour. Je retrouve sa douceur, sa chaleur à travers cet ange gardien bien spécial qu'elle est devenue pour moi.

Geneviève Lemelin,
Bécancour

La puissance du toucher

La vie nous a donné ce qu'il y a de plus beau et, en même temps, elle nous a enseigné une leçon que nous ne sommes pas près d'oublier...

Je suis devenue enceinte rapidement après avoir cessé la contraception. Mon mari et moi étions fous de joie à l'idée d'accueillir ce bébé. Nous préparions sa venue avec beaucoup d'enthousiasme. Ma grossesse était parfaite, sans aucune anomalie, sans inquiétude, sans stress. Le jour de l'accouchement, je me rendis à l'hôpital le cœur léger, accompagnée de mon mari, sachant que je deviendrais enfin mère. J'ai adoré l'expérience de l'accouchement malgré la douleur.

Maxim, notre petit garçon, a vu le jour tard le soir du 18 avril. Lorsque les infirmières l'ont déposé sur moi, tout gluant et encore bleuté, j'ai trouvé qu'il avait l'air fatigué, amorphe. Comme à l'habitude, une infirmière amena le bébé à la pouponnière pour l'examiner. À leur retour, je me suis doutée qu'il se passait quelque chose. Maxim faisait de la fièvre, ce qui est anormal pour un nouveau-né. Les infirmières décidèrent donc de le garder en observation à la pouponnière pour la nuit.

Pour le cœur d'une mère, ne pas pouvoir être avec son bébé après avoir tant travaillé pour le voir naître est une séparation difficile à accepter. Ce fut le premier grand vide que mon mari et moi avons ressenti après l'arrivée de notre chérubin.

Après une courte nuit, des nouvelles nous arrivèrent enfin. Une pédiatre entra dans notre chambre d'hôpital et tarda à parler. Je pouvais sentir l'angoisse dans son regard et dans sa voix lorsqu'elle commença: «Maxim ne va pas très bien. Il a besoin qu'on lui donne de l'oxygène et nous avons estimé qu'il aurait besoin de plus de soins. Nous l'envoyons à l'unité néonatale.»

À ce moment précis, un deuxième grand vide m'envahit. Je me tournai alors vers mon mari, que j'avais peine à voir tellement mes yeux étaient noyés de larmes, et je vis la même détresse sur son visage. Une foule de questions se bousculaient dans nos têtes et l'atmosphère dans notre chambre d'hôpital était lourde d'inquiétude. Plus nous en apprenions sur l'état de santé de notre enfant, plus notre vie nous paraissait sombre et bien peu importante. Maxim souffrait d'une infection rare, souvent mortelle, qu'un bébé sur 10 000 attrape et qui est transmise par la mère. C'était donc moi qui avais rendu mon enfant malade sans savoir que j'étais contaminée. Je ne peux décrire la culpabilité que je ressentais chaque fois que je voyais mon enfant souffrir. Tout ce qui arrivait était ma faute, et ce, sans que je l'aie voulu.

Dans son incubateur, notre bébé était intubé, c'est-à-dire qu'il avait un tube qui passait dans une narine et qui descendait jusque dans ses poumons pour le faire respirer. Un soluté avait été installé dans une veine de sa tête puisque ce sont les veines les plus visibles chez le nouveau-né. À cela s'ajoutaient de nombreuses prises de sang et des tests de routine. Tout cela parce que moi, sa mère, je lui avais transmis une infection. En plus de me sentir affreusement coupable, je devais vivre avec la réalité que Maxim n'avait que moins de la moitié de chances de survivre et, s'il s'en sortait, il y avait une possibilité sur deux qu'il ait des séquelles au cerveau. Pour ajouter à notre chagrin, nous ne pouvions pas le toucher sans porter des gants, ni même le prendre dans nos bras en raison des nombreux fils qui le retenaient dans l'incubateur.

Le retour à la maison sans notre petit bébé fut pénible, mais nous allions le visiter tous les jours, le matin et le soir. À chacune des visites, notre bébé était inerte, faible, pâle et ses yeux étaient fermés. Il avait maintenant onze jours et je n'avais même pas encore pu voir ses yeux.

Je me souviendrai toujours d'un lundi qui nous apporta une bien mauvaise nouvelle. Un médecin nous téléphona pour nous demander de nous rendre voir Maxim, car son état se détériorait et son temps était compté. Inutile de vous dire qu'à ce moment-là, mon mari et moi avons ressenti un désarroi des plus profonds. À notre arrivée à l'hôpital, l'atmosphère était lourde autour de Maxim; les infirmières nous regardaient avec un certain malaise. Nous avons beaucoup pleuré et prié pour que Maxim ne souffre pas trop.

Nous étions au désespoir lorsqu'un ange est venu nous parler. Il s'adressa ainsi à nous de sa voix douce: «Je vais faire quelque chose pour vous. Enlevez vos gants et touchez votre enfant à mains nues. Parlez-lui et embrassez-le, il vous entend.» Cette voix venait en fait de l'infirmière de Maxim qui n'en pouvait plus de nous voir accablés ainsi. Je ne peux décrire le bonheur que nous avons ressenti lorsque nous avons posé nos mains nues sur la peau chaude de notre enfant. C'était comme si j'accouchais une seconde fois de cet enfant. Nous pouvions le toucher, lui parler, l'embrasser, le sentir. Ce que font la majorité des parents avec leur enfant sans réaliser la chance qu'ils ont de vivre de tels petits moments magiques tous les jours. Cette nuit-là, je me suis couchée et je me suis endormie apaisée, avec un sourire de contentement.

Le lendemain matin, nous nous sommes rendus à l'hôpital visiter Maxim comme à l'habitude. Telle une drogue, nous avions encore le goût de le toucher et de l'embrasser comme la veille. Quand nous sommes arrivés près de son incubateur, j'ai remarqué immédiatement quelque chose de merveilleux. Je n'oublierai jamais ce moment où, pour la première fois, j'ai vu les yeux de mon fils. Le médecin était présent et nous annonça que Maxim prenait du mieux, que la fièvre était miraculeusement tombée au cours de la nuit. Grâce à cette faveur de l'infirmière, nous avons alors posé le geste le plus important de notre vie. Pour une seconde fois, nous avons donné la vie à cet enfant et lui avons montré que nous étions toujours là près de lui. Il nous a sentis et entendus, et il a décidé de s'accrocher à la vie.

Les jours passèrent et l'état de Maxim continua de s'améliorer. Il sortit de l'hôpital un mois après sa naissance, en santé et sans séquelles cérébrales... un miracle!

Maintenant, chaque soir avant d'aller me coucher, je vais voir mon fils endormi dans son petit lit et je lui dis que je l'aime en l'embrassant doucement. Je ne sais pas pourquoi, mais j'ai l'impression, à ce moment-là, que je pose le geste le plus important de ma journée.

Ariane Pomerleau,
Saint-Lambert-de-Lauzon

Les bas de Noël

Lorsque nous étions enfants, nos parents remplissaient nos bas de Noël chaque année. C'était une tradition bien établie et toute la famille y prenait un réel plaisir. L'excitation était à son comble lorsque venait le temps de découvrir tous les petits trésors qui avaient été enfouis dans ces bas.

Mon père avait même brodé le prénom de ma sœur aînée sur son bas. Mais, avec cinq enfants, il n'avait jamais eu le temps de broder ceux des autres. Il en fit toutefois son projet à moyen terme.

La tradition des bas de Noël s'est éteinte tout naturellement lorsque nous sommes devenus adultes. Les bas furent remisés et quelque peu relégués aux oubliettes. L'activité a toutefois repris vie lorsque mon premier neveu est venu au monde. Quelle joie et que de souvenirs de revoir ces chaussettes rouges ressortir de leur boîte!

Après quelques années de bas de Noël remplis pour ses petits-enfants, mon père a décidé de broder leur nom sur chacun des bas; son ancien projet se remettait en branle pour perpétuer la tradition. Il en brodait un chaque année. Au Noël de 1995, il en avait déjà complété six. Seuls les bas des deux plus jeunes n'avaient pas encore été travaillés.

Le Noël de 1996 fut une période très triste pour notre famille. Ma mère était hospitalisée, se mourant d'un cancer. Mon père, de son côté, devait subir une intervention chirurgicale en janvier pour traiter un cancer de l'œsophage. Le temps des fêtes reste toujours un moment difficile à traverser lorsque les familles sont séparées, en deuil ou en période difficile. Ce Noël-là, nous l'avons fêté chez mon frère et mes parents n'ont pas eu la chance de sortir les bas de Noël. Leurs pensées étaient ailleurs.

Mes parents sont décédés tous les deux le mois suivant, en janvier 1997. Lorsque nous avons fait l'inventaire de leur maison, ma sœur a rapporté toutes les décorations de Noël chez elle, sans toutefois les déballer, le courage n'y étant pas. Elle n'avait aucun désir de faire ressurgir de si tristes émotions peu de temps après le décès de nos parents. Elle les a toutefois ressorties le Noël suivant, afin de nous offrir les bas de Noël pour que nous puissions continuer la tradition familiale avec nos enfants. Quelle ne fut pas sa surprise lorsqu'elle ouvrit le paquet: les huit bas de Noël étaient brodés! Mon père avait complété son projet à notre insu. Il fera toujours partie intégrante de notre rituel des bas de Noël, grâce à sa contribution de fils dorés.

Claire Morissette,
Gatineau

Une belle histoire d'amour

Septembre 1949

À dix-neuf ans, Thérèse poste une lettre à son amoureux, lui annonçant qu'elle est enceinte et qu'elle est allée chez le médecin pour un avortement avec l'argent qu'il lui avait laissé pour ses besoins personnels, mais il lui a plutôt prescrit des vitamines. Cette lettre n'a jamais reçu de réponse.

Neuf mois se sont écoulés et, aujourd'hui, 10 juin 1950, elle met au monde une petite fille. Elle est seule avec des étrangers, soit des religieuses, un médecin et un prêtre. Elle est à la Crèche Saint-Vincent-de-Paul de Québec.

Rapidement, Thérèse est séparée de sa petite fille qu'elle aimerait tellement tenir dans ses bras. Dans les années 50, c'était très mal vu de devenir fille-mère. Les enfants nés en dehors du mariage étaient qualifiés de *bâtards*.

La jeune maman s'inquiète pour sa petite fille, qu'elle nomme Nicole. Elle n'a pas le droit de s'en occuper, mais elle va quand même la voir en cachette. La petite ne va pas bien, elle est tellement frêle que sa peau est presque transparente et on distingue le bleu de ses petites veines.

Le médecin lui dit que son enfant a besoin de manger et qu'il faudra lui préparer de la nourriture solide. Il ajoute que c'est elle qui devra s'en occuper et qu'elle aura besoin d'une chaise berçante pour la bercer et combler le besoin d'affection de sa fille. Puisque c'est une ordonnance du médecin, Thérèse obtient la permission de la sœur supérieure. Tous les bébés de cette salle ont aussi eu droit de se faire bercer par maman Thérèse.

Thérèse prend soin de Nicole. Chaque fois qu'elle la dépose dans son petit berceau, elle l'embrasse tendrement sur le front à un endroit très précis, juste entre les deux yeux et un peu au-dessus. Chaque fois, la petite devient toute calme et ferme les yeux.

Un jour, vers la fin de quatre mois de résidence de Thérèse et Nicole à la crèche, une religieuse lui demande d'aller chercher sa petite fille, car des visiteurs veulent la voir. Thérèse exécute docilement la demande. Lors de son retour avec sa petite, elle doit la présenter à un couple qui est accompagné d'un prêtre, mais sans savoir réellement ce qui se passe. Les visiteurs regardent bien l'enfant, puis Thérèse retourne la petite Nicole dans son berceau.

Après quelques jours de cette visite, la sœur supérieure signifie à Thérèse qu'il est temps de quitter la crèche. Thérèse lui demande alors de garder sa fille, qu'elle va se trouver un emploi et qu'elle reviendra la chercher. La sœur supérieure essaie de faire comprendre à cette jeune maman qu'elle sera incapable d'élever une enfant toute seule, mais Thérèse insiste, la supplie même. Elle retourne donc dans sa famille, laissant tristement derrière elle son enfant.

Quelques semaines plus tard, Thérèse retourne à la crèche pour revoir sa petite Nicole et tenter encore de la récupérer. Une autre jeune fille, qui a également accouché, lui annonce que Nicole est partie, que le couple, accompagné du prêtre, qui était venu la voir, l'a adoptée. Thérèse devra faire son deuil de cette petite fille qu'elle aime tant et qu'elle n'oubliera jamais.

* *

Par la suite, à chaque anniversaire de sa petite Nicole, Thérèse, le cœur gros, regardait dans les magasins les vêtements pour enfants correspondant à l'âge de sa fille. Chaque fois qu'elle entendait une maman appeler sa fille Nicole, elle se retournait pour voir si c'était sa Nicole. Thérèse ne sut jamais qu'elle avait signé les papiers d'abandon le jour de son accouchement. Ils étaient glissés parmi d'autres formulaires qu'il lui fallut signer pour son séjour à la crèche.

La petite Nicole, qui s'appelait maintenant Céline, fut très bien élevée et heureuse avec ses nouveaux parents, mais sans oublier, très enfoui au fond de son cœur, le contact de sa vraie mère. À l'âge de onze ans, Céline apprit de ses parents qu'elle avait été adoptée. Elle était très heureuse avec ses parents adoptifs et le fait d'apprendre cette nouvelle ne fut aucunement un problème. Céline adorait la musique et son passe-temps préféré était de chanter, chanter, chanter. Elle désirait devenir chanteuse un jour.

Elle a grandi et, devenue adulte, elle s'est mariée. Chaque fois qu'elle avait besoin d'affection, elle demandait à son mari de l'embrasser sur le front, à un endroit très précis. Ce besoin était si fort qu'elle décida de demander des précisions à sa mère à ce sujet. Elle lui parla de ce besoin de se faire embrasser sur le front, lui désigna l'endroit précis où elle aimait se faire embrasser et lui expliqua que cela la calmait, qu'elle fermait les yeux et qu'elle se détendait. Sa mère lui confirma que ce n'était pas elle, ni son père d'ailleurs, qui l'avait embrassée ainsi. Personne n'avait de réponse.

À vingt-huit ans, alors qu'elle regardait la télévision, un prêtre expliqua que les personnes adoptées pouvaient doré-navant obtenir leurs antécédents sociaux et médicaux. Elle communiqua avec un CLSC de Québec pour avoir plus d'infor-mations. On lui expliqua la démarche à suivre, en lui précisant que si elle voulait connaître sa mère biologique, elle devait l'indiquer dans sa lettre. Si sa mère acceptait d'annuler la con-fidentialité du dossier, les deux femmes pourraient être mises en contact. Elle entreprit donc les démarches sans tarder.

Peu de temps après, Céline reçut les documents en ques-tion. Ils décrivaient les soins qui lui avaient été prodigués lors-qu'elle était à la crèche. Elle apprit aussi que les papiers d'abandon avaient été signés par sa mère le 10 juin 1950, le jour même de sa naissance.

L'année de ses trente-trois ans, Céline reçut une lettre des Services sociaux de Québec, l'informant qu'ils avaient des ren-seignements importants à lui transmettre. Elle leur téléphona immédiatement et on lui expliqua que sa mère biologique aimerait la voir.

La sonnerie du téléphone se fit vite entendre chez Céline; Guy, son frère... était au bout de la ligne. Déjà au courant de la situation, il lui promit que leur mère allait la rappeler dès qu'il lui aurait transmis ses coordonnées. Il en profita pour lui apprendre qu'elle avait aussi deux autres frères, Claude et André. Elle était donc l'aînée de quatre enfants.

* *

Quelques minutes d'attente et, voilà, l'appel tant attendu:

– Oui! répond Céline.

– C'est, c'est, c'est…, ne cesse de répéter Thérèse au bout du fil, ne sachant de quelle façon s'identifier après toutes ces années de séparation.

– C'est ma mère! termine Céline.

– Oui, c'est ça! approuve Thérèse. C'est ta mère. Et la conversation s'installe.

Thérèse ne connaît Céline que sous le nom de Nicole. Elle explique à sa fille qu'elle s'est occupée d'elle quelques mois à la crèche et lui raconte quelques anecdotes, pendant que Céline prend plaisir à écouter la voix de sa mère.

Céline propose à sa mère, qui habite à Québec, d'aller la rencontrer le lendemain. Elle et son mari, qui résident à Trois-Rivières, se mirent alors en route. Aussitôt arrivés chez Thérèse, ce fut un moment magique, des accolades espérées depuis si longtemps, enfin dans les bras l'une de l'autre. Elle rencontre aussi ses trois frères qui ne manquent pas de la serrer dans leurs bras, des larmes coulent sur toutes les joues.

Instinctivement, Céline redevient Nicole. Tous l'appellent Nicole. C'est sous ce nom que Thérèse a toujours parlé de sa petite fille et Céline n'y voit aucun inconvénient. Pour elle, cela contribue à sceller son identité tant recherchée au sein de sa famille biologique.

Que de choses à se dire! Que de gens à découvrir! Tout le monde se cherche des ressemblances physiques avec Nicole. La grand-maman est là aussi et elle pleure. Elle raconte qu'elle a essayé d'adopter Nicole lorsque cette dernière était encore à la crèche mais, pour des raisons familiales, on lui a refusé le droit d'adopter sa petite-fille. Elle lui avait donné une robe dans laquelle elle est sortie de la crèche le jour où ses parents adoptifs vinrent la chercher.

On se raconte des histoires drôles et on chante. Elle apprend que tous savent chanter et jouer d'un instrument de musique, que ce soit la guitare, le piano, la musique à bouche.

Nicole comprend maintenant d'où lui vient son amour de la musique ainsi que son goût pour l'humour.

Soudain, elle se rappelle avoir une question importante à poser. Elle demande à sa mère qui était la personne qui l'embrassait sur le front quand elle était jeune. Sa mère embrasse sa Nicole sur le front juste au bon endroit. Nicole ferme les yeux, se sent toute calmée et sait qu'elle est revenue chez elle. Dès lors, elle commence à l'appeler *maman* et à la tutoyer. Une merveilleuse relation s'installe entre une mère et sa fille.

* *

Le 29 août 2007, maman Thérèse est décédée. Nous avons eu vingt-quatre belles années pour rattraper le temps perdu, mais à sa mort, je me sentais plutôt comme une jeune fille de vingt-quatre ans qui perdait sa maman. C'était trop tôt et, pourtant, j'avais cinquante-sept ans. J'aurais voulu lui donner la lune.

Maman, je t'aime et jamais je ne t'oublierai.
Tu me manques.

Ta Nicole, xxx

J'ai donc enterré deux fois ma mère. Il y a douze ans décédait ma mère adoptive qui a toujours été ma mère. Il y a cinq mois décédait ma mère biologique qui a toujours été ma mère. Les termes *adoptif* et *biologique* ne sont là que pour des précisions d'identification, car une mère reste une mère dans tous les sens du mot. J'ai eu la chance d'avoir deux mamans. Elles ont toutes deux la première place dans mon cœur. Retrouver ma mère biologique n'a changé en rien mes sentiments envers mes parents adoptifs. Ils ont toujours été mes parents et ils le seront toujours. J'ai eu des parents merveilleux.

Maman, papa, je vous aime et je vous aimerai toujours.
Vous me manquez tout autant.

Céline, xxx

Céline Lemay,
Bécancour

Un ange venu du ciel

Je n'avais que dix-huit ans à l'époque. Je venais de me séparer de mon mari, et j'avais la garde de mon petit bébé de six mois. Quelques mois plus tard, j'ai rencontré un autre homme et, encore dans mon innocence d'adolescente, je me suis retrouvée enceinte de nouveau. J'en ai fait une dépression. Agressive, j'ai expédié le père hors de ma vie bien avant la naissance du bébé. J'ai aussi essayé de faire disparaître ce bébé que je portais par toutes sortes de moyens, sauf l'avortement, car je n'en avais pas les moyens financiers. De plus, ce geste n'était pas encore accepté dans notre système de la santé et j'avais peur des charlatans. J'ai voulu faire mourir cette vie en moi, mais elle restait là, agrippée dans mon ventre.

Comme ma grossesse suivait son cours, la fureur s'est emparée de moi. *Je le donnerai, pas question de garder cet enfant!* Je ne me voyais pas, à dix-huit ans, seule avec deux enfants. Ma mère, avec toute la douceur et la diplomatie qu'elle devait bien sûr employer avec moi durant cette période, osa essayer de me faire abandonner cette idée si grotesque.

Puis, arriva le moment où je dus donner le jour à ce petit être dans la noirceur de ma vie. Il était là, en attente, les contractions s'étant arrêtées, comme s'il voulait que je lui donne la permission de naître. Puis, en un instant, si fort à me démontrer sa présence que je ne pouvais plus tolérer la douleur tellement elle était intense. Je criais qu'on me donne un calmant, je voulais tout casser.

Et voilà, ce fut le moment, et j'entendis ses pleurs de nouveau-né. Je ne voulais même pas le regarder, alors le médecin s'empressa de m'apporter documents et stylo pour l'adoption; il ne me restait qu'à signer. Je me souviens si bien d'avoir vu ma mère faire signe à l'infirmière d'apporter le bébé tout frais lavé de sa première toilette. Ma mère l'a pris et l'a blotti contre moi, dans mes bras. Je n'ai pas eu le temps de réagir, c'était fait. Toujours avec sa grande douceur, elle m'a dit: «Regarde comme il est beau!»

Jamais je n'oublierai cet instant. *Beau,* ce mot n'était pas suffisant pour le définir. Pas comme un bébé naissant, habituellement tout bouffi avec des yeux bleu marin. Il a ouvert ses grands yeux qui étaient d'un bleu ciel *miraculeux* et sa peau était comme de la soie. À partir de ce moment, j'ai cru qu'il m'était arrivé d'en haut, comme un petit ange descendu du ciel, juste pour moi. J'ai repoussé les papiers sans dire un mot mais avec un geste déterminé, puis ma mère et moi avons pleuré. J'ai pleuré, pleuré d'avoir osé penser donner ce petit être. Je m'en voulais tellement.

Aujourd'hui, il a trente-huit beaux printemps. Il a grandi et a gardé sa beauté que les cieux lui ont prodiguée. C'est mon homme spirituel avec des dons surnaturels. De toute sa personne émane l'amour qu'il a pour ses enfants et pour les gens autour de lui, la bonté de cœur qu'il éprouve envers tous ces handicapés qu'il conduit à travers les rues de sa ville, comme chauffeur d'autobus du transport adapté de Sherbrooke. Il accourt toujours avec ses ailes pour répondre à leurs besoins. C'est mon fils Steve!

Johanne Plante,
Sherbrooke

Le hasard
fait bien les choses

Papa est décédé le 17 janvier 2005 après avoir été longuement malade du cœur. Sur son lit de mort, maman lui a demandé de lui faire retrouver son petit-fils qu'elle n'avait pas vu depuis plus de vingt ans.

Souvent, après un divorce, les mésententes dans le couple causent aussi des peines aux membres de la famille, surtout lorsqu'il a un ou des enfants et, bien sûr, les grands-parents en souffrent aussi. C'est ce qui s'est passé dans notre cas, alors que mes parents ont vu leur petit-fils pour la dernière fois alors qu'il avait environ sept ans. Les années ont passé et chacun, en vieillissant, espérait toujours qu'un jour... Mais voilà, le temps s'écoulait et rien n'arrivait. Maman avait la mort dans l'âme et papa, silencieux comme toujours, vivait d'espoir.

Le 19 janvier 2005, en allant chercher les signets pour le décès de papa afin de les distribuer dans la famille, nous décidons, maman et moi, d'aller manger dans un petit resto non loin de là. Mangeant silencieusement, nous avons le cœur gros toutes les deux. Tout à coup, maman voit arriver une voiture avec deux hommes. Lorsque le premier descend de l'automobile, un beau jeune homme, maman s'écrie: «Regarde, c'est Pierrot». Et quand le deuxième descend, elle répète encore: «Je suis certaine que c'est lui, il est avec son grand-papa C.» Je lui réponds: «Aussitôt qu'ils entreront dans le restaurant, je vais aller les voir pour vérifier, maman, mais je pense que tu as raison, c'est bien Pierrot avec son grand-papa C.»

Monsieur C entre, suivi du jeune homme. Je n'hésite pas une seconde et je me précipite à leur rencontre. Je demande au jeune homme, âgé de trente ans environ: «Serais-tu Pierrot G?» Il me répond oui. Je me jette alors dans ses bras en pleurant et je lui dis: «Je suis la sœur de ton père et ta grand-mère est ici. Veux-tu la voir?» Le grand-papa maternel, qui est témoin, pleure lui aussi à chaudes larmes, ainsi que Pierrot.

Quand Pierrot s'approche et prend sa grand-mère dans ses bras, tout le monde pleure dans le restaurant.

Ouf! quelle journée chargée d'émotion!

Papa, là-haut, a bien fait son travail. Il a exaucé maman très rapidement. Deux jours seulement après son décès, la rencontre a eu lieu. Pierrot et son grand-père se sont arrêtés spontanément dans ce restaurant, qu'ils ne connaissaient ni l'un ni l'autre, simplement pour prendre un café.

Par la suite, toute la famille s'est rencontrée, car Pierrot a une femme et trois mignonnes filles que nous avons maintenant retrouvées. Le papa de Pierrot – mon frère – ainsi que sa deuxième épouse font également partie des retrouvailles, car il n'avait jamais revu son fils depuis son divorce. Il ne connaissait donc pas l'existence de ses trois petites-filles. Il est maintenant un heureux grand-papa. Quel bonheur pour toute la famille aujourd'hui réunie!

Francine Godin,
Magog

Les gants bioniques

Un matin de l'été 1994, il faisait plein soleil. Une matinée qui vous donne l'impression de vivre dès le réveil, l'impression d'être là, juste là, d'exister enfin pour quelque chose, un instinct, un éclair, le flash de l'absolue raison.

Fiston a quatre ans, il joue dehors avec ses amis Marc-André et Julie. Je me baigne de lumière en faisant la vaisselle, mes tripes sachant qu'il se passera quelque chose, j'attends donc. Une fourchette ici, un verre là, le bruit des assiettes plongées dans un bassin d'eau savonneuse, la porte qui s'ouvre avec fracas, et Marc-André qui entre.

Marc-André aussi a quatre ou cinq ans, et il bégaye. S'il est calme, on le comprend, autrement il est incompréhensible de bb-bb-bbbbb. Marc-André entre en coup de vent dans ma cuisine sans cogner, sans s'annoncer et se plante devant moi. L'instinct revient dans mes tripes et me mord.

– Dd-dd-dd-aa-nnnn, dit-il.

– Marc-André, qu'est-ce qu'il y a?

– Dd-dd-dd-aa-nnnnnnnnnnn. Il me pointe l'extérieur. Julie reste plantée là, elle pleure.

– Que se passe-t-il, Julie?

J'essaie de couvrir les *Dd-dd-dd-aa-nnnn* de Marc-André et je demande, énervée:

– Qu'est-ce qu'il y a? Il est arrivé quelque chose à mon fils?

– Dan est mort, me répond enfin Julie.

Le ciel n'est plus, le soleil est parti avec lui, la terre même n'existe plus. Il ne reste que mon ventre, mon ventre et la peur, l'insondable bouillon de peur qui naît en moi. Et, d'un calme qui me vient de je ne sais où, j'articule:

– Il est où?

Deux petits doigts de deux petits amis me pointent la rue derrière chez moi. Deux petits amis qui pleurent maintenant à chaudes larmes, effrayés.

Et tous ces obstacles à franchir pour me rendre auprès de lui: la porte-fenêtre, vingt-cinq pieds de terrain, une clôture de broche d'environ quatre pieds de haut, un stationnement, la rue. Je fracasse la porte-fenêtre en l'ouvrant, je franchis le terrain en deux secondes. Dans mon élan, je passe par-dessus la clôture en saut en hauteur, comme on faisait à la petite école. Je traverse le stationnement en trois secondes, et je suis dans la rue en moins de quinze secondes. Top chrono, digne d'un film, sans trame sonore sinon les pulsations du sang qui martèle mes tempes. Mon fils est là, sous la voiture, des tas d'autres voitures sont arrêtées derrière et devant, sa bicyclette est juste à côté, la roue avant tordue, la fourche brisée.

Toute cette foule silencieuse devant mon petit étendu sous une voiture, personne ne bouge, personne ne dit mot et, moi, je me sens hystérique jusqu'au fond des yeux. Soudain, d'un geste calme, étonnamment calme, je me penche et je m'agenouille près de sa jolie tête blonde. Il ouvre les yeux et me regarde, perdu, en état de choc sans doute, sa jambe sous la roue. *Il faut le sortir de là, mais comment?* Ce que la foule verra cette journée-là restera longtemps bien vivant dans l'histoire. Ce n'est ni un potin ni une légende, c'est un fait vécu.

La foule voit une toute petite femme d'environ vingt ans, pesant plus ou moins cent livres, portant des gants de caoutchouc jaunes comme ceux qu'on met pour laver la vaisselle, s'accroupir devant le pare-choc de la voiture sous laquelle gît son fils. Elle empoigne le dessous du pare-choc et soulève la voiture, puis avec l'un de ses pieds, elle pousse délicatement la jambe de son fils qui est sous la roue, et redépose la voiture prestement sous les *oooh* et les *aaah* d'une foule médusée. Elle enlève ensuite ses gants jaunes, prend son fils dans ses bras si doucement qu'on aurait dit qu'il est fait de papier de soie. Puis, elle lui raconte une histoire, au son des sirènes de l'ambulance qui arrive sur les lieux.

Quelques années plus tard, Dan revient de l'école à pied. Oui, il a tous ses morceaux. Il a survécu miraculeusement à l'accident, sans os cassé, sans trop de dommages et il m'apprend qu'il a dû composer une histoire dans son cours de français. Une histoire qui devait raconter ce qu'il avait vu de plus mystérieux dans sa vie. Il me confie avoir terminé son texte en écrivant: *Une chanson populaire dit que «le plus fort, c'est mon père», dans mon cas, la plus forte, c'est ma mère.*

Il m'arrive parfois d'angoisser quand je repense à cette journée, d'avoir encore les tripes qui se tordent quand, dans ma tête, résonnent encore les pleurs de Marc-André et de Julie. Quand j'entends des histoires d'horreur, quand j'ai peur lorsqu'il est en retard, quand il étend ses ailes pour vivre sa vie. Mais il m'arrive parallèlement de sourire, parce que j'ai su, cette journée-là, que peu importe ce qui arrivera à mon fils, je saurai trouver la force, d'où qu'elle vienne, pour le sortir des impasses.

Martyne Desmeules,
Nicolet

Félix premier

À l'automne de l'année 2000, le deuil a frappé solidement notre famille. Mon garçon Samuel, qui avait 2 ans à cette époque, venait de perdre sa grand-maman chérie, c'est-à-dire ma mère. Depuis quelques mois déjà, il avait un compagnon qui partageait sa chambre. N'ayant pas de frère ni de sœur, nous lui avions acheté un poisson rouge qu'il avait tendrement nommé Félix. Ce dernier faisait partie de notre famille depuis le printemps et Samuel en prenait bien soin, même un peu trop! Parfois, je devais enlever quelques flocons de nourriture à la surface de l'eau par peur qu'il en mange trop.

Un jour, lorsque Samuel n'était pas à la maison, je me suis aperçue que Félix flottait à la surface de l'eau. Quel malheur! À mon grand désarroi, j'ai immédiatement repêché Félix dans son bocal pour le laisser partir dans les égouts de la ville, en passant par notre salle de bain. Instinctivement, sans hésiter, dans mon cœur de mère, je ne pouvais pas annoncer à mon fils le départ de son poisson chéri. Sans comparer la mort d'une grand-maman à celle d'un poisson rouge, il avait quand même déjà un vide assez difficile à accepter dans sa vie. J'ai donc décidé de partir à la recherche de Félix deuxième. Ce qui était particulier, c'est que Samuel parlait à Félix tous les jours et, avec son souci du détail, mon garçon connaissait bien son poisson. Je devais donc m'assurer que le deuxième soit identique au premier afin qu'il n'y ait aucun doute et aucun indice de la perte de Félix premier.

J'ai pris mon courage à deux mains et je me suis empressée d'aller à l'animalerie avant le retour de Samuel. Comme la majorité des bonnes animaleries, il y avait un choix immense de poissons rouges! Je me suis confiée à la commis et, pour les besoins de la cause, elle m'a aidée dans cette aventure! Accroupies, nous regardions attentivement les nombreux petits poissons rouges et je tentais d'identifier un *sosie*, un double, un jumeau de Félix premier. Non, celui-là est trop foncé, celui-ci a une rayure, *ouf!* Ah! le voilà! En le pointant et en le suivant du doigt, et grâce à l'agilité de la commis, nous avons finalement trouvé Félix deuxième.

De retour à la maison, j'ai installé Félix deuxième dans le même bocal que son prédécesseur. Tout devait être identique! Lorsque Samuel est arrivé, après m'avoir donné un câlin, il s'est empressé de monter dans sa chambre pour aller voir son Félix! Soudain, j'entendis: «Maman, maman, viens ici!» J'ai pris une grande respiration et, en montant l'escalier vers sa chambre, je tentais de cacher mon inquiétude. En arrivant près de lui, Samuel pointa le poisson avec son petit doigt et me demanda: «C'est qui, lui?» J'ai regardé mon fils avec un air *incertain* et je lui ai répondu: «C'est Félix?!» Il regarda le poisson attentivement, me regarda, redirigea son attention sur le poisson encore une fois, pour finalement me répondre: «Ah! il a grandi!» Avec un soupir de soulagement, j'ai répondu: «Ah! sûrement!»

À vrai dire, nous avons eu quelques Félix à la maison. Aujourd'hui, Samuel a treize ans, il connaît la *vraie* histoire des poissons rouges et il comprend très bien que le seul intérêt de sa maman était de le protéger, étant donné la grande perte qui nous habitait tous déjà!

Josée Lacourse,
Gatineau

Il n'entendra jamais «papa»

Il n'a jamais changé les couches, mouché les nez, entendu les gazouillis des bambins. Il n'a pas pris leurs mains quand il fallait se rendre à la maternelle pour la première journée. Il n'a jamais reçu de petites cartes faites par de petites mains. Il n'est pas sur les dessins où il y a papa et maman. Il ne sait pas non plus comment consoler une peine d'amitié à six ans. Il ne verra jamais le soleil dans les yeux des premiers anniversaires.

Quand il est arrivé dans nos vies, les garçons étaient déjà grands. La maternelle était chose du passé. Les premières écorchures aussi. Quand il est arrivé dans nos vies, les petits derrières s'essuyaient tout seuls. Le langage était acquis. Les chandelles des premiers anniversaires étaient déjà soufflées.

Quand il est arrivé dans nos vies, il savait. Il savait que mon corps n'aurait plus d'enfant. Il savait que ceux que j'avais déjà mis au monde seraient les seuls enfants dans notre vie. Il savait, et il est resté.

Quand il est arrivé dans nos vies, il a accepté d'entendre: «Tu n'es pas mon père.» Il a accepté de ne pas être sur aucun dessin du passé. Il a accepté de plonger dans nos univers, à notre manière.

Quand il est arrivé dans nos vies, il a su, en regardant mes enfants, qu'il serait souvent le dernier. Il a su que les priorités seraient chamboulées. Que ce n'était pas seulement un *lui* et une *elle*, mais des *eux*. Il a su que sa vie allait devenir aussi chaotique que la mienne. Il a su qu'il allait, en accéléré, apprendre la patience, la maturité, la négociation, le fait de devoir être *l'exemple*.

Quand il est arrivé dans nos vies, d'abord timide, il a observé, puis il s'est joint tranquillement à nous, à nos jeux, à notre table, à notre maison, à nos matins. Il a appris qu'une salle de bain se partageait, qu'un cri de détresse équivalait à l'abandon de tout ce qui se passe au moment même. Il a appris que les larmes étaient parfois dures à ravaler. Il a appris les rires aussi, les spectacles dans le salon, les déguisements, les jeux en famille. Les sourires, tellement grands, quand il disait: «On va faire du bateau, les gars?» Il a ramené un gros chien jaune doré dans notre maison en disant: «Les gars veulent avoir un chien, bon!» malgré ma *face de baboune*.

Quand il est arrivé dans nos vies, il savait – sans vraiment savoir – qu'il allait devoir accepter d'être un substitut toute sa vie. Il savait qu'il n'entendrait jamais «papa». Il savait que, malgré tout l'amour qu'il pourrait leur donner, il ne remplacerait jamais, dans leurs cœurs, l'autre, le vrai. Il savait que, malgré tous ses bons soins, il n'aurait jamais la place de l'autre sur les dessins d'enfants. Il savait qu'il lui manquait des années, des mois, des jours de complicité.

Quand il est arrivé dans nos vies, il a laissé derrière lui quelques bagages, ses maux d'adolescent attardé, ses trucs de vingtaine. Il a su, instinctivement, qu'il devenait adulte et responsable, qu'il était désormais devenu un pilier pour nous. Puis, il s'est lancé, sans demander pourquoi ni comment. Avec son cœur gonflé à bloc, il a plongé dans le vide avec tout ce qu'il possédait, tout ce qu'il était, sans jamais rechigner, sans jamais demander, mais plutôt en souriant. Parce qu'il savait que parfois les mots ne disent rien; parfois juste un regard, juste un câlin, juste un sourire, c'est comme tout un poème.

L'autre jour, il a demandé à ma sœur, en souriant, s'il pouvait assister à l'échographie de son prochain bébé: «Je ne pense pas que je pourrai voir ça un jour, sinon en regardant les radiographies des gars!» Et il a ri, j'ai ri, nous avons tous ri, mais nous savions qu'il aurait tant aimé. Ma sœur lui a généreusement répondu: «C'est certain que tu peux!» et il a souri.

Quand parfois – puisque ça arrive – l'un des gamins se trompe et s'adresse à lui en disant: «Papa, heu, Pat?» il sourit. Il sait que ce n'est ni son titre ni son rôle, mais il sourit parce qu'ainsi, à travers les langues fourchues, il entend ce qu'il pensait ne jamais entendre.

Quand un des garçons lance: «Maman, j'ai besoin d'un nouveau pantalon», souvent c'est lui qui me redemande si j'ai
pensé à aller en acheter. Quand l'autre a besoin de sous pour
dîner, c'est souvent lui qui laisse l'argent sur le petit plateau
tournant, sur la table de la cuisine, pour qu'au matin, le jeune
le trouve. Quand un pneu de bicyclette se dégonfle, il le répare,
parfois même sans que personne ne le remarque. Quand mon
adorable apprend à conduire, c'est son gros camion rouge qu'il
prête. Quand un orage s'annonce, c'est près de Benny-le-kid
qu'il va, parce qu'il sait, parce qu'il protège, parce qu'il aime.

Quand le soir les gars lui souhaitent bonne nuit, il sait qu'il
est pour eux un beau-père. Il sait que, dans ses veines coule un
autre sang que le leur. Il leur souhaite de beaux rêves, dépose
un baiser sur leur front, puis sourit.

Il sourit parce qu'il sait, il sent, il voit. Il sait qu'il n'entendra pas: «Bonne fête, papa» ce dimanche, mais il peut tous les
jours entendre: «Merci, Patrick». «Peux-tu venir me conduire
chez un ami, Pat?» «J'aurais besoin de 5 $, s'il te plaît.» «Tu
l'aimes, maman, hein?» Il sait qu'il est pour eux un peu comme
un papa.

Ce dimanche, il ne recevra pas de traditionnelle carte de
fête des Pères, il ne recevra pas l'attention générale, il ne recevra aucun appel de ses parents pour lui souhaiter, à lui aussi,
une bonne fête. Non, ce dimanche, il tondra probablement le
gazon, puis ira peut-être se balader en moto. Il fera le souper,
comme presque tous les dimanches, sans espérer, sans demander, en souriant.

Ce dimanche, à la fête des Pères, il sourira, parce qu'il sait,
il sent, il voit, il vit, il l'accepte, il m'aime, il nous aime.

Martyne Desmeules,
Nicolet

Un cadeau de chair

Nous sommes le 28 décembre 1960, il est onze heures trente. Nous vivons dans une jolie maison sur la rue Pierre-Martin, dans ce que les gens appelaient autrefois le *quartier militaire,* juste derrière le centre commercial Place Laurier, à Sainte-Foy. Mon père est caporal dans le Royal 22e Régiment. Il a participé à la guerre de Corée et en a ramené, malgré toutes les horreurs vécues, quelques beaux souvenirs et cadeaux. Parmi ceux-là, hélas! un objet qui changera ma vie à jamais.

* *

J'ai trois mois et demi et je suis éveillée. Petit poupon heureux qui gazouille, je pousse de petits cris d'excitation et j'agite mains et jambes; je porte des petits chaussons en laine que maman a tricotés juste pour moi. Soudain, mes pieds se frottent l'un contre l'autre et, *tic,* une étincelle jaillit, un bruit inquiétant se fait entendre, puis je prends *feu*! Alors, je fais la seule chose que je sais faire et que je peux faire, je pleure. Très vite dans les tourments de la douleur, mes pleurs se transforment en hurlements. C'est un appel au secours.

Non loin de là, un soldat qui sort de chez lui se précipite en courant à toute allure en apercevant la fumée s'élever du deuxième étage de notre maison. Mes deux frères ont déjà été sauvés du brasier, le plus vieux n'a rien et l'autre a été légèrement incommodé par la fumée. Le soldat entend les cris de ma mère qui s'élèvent par-dessus le brouhaha des curieux: *Sauvez mon bébé! Mon bébé!* Il se précipite, entre chez nous, monte les escaliers quatre à quatre, il n'a pas peur. Après les affres de la guerre, il peut tout endurer et tout voir, pourtant... Il s'approche de ce qui reste de la couchette, et met quelques instants à réaliser que cette petite chose informe, d'où émanent fumée et odeur de chair calcinée, est un petit poupon, ou du moins ce qu'il reste de moi. Malgré lui, des larmes coulent sur ses joues. Doucement, il m'enveloppe dans un pan de rideau qu'il a arraché. Sa logique lui dit que je suis morte, mais son cœur implore l'espoir. Il me prend dans ses bras et m'emporte loin du brasier.

Me voici résidante au centre pour grands brûlés de l'hôpital du Saint-Sacrement de Québec. Les médecins n'en reviennent pas, je suis en vie! Pourtant, je suis brûlée au deuxième et troisième degré sur une grande partie de mon corps. Mes jambes sont repliées et collées l'une à l'autre. Mon bras gauche est tordu et mes doigts sont brûlés et courbés. Je n'ai plus aucun orteil, plus de talons et rien qui pourrait vous faire penser que j'ai déjà eu des pieds. Mon ventre, mes fesses, mes hanches sont brûlés au troisième degré. Certains de mes os ont quitté leur endroit d'origine, ce qui fait de moi un pantin désarticulé. Mais je vis!

Plus tard, les médecins diront à mes parents que je devais avoir une volonté de vivre incommensurable pour réussir à traverser ces épreuves: une amputation de la jambe gauche, et plus de cinquante-six chirurgies et greffes. Mais cette nuit-là, celui qui, sans le savoir, m'avait fait frôler la mort m'a permis de vivre.

En effet, comment mon père, ce héros de guerre, aurait-il pu deviner que la poupée rapportée de Corée, faite de caoutchouc et remplie de gaz, exploserait au contact d'une étincelle produite par la statique de la laine? Cette nuit-là, donc, mon père se fit raser la peau des épaules aux poignets, et m'offrit la vie en me donnant sa chair. Sans ce don je serais morte. Vous dire que je lui en suis reconnaissante serait trop peu. Répéter à refrain que je l'aime ne serait pas assez. Alors, chaque instant je célèbre la vie, celle que mon père m'a donnée en cadeau de chair!

Merci, papa, de la part de ta fille unique.

Nicole Coté Réta,
Saint-Jean-de-Luz,
sud de la France

L'homme le plus fort
du monde et sa princesse

Cette histoire n'a rien d'un conte de fées ni d'une pièce de théâtre sans précédent. Elle n'a rien d'un scénario de film à grand déploiement ni d'une populaire comptine pour endormir les enfants. Elle ne dure que quelques minutes tout au plus. Cette histoire n'est en fait qu'espoir aux yeux d'une fille aînée.

Ce fut au début de février que l'homme le plus fort de la terre et la plus jolie princesse du monde se promirent pour l'éternité. S'engageant à se chérir des années durant, ce couple d'amoureux, qui se connaissait déjà pourtant depuis de nombreuses années, devint un couple de nouveaux mariés.

La soirée avait été pensée et organisée dans la plus grande simplicité et ne conviait pas plus de dix invités autour de la table. Seuls les plus proches parents s'y trouvaient; les autres n'avaient pas été informés de l'événement, les mariés ne voulant pas déranger trop de gens pour célébrer l'officialisation d'une union de fait. Ce soir-là, les absents manquèrent cependant le plus beau spectacle qui m'ait été donné de voir.

À la fin du repas, mon père se leva de table et mit un disque compact dans le lecteur. Se rapprochant de ma mère lentement, mais avec une certaine nervosité dans chacun de ses mouvements, il la regarda droit dans les yeux et sa voix grave s'éleva. Les dix personnes assises autour de la table n'en furent pas moins stupéfaites que je l'étais moi-même. Des mois durant, mon père avait pratiqué et pratiqué, sans relâche, pour chanter à ma mère une chanson qui se devait d'être plus que significative de leurs nombreuses années de vie commune. Harmonisant sa voix au son de la musique, il chanta à la seule femme qu'il a jamais aimée ce qu'elle représentait pour lui. La regardant droit dans les yeux et soutenant sans cesse son regard, il lui dit que, peu importe ce que la vie leur réservait, il serait toujours là pour elle. Et que, il le savait, elle serait toujours là pour lui.

À cet instant, le visage de ma mère ruisselait déjà de larmes, alors que sa gorge se serrait au fur et à mesure que sa respiration s'accélérait. Mon père n'est pas du genre à chanter de douces ballades. Il est plutôt été du genre à orchestrer un de ses fameux calembours, lesquels le définissent si bien comme le bon vivant qu'il est, et à partager un moment humoristique de plus avec sa tendre moitié. Il lui aurait été beaucoup plus facile d'effectuer un de ses petits *sketches* amusants, mais ce soir-là, au grand étonnement de tous, et de ma mère surtout, il se dépassa. Il réussit à ouvrir son cœur en musique afin d'offrir à ma mère non pas un côté de sa personnalité, mais bien une partie de son âme.

De tous les instants qu'il m'a été donné de partager avec mes parents, celui-là fut sans aucun doute le plus marquant et le plus riche en émotions. Tenant la caméra d'une main et un mouchoir de l'autre, je ne pouvais m'empêcher de verser presque autant de larmes que celle à qui était destinée la chanson. J'étais éblouie. Chaque parole traduisait un profond sentiment d'amour et une touche de magie. En les regardant tous les deux, j'eus alors le sentiment que leurs nombreuses années ensemble n'avaient que renforcé leur amour et que, malgré les tempêtes qu'ils avaient dû affronter, aucun des deux ne semblait désirer autre chose que la simple présence de l'autre. Les années n'avaient pas terni leur amour, bien au contraire, elles l'avaient sculpté et coloré.

On dit souvent qu'on n'aime vraiment qu'une fois dans une vie. Je m'estime chanceuse d'avoir vu de mes propres yeux le véritable amour sous sa forme la plus belle, celle de la simplicité. Je réponds à ceux qui ne croient pas aux miracles que j'ai été témoin du plus grandiose et du plus beau: celui de l'homme le plus fort du monde laissant tomber ses défenses aux pieds de sa princesse, celle-ci n'ayant jamais été aussi rayonnante.

Cette histoire n'est pas seulement un souvenir pour moi, leur fille aînée, c'est un espoir. L'espoir de trouver, moi aussi, l'homme parfait, mon prince charmant, celui qui me chantera *Une chance qu'on s'a...*

Ariane Jutras,
Val-d'Or

Solange et son bébé

Tout a débuté en 1951 pour Solange, une jeune maman de seize ans, rejetée, bien sûr, par la société de l'époque.

En 1950, Solange trimait dur entre ses études et les besognes de la maison. Tout ce qu'elle souhaitait était de seconder et de soulager sa mère, qu'elle aimait énormément. Ses efforts soutenus visaient à protéger sa mère de son père, un véritable tyran au foyer, qui ne craignait pas de molester sa femme, et qui était animé d'intentions incestueuses envers sa fille. Comme Solange ne s'y serait jamais soustraite pour rien au monde, elle fut donc contrainte de quitter le foyer familial à l'adolescence. Évidemment, cette décision, bien que très courageuse, apportait énormément d'insécurité pour cette jeune adolescente qui se trouvait à peine sortie de l'enfance.

Mais que faire lorsque vous êtes encore étudiante sans le moindre revenu, n'ayant nulle part où vous réfugier pendant un hiver rigoureux? Il faut dire que les ressources étaient loin d'être celles d'aujourd'hui. Solange eut l'idée de se réfugier chez une amie, Fleurange, mais elle craignait beaucoup de devenir rapidement un poids pour elle. Bien peu de gens étaient disposés à pourvoir à la subsistance d'une personne non issue de leur famille.

Solange choisit donc une piètre solution de dépannage. Elle trouva refuge dans une petite mansarde, un simple abri de taule servant à entreposer du bois de chauffage. Elle n'y trouva presque pas le sommeil, tant son corps frissonnait de partout, n'ayant pour toute chaleur qu'une vieille couverture et son petit manteau de drap.

Elle comprit assez vite que plus les nuits de novembre avanceraient, moins elle pourrait survivre au froid plus mordant qui s'annonçait. Ses chances de survie se trouvaient désormais compromises, sans oublier qu'elle mangeait rarement à sa faim. Donc, elle dut se résoudre à partir, une fois de plus. Mais pour aller où, vers qui, quoi faire pour s'en sortir? Son seul atout était sa stature qui lui donnait l'air plus vieux que son âge. Il faut dire également qu'elle était drôlement mignonne, la gamine. Ainsi, en prétendant avoir l'âge majeur, qui était de 21 ans à l'époque, elle espérait obtenir du travail à l'extérieur de son patelin.

Elle prit cette décision et fit ses adieux à son amie Fleurange. Mais, pour quitter son village, sans argent, une seule option s'offrait à elle: faire de l'auto-stop dans l'espoir de croiser un bon Samaritain qui la mènerait des Cantons-de-l'Est à la grande ville de Montréal, là où, aux dires de certains, il y avait du travail pour ceux qui en cherchaient.

Elle trouva donc, en attendant, un travail dans un petit restaurant où un beau monsieur fit un jour son entrée. Il était sûrement de dix ans son aîné, mais il avait un charme fou, tout en étant assez réservé. Solange ignorait pour quelle raison au juste mais, pour la toute première fois de sa vie, un homme lui inspirait véritablement confiance. Il émanait de lui à la fois maturité et respect. Il lui fallut une bonne dose de courage pour demander à cet inconnu de passage s'il accepterait de la conduire, selon son parcours, à la grande ville de Montréal. Il accepta...

La jeune fille monta à bord et, comme la nuit était déjà avancée, il lui proposa un arrêt dans un motel. Il était si doux, si respectueux, pensa Solange, qu'il n'aurait jamais osé la toucher si cela n'avait pas été son choix à elle. Pour la toute première fois de sa vie, elle dit oui. Elle n'avait jamais rencontré un homme aussi délicat et aussi attentionné envers elle. De plus, elle n'avait jamais ressenti un tel trouble intérieur pour un homme. Après cette nuit, elle ne l'a jamais revu, mais son souvenir est toujours resté aussi doux à la pensée de cette tendresse qui fut aussi merveilleuse qu'éphémère.

Une fois arrivée à Montréal, elle trouva finalement du travail dans un nouveau restaurant et comprit, dans les mois qui suivirent, que cette rencontre, aussi unique que magique, lui avait par contre laissé un cadeau plutôt inattendu. Eh oui, Solange attendait un bébé et son ventre grossissait rapidement! Elle ne connaissait pourtant rien à la maternité.

Elle était si jeune, et on ne parlait jamais de ces choses-là dans sa famille. Une fois de plus, elle devrait se débrouiller seule. Mais à seize ans et sans la moindre ressource familiale, à quel miracle peut-on s'attendre? Bientôt, on lui interdirait de travailler, car il était honteux à cette époque d'attendre un bébé sans être mariée. En désespoir de cause, Solange revint dans son patelin pour accoucher, mais elle avait toujours cru que ni Dieu ni ses anges ne la laisseraient tomber. Elle était bien déterminée à garder son bébé.

Hélas! la vie en décida autrement. Ce matin-là, l'univers de Solange bascula dans le vide. Elle accoucha difficilement après de nombreuses heures. Sa mère ne put se rendre à son chevet qu'à force de supplications sans relâche auprès de son époux. Son père renia méchamment cette bâtarde. On l'obligea à donner son bébé, sa petite Céline, à l'orphelinat. Elle qui avait tant espéré pouvoir se soustraire à cette issue fatale. Il ne lui restait, pour toute richesse, que le souvenir des yeux de ce mignon petit visage rondelet de son poupon bien trop rapidement disparu dans les bras d'une religieuse dès que les papiers furent signés.

Afin de mieux lui faire accepter le détachement si difficile, on se servit d'une fausseté: que l'enfant ne se trouvait pas en bonne santé. Pendant les nuits suivantes, Solange ne cessa de pleurer toutes les larmes de son corps. Jamais elle n'oublierait cette date aussi longtemps qu'elle vivrait, jamais elle n'oublierait non plus cet éclair d'intelligence qu'elle avait décelé dans les yeux brillants de sa petite fille. Mais Dieu que le monde devenait cruel pour cette jeune femme dont les rêves maternels se brisaient, comme tant de vagues sur un rocher! Solange se sentait tellement seule au monde, abandonnée de tous. Si elle n'avait pas eu la foi dans son cœur, elle ignore comment elle aurait pu survivre à un tel sentiment d'abandon.

Le temps est heureusement un grand maître et, quelques années plus tard, elle refit sa vie avec un homme très bon pour elle. Paul rêvait d'avoir des enfants, mais Solange ne pouvait plus enfanter. Cette nouvelle était aussi déchirante que le souvenir de cet abandon passé. Ils adoptèrent un petit garçon de deux ans, ainsi que des jumelles. Elle ne lui cacha rien de son histoire et il l'aima de tout son cœur, ce qu'elle lui rendit bien. Mais Solange n'avait pas oublié le passé. Tellement de questions restaient en suspens. Elle décida de chercher sa fille biologique.

De son côté, il aura fallu à sa fille, Céline, dix longues années d'attente interminable avant que la lumière jaillisse enfin au bout du tunnel, en 1996. Après des recherches auprès du mouvement Retrouvailles et des Services sociaux, on lui confirma *enfin* que sa mère biologique était toujours vivante et qu'elle était maintenant âgée de soixante ans.

Désormais, mère et fille sont devenues inséparables. Chacune remerciant sans cesse Dieu de les avoir de nouveau réunies. Ni l'une ni l'autre n'avaient jamais cessé de croire possible ce miracle de l'amour.

Céline Jacques,
Saint-Jérôme

Un petit miracle

Le 10 octobre 2001, enceinte, je me lève subitement à cause d'une crampe au ventre qui me réveille en sursaut. Au bout de quelques minutes, je sens en moi le bébé qui descend. Prise de panique, je réveille mon conjoint qui m'emmène à l'hôpital en moins de cinq minutes. Le verdict des médecins me frappe de plein fouet: je suis en train d'accoucher. Le problème est que je suis enceinte de vingt-cinq semaines seulement!

Bien qu'il soit très prématuré, mon fils vient au monde en vie. Il ne pèse qu'une livre et quatorze onces et subit un arrêt respiratoire de cinq longues minutes. Le pronostic est mauvais. À la suite de cet arrêt prolongé de sa respiration, les médecins estiment qu'il ne reste environ que vingt-quatre heures à vivre pour notre petit poupon. Notre cœur se déchire. Notre fils est tellement frêle, tellement minuscule! Il n'est pas plus gros qu'un petit chaton et n'a qu'une mince couche de peau sur les os. Il est branché de partout, des tubes et des fils lui sortent de la tête, du nombril et même des pieds. Son visage est noir comme la nuit, à cause du manque d'oxygène. Nous nous tenons au pied du lit, impuissants, attendant la mort de notre enfant qui était, quelques minutes auparavant, blotti au creux de mon ventre en toute sécurité.

Le matin venu, notre fils est toujours vivant. Les professionnels lui donnent maintenant moins de quarante-huit heures à vivre mais, de jour en jour, notre enfant tient bon et s'accroche tant bien que mal. Au bout d'une semaine, le médecin vient nous annoncer qu'il pourrait finalement s'en sortir. Quel soulagement, nous pouvons enfin souffler un peu! Notre joie est indescriptible. Les derniers jours avaient été imprégnés de peur, de doutes et de tant de tristesse. Maintenant, l'espoir revient, notre fils va survivre! Pour l'occasion, les infirmières lui impriment une nouvelle carte d'hôpital sur laquelle il n'est plus inscrit *bébé*, mais bien Sébastien.

Le 25 octobre 2001, c'est mon anniversaire. Je suis des plus heureuses, mon fils va mieux, il pèse maintenant près de deux livres, et l'espoir est maintenant bel et bien au rendez-vous.

Mais le téléphone sonne... c'est le médecin qui m'annonce que Sébastien a un souffle au cœur, qu'il se noie dans son propre sang. Il faut le transférer d'urgence au centre hospitalier de Québec afin d'opérer son petit cœur. Mon bonheur n'a été que de courte durée. Je m'effondre au bout du fil. J'avais pourtant cru que mon fils irait mieux...

Lorsque j'arrive à l'hôpital de Québec, le docteur m'informe que l'opération a 50% de chances de réussite. Encore une fois, je pose mon regard sur mon fils, le cœur brisé, suppliant Dieu de bien vouloir lui laisser une chance. Je le regarde partir, dans son ventre artificiel, poussé à toute vitesse par le personnel infirmier. Je ratisse le sol de la salle d'attente pendant près de trois heures, priant et suppliant sans arrêt.

Puis, les nouvelles arrivent enfin. Sébastien est en vie! Merci, Seigneur! Mais comme une bonne nouvelle ne vient jamais sans une mauvaise depuis sa naissance, on m'apprend que le rétablissement d'une telle opération ne se passera pas sans peine. Je pose les yeux sur mon poupon, un long tube blanc traverse maintenant sa peau. Il affiche une ecchymose de la taille d'un raisin, mais sur lui, elle paraît recouvrir son ventre en entier. On m'explique que ce tube se rend jusqu'à son cœur afin de drainer l'excès de sang.

Plusieurs jours s'écoulent et les médecins nous confirment que Sébastien est en voie de guérison. Je peux enfin le prendre dans mes bras pour la première fois. Les infirmières me demandent de retirer mes vêtements et je couche mon fils contre ma peau. Quelle sensation sublime! Un élan d'amour indescriptible envahit mon corps tout entier. J'ai peine à définir mes sentiments; je suis soulagée, émue, heureuse... je baigne dans un bonheur profond.

Le soir du 24 décembre, il est presque minuit. Mon conjoint et moi allons passer ce Noël avec Sébastien. Il nous a fait un immense cadeau, le plus beau qui soit. Il respire maintenant seul, il n'a plus besoin d'intubation, seulement d'un peu d'oxygène qu'on lui transmet par de petites lunettes nasales. Quel enfant fort et courageux!

Le deuxième jour du mois de février, nous pouvons enfin ramener Sébastien à la maison. Le cauchemar est terminé. Il pèse maintenant sept livres et une once et son cœur va bien.

Aujourd'hui, Sébastien a dix ans. Mis à part un léger problème de langage, il se porte à merveille. Je n'ai qu'une chose à dire: merci à tous ceux qui ont prié pour lui et qui nous ont soutenus durant cette longue et difficile épreuve. Et merci à toi, Seigneur, de nous avoir laissé notre fils, de lui avoir donné la chance de vivre.

Marie-Michelle Beaudin,
Québec

Fiez-vous au destin!

Je travaille comme secrétaire dans une clinique médicale et, comme vous pouvez l'imaginer, nous entendons tous les jours des histoires spéciales qui, souvent, frôlent l'horreur: des enfants ou des adultes battus, maltraités, violés, des cas d'erreurs médicales, des suicides, et j'en passe... Malgré tout, nous entendons à l'occasion de vraies bonnes histoires comme celles qui restent gravées longtemps dans notre mémoire, qui nous font ressentir de la compassion et beaucoup d'admiration pour ces gens éprouvés, mais ô combien courageux! Voici donc celle que de loin je préfère, et que je me plais à raconter à tout mon entourage. Cette histoire m'a été contée par le médecin traitant d'une famille particulière.

* *

Un jour, l'une de ses patientes devint enceinte de son quatrième enfant. Habituellement, une telle annonce est bienvenue et bien acceptée. Mais, pour cette femme, lorsque le médecin lui annonça la nouvelle, elle eut une réaction contraire qui montra son désarroi. Pour elle, c'était une catastrophe.

Malheureusement, elle ne voulait pas avoir un autre enfant, car deux de ses trois enfants étaient extrêmement malades, atteints d'une maladie rare du foie. Semaine après semaine et tant bien que mal, cette dame vécut sa grossesse dans l'incertitude et la peur terrible que son prochain bébé puisse, lui aussi, souffrir de cette même maladie. Tout au long de sa grossesse, elle passa plusieurs tests prénataux pour savoir si son enfant serait en bonne santé. À son cinquième mois, les résultats démontrèrent que le fœtus était en parfaite santé. Quel soulagement ce fut pour elle et sa famille; enfin une bonne nouvelle! La grossesse rendue à terme, une belle petite fille avec des yeux immenses naquit après tous ces longs mois d'inquiétude. On confirma que l'enfant était en très bonne santé; les parents en furent comblés.

Et les mois passèrent. La fillette grandit en beauté et la famille reprit sa routine quotidienne. Puis, sans qu'on s'y attende, la maladie de sa grande sœur s'aggrava et les spécialistes devaient procéder, dès que possible, à une greffe de moelle osseuse, une opération essentielle à sa survie. Toute la famille s'inquiéta pour l'état de santé de la jeune fille et chacun passa les tests requis afin de savoir qui pourrait être compatible avec elle. De plus, afin de mettre toutes les chances de leur côté, ces gens firent venir d'autres parents qui vivaient au loin dans leur pays natal, soit l'Amérique du Sud.

Après tous ces efforts et malgré le fait que plusieurs personnes se soient soumises aux tests, il s'avéra qu'aucune n'avait le profil de compatibilité recherché. Alors, en dernier recours, les parents acceptèrent que les spécialistes passent des tests à la cadette de leurs filles. Et qui, croyez-vous, fut compatible, pouvant ainsi sauver la vie de cette jeune fille? Eh oui, sa petite sœur!

Quelque temps plus tard, dès que toutes les dispositions furent prises pour pratiquer l'opération, les spécialistes procédèrent à la greffe de moelle osseuse. Sans doute grâce au destin et à cette merveilleuse petite fille âgée de trois ans, aux cheveux bouclés et au sourire irrésistible, sa grande sœur a pu recouvrer la santé sans que celle de la donneuse en soit affectée.

Chantale Bouffard,
Québec

Le bébé...
au poing fermé

Il était une fois une maman qui avait deux merveilleux petits garçons. L'un des petits garçons était né dix mois auparavant. Après plusieurs difficultés pour sa maman: menace de fausse couche, inquiétude et anxiété, elle avait pu finalement le sauver et le garder. Le petit bébé avait un sourire constant et enchanteur, qui ne l'a jamais quitté d'ailleurs. Son grand frère, alors âgé de trois ans et demi, était déjà un petit bonhomme plein d'entrain, aimant s'amuser, mais quelques fois il était très sérieux aussi. Deux enfants adorables.

Nous sommes le 21 février 1972. C'est précis parce que la maman avait tout écrit ce qui suit dans son agenda. Une date, un moment magique qu'elle n'oubliera jamais.

C'est l'heure de la collation, le bébé est assis dans sa chaise haute et sa maman lui donne des petits morceaux de pomme qu'il semble grignoter avec grand plaisir. Quel délice! La maman jase tendrement avec son bébé tandis que l'autre petit garçon s'amuse avec ses jouets, semblant très occupé de son côté.

Tout à coup, il délaisse ses jeux et s'approche de la chaise haute de son petit frère et, là, il s'arrête, il regarde, il semble observer attentivement et, pour la première fois, il constate quelque chose qui l'intrigue, quelque chose de *spécial*. Il regarde sa mère et lui dit: «Maman, pourquoi mon petit frère a un *poing fermé*?» La maman, le prenant dans ses bras, lui explique dans ses mots à elle que son petit frère n'a pas son poing fermé, que ça peut ressembler à ça, mais la raison est que la main gauche de son petit frère est tout simplement plus petite que sa main droite et qu'il n'a pas de doigts. Elle est différente, c'est tout. Elle ajoute qu'il est né ainsi, mais qu'il est quand même un beau petit bébé bien gentil et que sa maman l'aime beaucoup, beaucoup, comme elle l'aime, lui aussi, beaucoup, beaucoup.

Alors, le petit garçon de trois ans semble réfléchir et dit à
sa maman: «Mais il ne pourra pas jouer avec mes gros
camions, lui!» Et là, il part en courant dans sa chambre. La
maman ignore ce qu'il a vraiment compris, ce qu'il a pensé de
tout cela. *A-t-elle employé les bons mots? Est-il trop petit pour
comprendre? A-t-il de la peine?* Mais il revient quelques
instants plus tard et là... il tend à sa maman sa plus petite
auto et lui dit: «Tiens, maman, c'est pour la petite main
d'Alexandre.» Il avait très bien compris.

Jamais la maman n'oubliera cet instant. JAMAIS. Pendant
que de grosses larmes coulaient sur ses joues, serrant très très
fort dans ses bras son grand garçon, son cœur fut gonflé d'un
sentiment incommensurable d'amour, de joie, d'espoir, et la vie
lui sembla soudain très très belle.

Ce petit bébé, Alexandre, est devenu un graphiste professionnel très talentueux avec un cœur en or.

L'autre petit garçon, qui avait eu ce si beau geste d'amour,
s'appelle Mathieu. Il est devenu éditeur et c'est lui qui vous
offre ce merveilleux *Bouillon de poulet pour l'âme des Québécois.* C'est son rêve.

Et moi, je suis... leur maman.

Claire Leblanc,
Longueuil

6

TOUT EST
DANS L'ATTITUDE

*Dans la vie, nous avons à décider
si nous voulons bâtir sur la fierté plutôt
que sur la résignation, sur le changement
plutôt que sur l'immobilisme, sur
la confiance plutôt que sur la peur.*

Lucien Bouchard

Le record Guinness

Comme tout Québécois, le hockey fait partie intégrante de ma vie. Mon père m'a acheté ma première paire de patins à l'âge de quatre ans et je n'ai jamais cessé de jouer depuis.

En 2002, j'ai eu la chance d'être invité à l'émission de radio les Midis-Morency avec les animateurs François Morency et Éric Nolin. Après l'émission, Éric m'a dit:

– Patrick, je veux organiser une levée de fonds pour le Centre jeunesse de Montréal. Puisque tu joues au hockey, j'aimerais te demander si tu aimerais embarquer dans l'aventure.

– Sûrement! que je lui répondis. J'adore le hockey et les enfants. Quel est ton projet exactement?

Il m'expliqua alors qu'il voulait organiser la plus longue partie de hockey au monde, soit vingt-quatre heures et quinze minutes sans interruption.

– Si jamais on réussit, on établira un record Guinness! ajouta-t-il.

Je n'hésitai pas à répliquer:

– Éric, ça n'a pas de bon sens, ton projet est impossible! Après avoir joué une partie de quatre-vingt-dix minutes, on est complètement épuisés, vidés et on perd en moyenne trois livres. Alors, l'idée de jouer pendant plus de vingt-quatre heures n'a pas de sens!

Éric continua et voulut me motiver:

– Écoute Patrick, tu te dois d'être là! La majorité de ces enfants pour qui on fait cette partie n'ont pas de parents et vivent dans des foyers d'accueil. Et même pour ceux qui sont encore avec leurs parents, ils vivent dans la pauvreté, n'ont souvent pas trois repas par jour et certains sont abusés physiquement et sexuellement!

Je l'interrompis finalement:

– Éric, arrête tout de suite! Je m'engage à être présent pour t'aider!

La partie débuta à dix-neuf heures un vendredi soir à l'aréna du mont St-Antoine à Anjou et, parce qu'il y avait eu beaucoup de publicité à la radio, l'aréna était plein à craquer. Environ quatre cent personnes étaient assises dans les estrades, dont la moitié était des enfants du Centre jeunesse de Montréal. Les jeunes étaient nos entraîneurs, les chronométreurs et nos partisans. L'ambiance était électrisante avec les klaxons et les crécelles. Il y avait même sur place le D.J. du Centre Bell qui jouait de la musique entre les mises aux jeux, comme dans la ligue nationale de hockey.

Dès le début de la partie, le jeu était très ouvert; un but, deux buts, trois buts... À vingt-trois heures, après quatre heures de jeux, l'ambulance était déjà venue à quatre reprises. Il faut dire que ce n'était pas tout le monde qui était en pleine forme, mais la nourriture était offerte gracieusement par les restaurants locaux; soit des frites, des hot-dogs et de la pizza. Peu après minuit, l'aréna s'est graduellement vidé. Nous n'avions alors pratiquement plus de spectateurs dans les gradins; la nuit fut donc très longue et pénible. Nous avions mal partout. Vers cinq heures du matin, alors qu'on refaisait la glace avec la *Zambonie*, le capitaine de l'autre équipe est venu nous voir et nous a dit:

– On arrête le match, mes gars ne sont plus capables!

J'ai alors décidé d'aller parler au capitaine de l'autre équipe en privé. Je lui ai servi le même discours que mon ami Éric m'avait servi, en plus de lui dire:

– Notre épuisement et nos blessures ne sont rien en comparaison à ce que ces enfants vivent au quotidien. Et à sept heures, les enfants seront de retour dans l'aréna et ils s'attendront à ce qu'on soit là. Imagine-toi leurs visages s'ils apprennent qu'on les a abandonnés! Alors, va voir tes gars et dis-leur qu'ils ne sont pas ici pour eux mais pour les enfants!

– Tu as raison, Patrick, a acquiescé le capitaine. On va continuer encore, mais à une condition... On va continuer seulement si vous acceptez de ne plus faire de lancers frappés!

Je l'ai regardé, je lui ai serré la main et lui ai dit:

– C'est bon!

À compter de sept heures le matin, les enfants revinrent et remplirent de nouveau l'aréna. Le secrétaire d'État au Sport amateur, Denis Coderre, est même venu sur place afin d'homologuer notre record. La partie était tellement longue que, dans l'après-midi, les arbitres nous donnaient des pénalités de trente minutes pour avoir accroché!

Farce à part, grâce aux encouragements des jeunes, de nos familles, de nos amis et de la population, par miracle nous avons réussi à passer à travers la journée et nous rendre jusqu'à dix-neuf heures quinze le samedi soir. La sirène a retenti et nous avions réussi à battre le record Guinness de la plus longue partie de hockey au monde! *Wow!*

Alors que tous les joueurs des deux équipes étaient réunis au centre de la patinoire pour prendre des photos, l'annonceur a déclaré le pointage final:

– L'équipe de CKOI a remporté la victoire 275 à 143!

Mais le plus important est qu'il a également mentionné que nous avions réussi à amasser 5 000 $ pour le Centre jeunesse de Montréal durant ces deux journées! Un autre *Wow!* Nous étions tellement fiers de nous.

Après la partie, je me suis assis dans le vestiaire avec les autres joueurs. Les membres de nos familles, nos amis et les enfants étaient autour de nous pour célébrer notre accomplissement. J'étais complètement épuisé et vidé. Je venais de perdre au moins dix livres et je savais que je passerais quelques jours à avoir de la difficulté à marcher. À ce moment précis dans le vestiaire (je vais m'en souvenir toute ma vie car, le moins qu'on puisse dire, ça sentait vraiment l'esprit d'équipe!), une belle petite fille s'est approchée de moi. Elle avait environ dix ans, de longs cheveux bruns et de beaux grands yeux noisette; elle aurait pu facilement être ma fille. Elle faisait partie du Centre jeunesse de Montréal.

– Monsieur, est-ce que je pourrais vous demander quelque chose?

– Oui, bien sûr. Quel est ton nom?

– Catherine.

– Qu'est-ce que je peux faire pour toi, Catherine?

– J'aimerais bien avoir votre bâton de hockey, monsieur, s'il vous plaît.

Surpris, je lui réponds:

– J'aimerais bien te donner mon bâton, mais pas celui-ci, car je viens de battre un nouveau record Guinness avec ce hockey-là! De plus, j'ai compté soixante buts et fait quarante passes avec!

À ce moment-là, j'ai vu la déception dans les yeux de la petite Catherine. Elle a regardé vers le sol, son sourire a disparu et ses épaules se sont baissées. C'est à cet instant que j'ai réalisé à quel point j'étais égoïste. Ayant un moment de lucidité, je me suis dit: *Patrick, serais-tu en train d'oublier pourquoi tu as participé à cette rencontre?! Ce n'est pas pour toi, mais bien pour les enfants que tu es ici. Tu as tout dans la vie devant toi et eux, ils n'ont pratiquement rien!*

J'ai alors pris mon bâton de hockey et j'ai dit à la petite Catherine:

– Tiens, Catherine, voilà mon bâton de hockey! Ça me fait plaisir de te le donner!

Un grand sourire est alors réapparu sur son visage, ses yeux se sont ouverts grand et ses épaules se sont redressées. Mon bâton de hockey semblait être l'objet le plus précieux qu'elle avait reçu dans sa vie. Catherine m'a alors regardé avec son beau sourire et, me tendant mon bâton, elle m'a dit:

– Monsieur, pouvez-vous signer mon bâton, s'il vous plaît?

– Bien sûr!

À mon tour, un sourire est apparu sur mon visage, mes yeux se sont ouverts grand et mes épaules se sont redressées! Je n'ai jamais atteint mon rêve de jouer dans la ligue nationale de hockey, mais à cet instant précis, j'ai ressenti probablement le même sentiment que les joueurs professionnels éprouvent lorsqu'ils se font demander des autographes.

Alors que je lui remettais mon bâton signé, je n'oublierai jamais les mots qu'elle m'a dits à ce moment-là. Avec tout l'amour qu'une petite fille de dix ans peut avoir en elle, elle m'a serré dans ses petits bras et m'a dit à l'oreille:

– Merci pour le hockey, monsieur, mais surtout merci beaucoup pour ce que vous avez fait pour nous les deux derniers jours!

Je me suis mis à pleurer comme un bébé; je n'oublierai jamais cet instant. Et juste comme je cessais de la serrer dans mes bras, Catherine a continué à me serrer encore pendant dix secondes. Ce fut là l'un des plus beaux moments de ma vie.

Cette aventure m'a fait réaliser à quel point nous sommes privilégiés et que plusieurs personnes n'ont pas cette chance. Une fois qu'on obtient tout le succès qu'on mérite dans la vie, je crois qu'il ne faut pas hésiter à donner aux autres, et ce, sans aucune attente de recevoir quelque chose en retour. Si on possède beaucoup d'argent, il faut donner de notre argent. Et si on possède moins d'argent, il faut donner de notre cœur et de notre temps, mais il faut donner beaucoup! Car plus on donne aux autres dans la vie, plus la vie nous donnera en retour tout ce dont nous avons besoin pour réaliser nos rêves les plus fous.

Patrick Leroux,
Blainville

Un coup de circuit

Le partage, c'est ce qui fait
d'un simple repas un grand festin...

Anonyme

Mon mari a toujours adoré le sport. Jeune, il a joué au hockey, au baseball et au football. Il dit souvent qu'il aurait pu devenir joueur de baseball professionnel. Maintenant, il surveille les parties au petit écran et il est toujours aussi enthousiaste.

Un jour d'avril, où nous étions en vacances pour deux semaines à Santiago de Cuba, nous avons rencontré à l'hôtel un Cubain du nom de Jose. Il nous invita chez lui pour prendre le repas du soir. Nous étions honorés de son invitation.

Santiago est une ville qui a été atteinte par plusieurs ouragans et tornades, laissant les maisons fragiles et avec une allure assez triste. La pauvreté est omniprésente.

Lors de notre visite chez notre ami cubain, mon mari remarqua deux enfants qui jouaient au baseball avec une branche d'arbre comme bâton et une canette tout écrasée en forme de balle. Voir ces petits s'amuser ainsi avec si peu nous a émus. Dans un élan de générosité, mon mari promit aux enfants de leur faire parvenir à chacun d'eux un gant et une balle de baseball.

Ils s'empressèrent de nous remercier avec un regard un peu incrédule: «Gracias Senior», et ils retournèrent à leur championnat des ligues majeures.

Une fois revenus à la maison, nous avons réalisé qu'il serait difficile d'envoyer un colis à une destination aussi incertaine que Cuba. Le risque que les enfants ne reçoivent pas l'équipement nous hantait. Mon mari a donc décidé que nous retournerions à Santiago afin d'apporter en mains propres notre cadeau. Notre idée prit de l'expansion... Et si on leur apportait tout l'équipement nécessaire pour une équipe complète de baseball?

C'est ainsi que mon bon Samaritain de mari s'est mis à visiter les marchés aux puces et à acheter plusieurs gants, balles, bâtons, sans oublier le plastron protecteur de l'arbitre, les jambières, le masque du receveur, et même des chandails et casquettes d'équipe.

Nous nous sommes rendus à Santiago de Cuba pour la deuxième fois au début novembre, en apportant l'équipement pour neuf enfants cubains. Ils connaissaient déjà le jour de notre arrivée et nous attendaient avec impatience. Ils étaient tous au rendez-vous dès six heures le matin. Comme le mauvais temps nous avait retardés, nous avons pu les rejoindre seulement vers quatorze heures. À notre arrivée, ils étaient tellement contents et excités; c'était très touchant de voir la fierté et le bonheur dans leurs yeux. À ce moment précis, le temps a semblé s'arrêter et j'ai ressenti une gamme d'émotions en moi, j'ai presque fondu en larmes. Les enfants ont joué au baseball dans la rue tout le reste de la journée, jusqu'à la noirceur avancée, en portant leur équipement.

Quelques jours plus tard, notre ami cubain, père de deux de ces enfants, est venu travailler à l'hôtel en portant sous sa chemise un des chandails de l'équipe. Avec toute la fierté d'un père, il a ouvert sa chemise pour montrer le chandail à une touriste qui était assise à son bar, et il lui a dit: «Regarde, c'est le chandail officiel de l'équipe de baseball de mes fils.»

Quelle aventure merveilleuse! Ce fut plus qu'un coup sûr; ce fut tout un coup de circuit!

Doris Jolicœur,
Rawdon

Une tape de chance...
sur le gant

J'ai commencé à travailler à l'âge de seize ans. Mon emploi consistait à livrer des télégrammes aux entreprises et aux maisons privées. À l'époque, j'étais quelque peu insouciant, je croyais que tout m'était dû et je n'avais aucun respect de l'autorité. Je ne prenais pas mon travail au sérieux. Entre mes livraisons, je m'amusais à jouer aux cartes avec mes compagnons de travail et il m'arrivait souvent de retarder mes tâches afin de poursuivre nos parties. Mon patron de l'époque, monsieur Guérin, avait toutes les raisons du monde de me montrer la porte. Bien au contraire, il agissait comme un père pour moi et pour plusieurs de mes collègues qui n'étaient pas plus vaillants que moi.

Je me souviens d'une fois, entre autres, où je lui avais piqué l'une de ces crises typiques de l'adolescent que j'étais. Il m'avait alors amené dans un coin et m'avait longuement sermonné. Il m'avait donné une énième chance et j'avais pu continuer à travailler pour cette entreprise où je gagnais un bon salaire. Un autre patron que lui m'aurait congédié sans remords, mais cet homme savait regarder plus profondément au creux des gens et nous aimer malgré nos défauts. J'ai travaillé pendant vingt-cinq ans pour cette entreprise et ce furent de très belles années.

Monsieur Guérin m'a donné une chance dans la vie et je lui en serai toujours reconnaissant. Grâce à lui, j'ai appris qu'on ne sait jamais tout le bien que l'on peut faire pour les autres et l'importance d'un mot bien placé, d'une phrase d'encouragement. Il m'a montré surtout comment prodiguer de l'amour aux gens qui m'entourent.

Il y a quelques années, je travaillais en tant que surveillant dans un aréna. L'une de mes fonctions consistait à ouvrir la porte aux joueurs de hockey au début et à la fin de chaque partie. Un après-midi, un jeune garçon, âgé d'environ dix ans avec qui j'avais déjà eu quelques conversations, avait été choisi afin d'être le gardien de but de la partie qui allait débuter sous peu. En attendant, nous discutions de la partie qui se jouait sur la patinoire. L'une des deux équipes menait par trois buts avec quelques minutes à faire en troisième période. Je lui dis que je croyais que c'était tout à fait normal que cette équipe se dirige vers une victoire puisque j'avais donné une petite tape sur le gant du gardien de but avant son entrée sur la glace et que c'était pour cette raison qu'il avait connu un excellent match.

Je savais que le gardien de but avec qui je conversais n'avait pas une très grande confiance en ses capacités. J'ai alors eu l'idée de lui donner, lui aussi, une tape sur le gant, en guise de motivation. J'avais eu raison de le faire puisqu'il m'a alors demandé d'être à ses côtés au début de la partie, ce que j'ai fait avec plaisir. Je suis ensuite parti grignoter une bouchée pour revenir au milieu de la troisième période. Pendant que je mangeais, j'ai repensé au geste que je venais de poser et une crainte s'est immiscé en moi.

J'avais tapé le gant du gardien afin de lui donner confiance, mais je n'avais pas pensé que, s'il finissait par perdre la partie, il croirait peut-être que mon geste avait produit l'effet contraire et il aurait plus de peine. Je me suis donc empressé de retourner vers la patinoire afin de vérifier le pointage et ma crainte a empiré lorsque j'ai constaté que l'équipe en question tirait de l'arrière cinq à zéro. Je tentais de trouver les bons mots que je dirais au gardien à sa sortie de la glace, la meilleure manière de l'encourager dans la défaite. J'avais peur de voir la déception sur son visage. Finalement, la partie s'est terminée six à zéro. Le jeune gardien sortit de la patinoire, me gratifia d'un grand sourire et me dit que la prochaine fois, le truc allait fonctionner. Il me demanda alors d'être présent à chacune de ses parties suivantes et de lui prodiguer la *tape de chance sur le gant*. Ce geste semblait le motiver et je voyais sa confiance en lui grandir au fil des semaines. Je constatais le plaisir que lui procurait cette toute petite attention, donnée gracieusement par un simple surveillant.

Aujourd'hui, je sais que, parfois, un simple geste, une infime preuve d'amour et de soutien peut engendrer la joie et même transformer une vie entière. Si monsieur Guérin ne m'avait pas donné une chance dans la vie et enseigné le vrai sens de l'amour et du partage, je ne posséderais certainement pas les mêmes valeurs que j'ai maintenant.

Monsieur Guérin est décédé le 8 novembre 2006, mais son amour restera à jamais dans tous les cœurs qu'il a touchés au cours de son existence. Ses enseignements continuent d'apporter le bonheur à tout plein de gens, par procuration.

Jean-Guy Payette,
Montréal

Et si mon père était là...

J'aurais aimé que mon père assiste à l'une de mes conférences. J'aurais aimé qu'il puisse me dire qu'il avait aimé ce qu'il avait vu ou entendu et, surtout, entendre son rire si contagieux. J'aurais aimé qu'il me dise, avec son accent italien: «Tu as finalement réussi et je suis fier de toi!»

Certes, nous voulons tous entendre ces paroles qui restent gravées dans notre esprit et dans notre cœur. J'aurais aimé entendre ces mots si précieux, mais la vie en a décidé autrement puisque mon père est décédé bien avant de pouvoir me les dire. J'étais alors furieux contre la Vie et en colère contre cette existence qui m'avait enlevé un père attentionné, drôle et généreux.

Mon père, je le tenais pour acquis. Il était pour moi éternel et personne ne viendrait me priver de sa présence. Mais qui a dit que la vie était juste? Moi qui étais un éternel optimiste, j'ai sombré pendant plus d'un an dans cette colère... J'étais en beau maudit contre la *Vie*; je ne lui faisais plus confiance. Elle m'avait littéralement trahi!

C'est alors qu'un jour je me suis inscrit à un cours sur l'énergie universelle. Rassurez-vous, rien d'ésotérique! Plutôt un cours spirituel pour reprendre conscience du pouvoir que nous détenons tous et des forces de la nature. C'est donc grâce à Francine Grenier, une femme au cœur débordant d'amour, et à la vue de ses yeux lumineux que j'ai compris que je devais d'abord apprendre à *remercier* chacun à tous les jours pour ce que j'avais déjà. Chose que je n'avais jamais faite auparavant! Eh oui, je tenais pour acquis mon père, ma mère, mes amis, ma conjointe, ma santé, mon travail et toutes les belles choses qui m'entouraient. Car, avouons-le, c'est facile d'oublier ce qui nous apparaît sans effort devant les yeux à tous les jours!

Étrangement, en apprenant à *remercier* tous les matins l'Univers pour tout ce que j'avais, celui-ci répondait en m'envoyant davantage de bonnes choses dans ma vie: de bonnes personnes, de belles opportunités, de belles journées, *etc.* C'est alors que j'ai réalisé que la meilleure façon d'attirer de bonnes choses dans ma vie était d'apprécier ce que j'avais, maintenant, dans cette minute bien précise.

Cela ne me ramènera pas mon père, mais ceci m'a fait réaliser qu'il faut que je sois présent pour les gens qui m'entourent: ma conjointe, les membres de ma famille, et nos amis également, car eux aussi, un jour, ne seront peut-être plus là!

La seule chose que je souhaite, c'est que mon père me voie de tout là-haut (peut-être perché sur un nuage) et qu'il puisse crier à l'Univers: «C'est mon fils! Il a finalement réussi et je suis fier de lui!»

Et vous?! Allez, courez vite à la cuisine dire à votre conjoint, à votre fils, à votre fille que vous êtes fier d'eux! *Remerciez* pour leur présence, *remerciez* la Vie pour ce beau cadeau, car vous êtes en vie et vous avez la chance de faire mieux *aujourd'hui*!

Bill Marchesin,
Saint-Césaire

Un merci spécial!

Ce sont toujours les chaudières vides
qui font le plus de bruit.

Anonyme

Nous étions un groupe de voyageurs, assis sur une terrasse à discuter de tout et de rien. À ma gauche se trouvait un homme du genre plutôt effacé. Sans le connaître vraiment, j'éprouvais pour lui une certaine compassion. Peut-être me rappelait-il l'enfant réservée que, moi aussi, j'avais été...

Toujours est-il que ce timide monsieur se risqua à partager son point de vue. À peine a-t-il eu le temps de prononcer quelques phrases qu'un autre lui avait déjà coupé la parole et avait ramené l'auditoire vers lui.

Sentant son malaise et sensible à la gêne qu'il devait éprouver, je me suis alors tournée vers lui et, mine de rien, j'ai continué à lui accorder mon attention.

Quelques heures plus tard, alors que le groupe se dissipait, il se tourna à son tour vers moi et me dit merci.

– Merci? Mais de quoi? lui demandai-je, tout étonnée.

– Merci de m'avoir écouté, me dit-il le plus timidement du monde. Et il s'éloigna.

Ce jour-là, j'ai compris que sous un extérieur sans éclat se cachent parfois les esprits les plus nobles. Il n'était certes pas l'orateur le plus éloquent, mais il avait ce que bien de fins causeurs n'auront jamais: *l'intelligence du cœur.*

Merci, monsieur, de m'avoir enseigné une leçon si importante!

Nicole Charest,
Mirabel

L'intermédiaire

J'aime être à l'écoute des autres et les aider. C'est pour cette raison que j'essaie, depuis plus de quarante ans, de poser un bon geste pour quelqu'un de façon quotidienne: ouvrir la porte aux gens, aider une voisine à déneiger son entrée, déblayer la voiture d'un de mes collègues, etc. C'est l'un de mes professeurs qui, à l'époque, nous avait transmis, à mes camarades de classe et à moi, cette mission de vie qui peut sembler anodine à première vue, mais qui cache une grande puissance. Elle engendre une grande source d'énergie positive. Une simple bonne action quotidienne se multiplie par son exemple. La personne qui l'accomplit reçoit beaucoup en retour, celle qui en bénéficie également ainsi que les spectateurs de la scène, qui reçoivent un message du cœur. Cette situation les incitera à raconter l'événement et à accomplir ce genre de geste à leur tour. La chaîne de bonnes énergies se poursuit infiniment et donne l'exemple de *donner au suivant!* Voici donc mon histoire, inspirée de cette philosophie de vie toute simple, mais combien gratifiante!

C'est la fin de semaine et j'en profite pour me rendre au centre commercial. Je n'ai pas conscience du temps qui passe, car je suis en mode *vivre le moment présent.* Je fouine, j'observe, je respire les odeurs, je découvre les nouveautés. Je profite au maximum de mon samedi de congé. J'entre dans l'un de mes magasins préférés, une boutique de cartes pour toutes les occasions; le temps s'arrête. Lorsque je suis à la recherche d'une carte, je prends le temps de bien choisir celle qui saura exprimer tous les sentiments que je veux transmettre. Cela ne représente pas une corvée pour moi; au contraire, c'est un plaisir et je m'amuse.

Pendant que je suis en pleine lecture de cartes de souhaits, trois femmes entrent ensemble dans la boutique. Trois dames de trois générations différentes. Il y a la grand-mère, la mère et une fillette d'environ dix ans. Elles se suivent l'une derrière l'autre, telle une section de train. La vieille dame semble préoccupée, la femme du milieu paraît agitée et impatiente tandis que la gamine les tourmente afin d'obtenir une peluche. Je ne peux toutefois que les entendre, puisqu'elles sont rendues de l'autre côté de l'étalage de cartes. La mère est mécontente du comportement de sa fille et ne se gêne pas pour la gronder haut et fort, exprimant des mots qui dépassent sûrement sa pensée. La jeune fille pleure et supplie. D'après ce que je peux comprendre, il s'est déroulé un événement tragique et le tou-tou représente quelqu'un de très cher pour la fillette. Sa mère maintient toutefois sa position et continue de parler fort sans sembler s'en rendre compte, possiblement dépourvue et triste elle aussi. Il est hors de question qu'elle achète cette peluche! En tant que spectatrice, cette scène me touche particulière-ment.

Je termine mes emplettes, me rends à la caisse et demande à l'employée si elle sait quel toutou la fillette désire tant obte-nir. Elle me le désigne, c'est une mignonne petite tortue. Je lui demande discrètement d'emballer la tortue dans un joli sac-cadeau et d'inscrire sur la carte: «Un ange t'offre ce présent.»

La semaine suivante, je retourne au même magasin, afin d'acheter une autre carte, bien sûr. La jeune caissière vient à ma rencontre et me demande si c'est bien moi la dame qui a acheté la peluche pour la jeune fille quelques jours aupara-vant. Je lui réponds par l'affirmative. D'un ton joyeux, elle me dit: «Madame, quel beau geste de votre part! Si vous aviez vu la réaction des trois femmes lorsqu'elles sont arrivées à la caisse! Quand nous avons remis le présent à la fillette, elles sont demeurées stupéfaites, sans voix. Elles se sont mises à pleurer, nous aussi d'ailleurs! On aurait dit que la jeune fille venait de comprendre qu'elle recevait un clin d'œil de l'au-delà et qu'elle ne serait dorénavant plus jamais seule. La perte d'un être cher était associée à cette tortue.»

Quelle belle histoire! J'avais suivi mon intuition sans me poser de questions, je m'étais sentie guidée, j'avais osé et j'étais maintenant très fière des résultats. Que d'énergie posi-tive!

La tension qui stagnait autour des trois dames était tom-bée, l'amour était revenu et s'était répandu sur elles, sur les deux employés du magasin et sur toutes les personnes qui les avaient côtoyées et à qui elles avaient raconté l'événement. Les effets de la bonne action avaient eu un impact extraordinaire sur bien des gens. Et maintenant, le fait que cette histoire soit racontée dans *Bouillon de poulet pour l'âme des Québécois* fera en sorte que de bonnes vibrations d'amour seront générées pour l'éternité, dans le monde entier...

Sylvie Harnois,
Trois-Rivières

Instinct maternel

Il y a plusieurs années, mon fils Samuel, maintenant âgé de vingt ans, souffrait d'asthme occasionnel. Comme son problème ne survenait que une ou deux fois l'an, il nous était très difficile d'en anticiper la manifestation.

Pendant le mois de juin, alors que la température était exceptionnellement chaude pour cette période de l'année, Samuel, alors âgé de neuf ans, avait contracté ce qui n'était, pour nous ses parents, qu'un banal rhume. Il n'avait pas vécu de crise d'asthme depuis plus de un an et je ne me doutais donc guère de ce qui allait lui arriver plus tard en soirée.

Il était légèrement fiévreux, sans plus. Il ne toussait pas et ne semblait pas se porter trop mal. Je tentai donc de soulager sa fièvre à l'aide de médicaments. Fatigué, il me demanda d'aller se coucher. Comme sa situation m'inquiétait un peu, je lui proposai de s'asseoir près de moi afin que je puisse le surveiller de plus près. Au bout de quelques minutes, insistant pour se mettre au lit, je lui en donnai la permission, après avoir examiné sa température qui n'avait pas diminué d'un cran.

J'essayai de me concentrer sur un film qui passait à la télévision, mais j'en étais incapable. Je montai voir Samuel qui ne dormait pas et lui dis que nous devrions nous rendre à l'hôpital. Il protesta, me disant qu'il était tard, qu'il était fatigué et qu'il voulait seulement dormir. Je cédai, le laissant dans son lit, et retournai m'installer au salon.

Quelques instants plus tard, un fort pressentiment m'envahit. Quelque chose au fond de moi me dicta de me rendre d'urgence à l'hôpital. Je me levai donc, alla réveiller mon fils qui s'était finalement endormi et lui demandai de s'habiller, que nous allions consulter un médecin. Malgré toutes ses protestations, je le fis monter dans la voiture et nous nous rendîmes au centre hospitalier le plus près.

À son arrivée, il fut pris en charge d'urgence par l'infirmière qui avait détecté un taux de vingt-cinq pour cent seulement d'oxygène dans son sang. La normale étant de quatre-vingt quinze pour cent, mon fils se trouvait dans un état critique. Après avoir stabilisé l'état de Samuel, le médecin vint me voir et me dit que si nous ne nous étions pas rendus à l'hôpital ce soir-là, Samuel serait probablement décédé durant son sommeil.

Laissez-moi vous dire que, depuis ce jour, je crois dur comme fer en mon instinct maternel. Je remercie cette petite voix intérieure qui a su me guider et grâce à laquelle la vie de mon fils fut sauvée.

Josée Huard,
Saint-Hyacinthe

Gracieuseté de notre fils Nicola,
maintenant âgé de 9 ans,
qui ne voulait pas trop dormir
lorsqu'il avait 4 ans.

Sylvain Dion et Josée Lacourse, Gatineau
Illustration de Serge Malette, Gatineau

Cherchez le cadeau

Les enfants transforment presque tout en jeu, incluant leurs repas! Et même quand une situation n'est pas agréable, ils finissent par trouver quelque chose qui les amuse.

Pour un adulte, lorsqu'il pleut, c'est une mauvaise journée. Mais un jour de pluie devient une aventure pour les enfants qui sont enfermés dans la maison. Les canapés du salon se transforment en îles; le tapis, en océan; et leur mère, en baleine... euh... en sirène. Une sirène qui ne veut pas comprendre qu'il faut sauter d'un canapé à l'autre pour éviter les requins! On dirait que tout ce que les enfants reçoivent de la vie est un cadeau.

Quand cessons-nous de trouver des cadeaux partout, comme les enfants le font? Quand le cadeau de la vie est mal enveloppé, qu'il se trouve à l'intérieur d'une affreuse boîte étiquetée *problème*, qu'il est enveloppé avec des difficultés et enrubanné de frustrations! Être confronté à un problème si injuste qu'il est impossible d'imaginer qu'il puisse receler un cadeau. Quels sont les cadeaux si mal enveloppés par la vie? Se casser une jambe au début de la saison de son sport préféré. Rater l'examen d'un titre professionnel tant convoité. Perdre son emploi après des années de loyaux services. Tomber malade à la veille de ses vacances.

Je me souviens de mon premier cadeau mal enveloppé. Je l'ai reçu en 1977. À l'époque, la chanson numéro 1 au palmarès était *Staying Alive*. Les Bee Gees étaient les rois du disco et, cette même année, mon père est devenu un D.J. Le premier disc-jockey de l'histoire... qui ignorait tout de la musique disco! Alors, pendant que son fiston de quinze ans – c'est-à-dire moi – *mixait* le disco, papa divertissait les foules en parlant au micro. À le voir connaître autant de succès, j'avais un désir ardent de faire comme lui. Je lui ai alors demandé: «Papa, laisse-moi parler au micro.» «Mon gars, m'a-t-il répondu, tu utiliseras le micro quand tu auras quelque chose d'intéressant à dire...»

Ce quelque chose d'intéressant était pour moi une affreuse boîte. Comme si je n'avais rien à dire. Comme si tout ce qui sortait de ma bouche n'était pas intéressant et ne pouvait l'être!

Cette restriction me semblait tellement injuste et blessante que je n'aurais pas pu trouver de cadeau à l'intérieur. Mais, chaque semaine, j'insistais. Il a refusé pendant dix-huit mois. Finalement, après une si longue attente, j'ai pris le micro! Pourquoi? Parce que papa n'était pas là! C'était ma première soirée en solo comme D.J. J'étais *hot!* J'ai parlé et l'auditoire a adoré. Moi aussi, j'ai adoré. Un succès instantané, je me considérais aussi bon qu'un animateur de radio, et j'allais le prouver au monde entier.

Lors de la soirée suivante, avant de mettre la musique, j'ai parlé... parlé... et parlé encore. Le micro m'appartenait... À un certain moment, j'ai dit à l'auditoire: «Si vous avez une demande spéciale, faites-la-moi savoir et je vous la ferai jouer.» J'ai parlé... parlé... et parlé encore...

Une ravissante jeune femme s'est alors approchée, elle m'a remis un papier en accordéon, puis elle est repartie tout aussi vite. Encore sous le charme de cette jolie messagère, j'ai annoncé de ma voix d'animateur de radio: «Oh! déjà une demande spéciale!» J'ai fébrilement déplié le papier pour y trouver ce message: *Ferme ta gueule et fais jouer de la musique.* Consterné, j'ai bredouillé: «J'ai... j'ai cette chanson, je vous la mets tout de suite!» Et, suivant les instructions de cette demande spéciale, je me suis fermé la gueule et j'ai fait jouer de la musique.

Humilié, les larmes me coulaient le long des joues. En même temps, les paroles de mon père me revenaient en tête: *Mon gars, tu parleras dans le micro quand tu auras quelque chose à dire.* Tout à coup, tout est devenu clair. J'ai compris. J'ai compris que papa n'avait pas été mesquin avec moi. Il essayait de me protéger contre moi-même, contre mon ego. Ce que j'avais toujours perçu comme une restriction injuste s'avérait, en fait, le conseil d'un père aimant. Mon affreuse boîte avait révélé son cadeau.

Aujourd'hui, je tire deux leçons de cette aventure. La première, c'est qu'il faut souvent du temps avant de découvrir le cadeau que la vie enveloppe dans une affreuse boîte. Pour cela, j'ai dû souhaiter parler dans un micro durant dix-huit mois. La deuxième, c'est que le cadeau qu'on trouve n'est pas nécessairement celui qu'on souhaite obtenir! J'aurais préféré connaître la gloire plutôt que recevoir cette leçon d'humilité et ce formidable coup de pied au derrière qui te propulse automatiquement vers l'avant.

Depuis ce jour, je respecte mon auditoire, je m'efforce d'avoir quelque chose d'intéressant à dire et je parle le moins possible. Cela m'a servi comme D.J. et comme conférencier professionnel. Depuis mon adolescence, j'ai reçu quelques affreuses boîtes et je me dis chaque fois: *C'est un cadeau mal enveloppé.* Je sais désormais qu'il y a toujours un présent à l'intérieur.

Nous sommes entourés de gens qui, en regardant l'histoire de leur vie, ont reconnu les bienfaits qui accompagnaient les épreuves qu'ils ont dû traverser.

Pour ma part, je choisis d'aborder les problèmes comme lorsque j'étais enfant. Maintenant, lorsqu'il pleut sur ma vie, au lieu de blâmer la malchance, je saute sur le canapé, j'évite les requins méchants et je cherche activement mon cadeau.

J.A. Gamache,
Laval

7

SURMONTER
LE DEUIL

J'affronte ton absence en sachant que
les souvenirs sont comme un chant d'oiseau;
même si l'oiseau est hors de notre vue,
nous pouvons quand même entendre sa mélodie.

Josée Lacourse

Maman

«Ma mère chantait toujours
La la la, une belle chanson d'amour,
que je te chante à mon tour...»

Toi, maman, tu ne chantes plus. Ta voix ne se fait plus entendre, si ce n'est dans ma tête. Partie à tire-d'aile vers un monde supposément meilleur. Non pas par choix, mais parce qu'un monstre a décidé, d'un coup de fusil, de mettre un point final à ta vie.

Encore une fête des mères qui arrive où je ferai semblant de ne pas savoir quel jour nous sommes. Tu sais, maman, il y a déjà quelques années que tu es partie et j'ai encore de la difficulté à penser à toi, à me représenter ton visage sans penser à celui qui t'a cruellement volé ta beauté. Les souvenirs heureux sont assombris par l'injustice de ton départ. J'aurais voulu qu'il vive pour payer au lieu de se suicider.

En écrivant ce texte tel un exorcisme, je te confie mes émotions et mes démons pour enfin respirer afin de te laisser reposer.

À quarante-cinq ans, les aiguilles se sont arrêtées de tourner pour toi. Tu seras toujours ma mère, mais aussi ma meilleure amie. Je suis assise à la table devant ta chaise vide, et tu me manques. Quand je regarde nos photos de famille, tu me manques. Ne pouvant retrouver nulle part notre complicité de jadis, tu me manques, maman.

Comme un gratte-ciel après un séisme, je me suis effondrée. Vivant sur le pilote automatique, je me suis réfugiée à l'intérieur de moi-même, le monde extérieur ne m'apportant que souffrance. Pourtant, de plus en plus, j'y risque un œil et je me prends à y voir un avenir et des projets.

Je pleure encore, mais pour toi, je sors de ma léthargie. Je vais vivre pour toi, pour moi et pour ma fille. Je sais que tu vis toujours, car lorsque je me regarde dans le miroir, ce sont tes yeux que je vois. D'où tu es, quand tu me verras, tu pourras être fière d'avoir une fille dont la tête est haute et qui a de grandes ambitions.

Tu peux maintenant te reposer, maman, je ne troublerai plus ton repos avec ma rancune et mon désir inassouvi de vengeance. Laisse-toi bercer dans le ventre chaud de la Terre comme tu m'as bercée dans le tien.

Et, comme toi, je chanterai à ma fille cette belle chanson d'amour.

Je t'aime, maman,
Adieu,

Kim Danis,
Maniwaki

Au-delà de l'infini...

Le couple heureux qui se reconnaît dans l'amour défie l'univers et le temps; il se suffit, il réalise l'absolu.

Simone de Beauvoir

En l'espace de deux semaines, j'ai perdu l'homme de ma vie, et mes enfants ont dû dire adieu à leur père. Mon conjoint, avec qui j'ai partagé les treize dernières années, est décédé rapidement d'un accident vasculaire cérébral en avril, trois jours avant notre anniversaire de naissance puisque nous sommes nés la même date...

Pendant un long moment, la terre s'est arrêtée de tourner sous mes pieds. Je me sentais en orbite sans aucun point de repère, déconnectée de la réalité et du monde entier. Même le temps s'est immobilisé. Tout a volé en éclats. Tout s'est brisé en mille miettes. Je recolle chaque jour et même parfois la nuit les morceaux éparpillés de nos cœurs qui ont littéralement éclaté sous l'impact de la douleur. Depuis, je tente de ramasser les débris que la mort a laissés sur son effroyable passage dans notre vie. Nos deux fils, Félix, douze ans, et Louis, trois ans, gravitent autour de moi et c'est l'immensité de l'amour que j'ai pour eux qui me donne l'élan d'avancer un jour à la fois, en les accompagnant de mon mieux.

Lors de l'un des nombreux moments où je pensais à mon bien-aimé, j'ai levé les yeux vers le ciel et je lui ai demandé de m'envoyer un signe s'il m'entendait. J'aurais souhaité de toutes mes forces réussir à réduire l'espace-temps entre nous. J'aurais donné tout ce que j'ai pour obtenir une seule autre journée auprès de lui, une petite heure ou même une simple minute m'aurait comblée, m'aurait suffi.

Quelques jours plus tard, j'étais au sous-sol et c'était véritablement un chantier de construction. Notre maison était en rénovation et, après le décès d'André, il me fallait achever ce que, ensemble, nous avions commencé. C'était devenu ma mission. Je devais reconstruire notre nid afin que nous soyons à l'abri des intempéries, les garçons et moi et, surtout, afin que nous recommencions graduellement, tous les trois, à être bien sous notre toit.

Je voulais donc faire un peu de rangement. Il y avait trois grandes boîtes, dont une à l'écart qui était adossée contre un mur. À l'intérieur, il y avait des lattes de plancher de bois franc qu'André avait sûrement prévu installer dans une pièce. J'ai replacé la lourde boîte qui n'était pas rangée près des deux autres. En la tournant, j'ai vu quelque chose d'écrit sur le carton avec deux différents crayons. Au marqueur noir, c'était inscrit: **André Farly hêtre**. Évidemment, c'est le nom de mon conjoint et l'essence de bois. Et, inscrit au stylo d'encre bleue, d'une écriture plus pâle et tremblante, le mot s'avérait être: **vivant**. J'ai lu et relu plusieurs fois ces quatre mots, croyant rêver. Mon cœur battait très fort. J'ai tout de suite vérifié les deux autres boîtes. Chacune portait le nom de mon amoureux et l'essence de bois, mais l'inscription *vivant* n'y était pas. Alors, j'ai respiré profondément, les larmes aux yeux, en levant mon regard vers les cieux, j'ai dit merci intérieurement, car je venais de recevoir mon signe, celui que j'avais demandé. Il me répondait: **André Farly hêtre vivant**.

Comment ce mot a-t-il pu se retrouver là, sur cette boîte? Je ne le saurai jamais. Par contre, l'une des rares choses dont je suis certaine, c'est qu'il est vivant, ailleurs certes, mais surtout il est vivant dans nos heureux souvenirs et au creux de nos cœurs à jamais. Grâce à cela, je sais désormais que notre famille sera toujours unie au-delà de l'infini.

Sonia Jasmin,
St-Cuthbert

Dors bien, papa

JUIN 2004

J'ai quarante-huit ans et je suis devenue orpheline de père. Il nous a quittés hier soir. Je suis en deuil, engourdie, perdue. Papa a choisi de partir seul. Lorsque nous perdons un être cher, nous faisons le deuil d'une seule personne. Mais la personne qui part doit cependant accepter d'abandonner tous ceux qu'elle aime, sa vie, son univers propre. Cela doit être terriblement difficile.

Mon père était atteint de la maladie de Parkinson et d'un cancer du poumon. Il avait quatre-vingt-un ans. Il a eu une vie bien à lui; il s'est marié à l'âge de trente ans en 1953. Ma mère et lui ont eu trois enfants, par choix. Il n'a jamais vraiment été un père comme les autres. Il nous chantait des chansons des *crooners* américains, touchait l'orgue et entrait dans une bulle dont nous seuls faisions partie. Nos cartes d'anniversaire étaient de vrais poèmes. Il venait nous border tous les soirs. Il savait exprimer l'amour, le dire et le démontrer, en public et en privé. Il était d'une distraction légendaire. De plus, il n'avait aucune affinité avec les outils; la mécanique et lui ne faisaient pas bon ménage. Lorsqu'il lisait son journal, mes frères et moi prenions un malin plaisir à chahuter autour de lui, en lui lançant des coussins. Mon père n'avait aucune autorité et cela ne le dérangeait pas.

Papa aimait les gens, tous les gens. Je ne crois pas l'avoir entendu médire à propos de quelqu'un. Il avait le pardon facile, le cœur ouvert. Durant notre adolescence, tous les amis de notre entourage prenaient plaisir à venir à la maison; rien n'était tabou ou jugé.

Quand le diagnostic est tombé, il nous a réunis autour de son lit d'hôpital pour nous annoncer son départ imminent. Il était presque serein, d'un calme que je ne lui avais jamais connu. Il a demandé à partir chez lui, dans la maison qu'il partageait avec ma mère depuis cinquante et un ans. Son voyage était terminé et il disait être pleinement satisfait de ce qu'il avait reçu de la vie. Nous l'avons entouré de petits soins pendant cinq semaines. Le salon est devenu sa chambre à coucher. La cuisine attenante a vu défiler, durant cette période, des dizaines de personnes venues le saluer une dernière fois : cousins, cousines, oncles, tantes, amis, voisins, les ex de ses enfants, les amis des amis. Chacun avait un bon mot, une caresse, un souvenir à évoquer pour soulager mon père. Et il souriait, somnolait parfois et tenait bon.

Mon fils, son seul petit-enfant, l'a accompagné pendant une semaine en l'aidant pour des soins parfois très intimes. Il aidait son grand-père *Pabos* à s'endormir en lui jouant du piano. Mon père lui avait beaucoup donné et mon fils savait le lui rendre maintenant.

Un matin de juin, l'infirmière, engagée pour soutenir maman, nous a mis devant le fait accompli : papa devait maintenant entrer à l'hôpital, les soins étant devenus trop lourds et l'équipement loué pas assez perfectionné. Pour la première fois depuis cinq semaines, je l'ai vu, les yeux livides, fixant le néant et dire, d'une voix sourde : «Ça y est, je dois vous quitter. On est rendus là, ma Pierrot, ma chérie. Je dois te laisser seule.» Pierrot, c'est ma mère, l'amour de sa vie.

Ce soir-là, mon fils et moi sommes allés installer dans sa chambre d'hôpital son piano électrique, des photos de sa famille, des objets ayant l'odeur de la maison et un gros bouquet de lilas, ses fleurs favorites, sur sa table de chevet. Lorsque tout fut installé, nous avons aperçu ma petite maman vidée, qui dormait assise sur une chaise droite, la tête appuyée sur les barres de protection du lit, la main dans celle de papa. Ils semblaient si épuisés, mais aussi si paisibles tous les deux. Nous avons pleuré en silence, mon fils et moi, pendant de longs moments. Étrangement, le lendemain, papa semblait plein d'énergie.

Ce jour-là, ma mère devait recevoir une médaille de la Croix-Rouge pour toutes ses années d'implication et je devais recevoir un certificat pour mes vingt-cinq années d'enseignement. Nous avions convenu de ne pas nous rendre à ces réceptions, étant donné les circonstances et la distance qui nous séparerait de lui pour plusieurs heures. Il a insisté pour que nous y assistions. Mes frères seraient avec lui et il attendrait notre retour. Il ne nous a pas attendues... Vers dix-huit heures, papa est parti, seul. Ses deux fils étaient sortis quelque temps pour prendre une bouchée.

Cela m'a pris quelques semaines avant de comprendre qu'il ne pouvait pas nous quitter avec sa famille en pleurs tout autour de lui. Il nous aimait trop pour nous infliger cette déchéance du dernier souffle, du râlement qui n'en finit plus. Son orgueil de père a remporté cette ultime bataille; à défaut de choisir sa mort, il en a choisi le moment.

La nuit dernière, pour la première fois depuis son décès, je l'ai revu en rêve. Il dormait, allongé dans son lit, dans la position qu'il affectionnait le plus. Dans ce songe, il s'éveille, me regarde et me dit: «Tu vois, ma chérie, je ne fais que dormir un peu. J'étais fatigué. Il sera toujours là, ton vieux Dad. Je t'aime.» Et il se rendort.

Au réveil, je suis bouleversée par cette image si précise, sa voix, d'un ton si clair. Je *sais* qu'il est encore là, car il vit en moi.

Dors bien, papa.

Sylvie Thibault,
Gatineau

Le vrai courage

Tirons notre courage de notre désespoir même.

Sénèque

Depuis quelque temps, je jouis d'une retraite bien méritée, ayant travaillé dans le domaine du service à la clientèle pendant de longues années. Lorsque nous sommes au service des gens, nous devenons vite habitués aux confidences de toutes sortes et, à la longue, plus rien ou presque ne réussit à nous toucher. Nous tissons des liens avec certains clients, parfois de véritables amitiés. D'autres ne resteront que des visages aperçus de temps en temps, au fil des ans. Nous développons une carapace professionnelle et nous arrivons à croire, bien naïvement, que nous avons tout vu et tout entendu.

Nous étions en 1992, je travaillais alors depuis quelques années dans un club vidéo et ma tâche consistait ce soir-là à servir la clientèle derrière le comptoir. C'était la belle époque des films et des jeux vidéo en cassettes. Tous les samedis soir, c'était la cohue. Plusieurs familles et groupes d'amis profitaient du week-end afin de se réunir pour visionner les dernières nouveautés du moment. Des parents venaient aussi louer des jeux Nintendo pour leurs enfants. C'était l'époque du Super Nintendo, et presque chaque famille du Québec possédait son appareil. Pour les personnes qui n'en avaient pas encore, nous nous faisions un plaisir de leur en louer un. Le samedi soir était le moment le plus achalandé de la semaine et les gens devaient faire la file devant chacune de nous, les préposées au comptoir, afin d'obtenir leurs films ou leurs jeux. Étant l'une des seules employées à travailler à temps plein, je connaissais la plupart des clients réguliers qui se présentaient devant moi.

Je me souviens que nous étions en période estivale et qu'il avait plu toute la journée, ce qui laissait présager pour nous une soirée fort mouvementée. Nous n'arrivions pas à suffire à la tâche et les files d'attente s'allongeaient à vue d'œil. Malgré le manque de personnel, la joie régnait tout de même au sein du club vidéo et le quart de travail se déroulait dans le calme et la gaieté. Jusqu'à l'arrivée de ces deux petits clients...

Ils devaient être âgés de dix ou douze ans. Je les connaissais de vue et j'aimais bien les taquiner à l'occasion. D'ordinaire, ils étaient accompagnés de leur père, mais ce soir-là, ils étaient seuls. Quand leur tour arriva, ils déposèrent leurs cassettes Nintendo sur le comptoir. Je les saluai comme je le faisais pour chaque client. Le plus âgé des deux prit la parole avant même que je puisse leur dire quoi que ce soit. Il me raconta d'un ton grave que leur mère les avait envoyés louer des jeux, car elle voulait qu'ils se changent les idées. J'ai cru qu'elle les trouvait trop turbulents et qu'afin de pouvoir jouir de quelques heures de quiétude, elle leur avait donné de l'argent pour qu'ils puissent donner libre cours à leur trop-plein d'énergie sur leur console Nintendo.

Je lui demandai alors, sur un ton malicieux, s'ils n'avaient pas par hasard été quelque peu bruyants. Je n'étais pas préparée à ce qui allait suivre et, encore aujourd'hui, les mots que l'aîné a prononcés hantent encore mon esprit. Il m'a regardée droit dans les yeux et, avec toute la candeur de son enfance, m'a répondu: «Non, ce n'est pas ça. C'est que mon père s'est pendu hier soir.»

Un frisson me parcourut le dos et malgré la chaleur étouffante qui régnait dans le club vidéo ce soir-là, j'étais frigorifiée. Je pris leurs cassettes, les déposai sur le comptoir et, malgré la longue file de gens qui attendaient d'être servis, je leur parlai, ou plutôt j'écoutai ce qu'ils avaient sur le cœur. Pendant quelques minutes, ces deux petits garçons me parlèrent tels des adultes, sans larmes, car je crois qu'ils les avaient déjà toutes versées. Je ne me souviens plus de ce que je leur ai dit ou si je leur ai vraiment dit quelque chose. Je sais uniquement que, lorsqu'ils repartirent avec leurs cassettes sous le bras, ils m'adressèrent un sourire rempli de tristesse. Je n'ai plus eu l'occasion de les revoir. Peut-être ont-ils déménagé. Peut-être ont-ils changé de club vidéo. Jamais je ne le saurai.

Ces gamins m'ont enseigné, sans le savoir, que je n'avais pas encore tout vu ni tout entendu, et que mon cœur pouvait encore s'ouvrir à la douleur des autres! Ils m'ont appris les valeurs de l'écoute, de la sympathie et du don de soi. Bref, ce soir-là, ces deux enfants m'ont montré ce qu'était le vrai courage.

Denise Breton-Brodeur,
Sherbrooke

Lettre à mon fils

Ce qui compte durant les heures de désespoir,
ce n'est pas ce qui est vrai et ce qui est faux,
mais ce qui aide à vivre...

Anonyme

Mon cher fils,

Tu nous manques beaucoup. Ton départ précipité, causé par cette méningite après seulement quinze mois de vie, a laissé un grand vide dans notre famille et particulièrement dans ma vie de père. Mais je sais que, d'en haut, tu veilles sur nous tous, tu es notre ange gardien et notre protecteur.

J'ai toujours eu comme principe que, de chaque événement négatif et désagréable, nous pouvons trouver quelque chose de positif. Toutefois, après ton départ, j'ai eu beau chercher, j'ai encore beaucoup de difficulté à trouver. Je suis passé par une période de colère et d'indignation et ces questions revenaient sans cesse : *Pourquoi toi ? Pourquoi notre famille ?*

Je n'ai pas encore trouvé les réponses, mais cet événement douloureux m'a permis de réaliser à quel point la vie est fragile et précieuse. J'ai réalisé que, parfois, nous ne prenons pas assez conscience de sa valeur et que nous considérons ses bienfaits comme acquis. C'est souvent lorsqu'on est privé de quelque chose de précieux qu'on peut en savourer sa pleine valeur.

Avant tout cela, le travail occupait une place importante, même trop envahissante, dans ma vie. Je négligeais souvent ma famille et mes amis. Pourtant, personne, sur son lit de mort, ne se dit : *J'aurais dû travailler plus.* Au contraire, on regrette de ne pas avoir dit assez souvent : *Je t'aime.* On regrette de ne pas avoir pris le temps d'apprécier les doux moments de la vie, de ne pas avoir pris les moyens de réaliser ses rêves, d'avoir négligé ses relations humaines au détriment d'autres valeurs souvent superficielles et il nous vient la fameuse réflexion liée au regret : *J'aurais donc dû...*

Maintenant, je sais qu'un travail peut être remplacé mais pas un fils, pas une sœur, pas un ami. J'ai pris conscience que la vie vaut la peine d'être vécue. Il est vrai que, parfois, les moments agréables sont peu nombreux. Voilà donc l'importance de les apprécier à leur juste valeur. Il faut apprendre à savourer chaque instant qui passe.

J'entends souvent des parents se plaindre parce que leur enfant est turbulent, parce qu'il n'est pas assez vaillant, parce qu'il ne performe pas à l'école ou encore parce qu'il s'enlise dans une mauvaise voie. Je peux comprendre leur désarroi mais je les envie, car je pense que ces parents peuvent se considérer chanceux que leur enfant soit vivant. Malgré tous leurs tracas, ils ont encore l'espoir de jours meilleurs avec eux. Nos enfants nous sont prêtés. Il faut les écouter, les éduquer, les protéger, s'amuser avec eux, partager avec eux de bons moments et, surtout, les aimer inconditionnellement.

Isaac, tu nous manques beaucoup, mais je sais que, d'où tu es, tu veilles à ce que nous n'oubliions jamais à quel point la vie est à la fois si précieuse et si fragile...

Ton père,

Dany Landry et Marie-Claude Lizotte,
La Pocatière

Complices
du dernier souffle

*Si quitter ce monde est une réalité aussi forte que
l'aimer, il doit y avoir une signification dans les rencontres et les séparations de la vie...*

Rabin Rabindranâth Tagore

Cette histoire débute quinze mois plus tôt. Marie-Noëlle
tousse, ne trouve plus son souffle, ressent des douleurs à la
poitrine. Elle se rend à l'urgence. Les examens, les radiographies et les analyses de sang confirment la présence d'un cancer. L'envahisseur incurable occupe la moitié d'un poumon.
Cette belle jeune femme de vingt-trois ans qui n'a jamais fumé
n'accepte pas la fatalité du verdict. Désemparée devant le
diagnostic, elle pense à sa mère décédée d'un fulgurant cancer
des ovaires trois mois plus tôt. Ça ne peut pas être vrai!

Au fil du temps, Mano, la fille de Sylvain, mon compagnon
de vie, a su apprivoiser les injections, la chimiothérapie, et
même les traitements expérimentaux. Maquilleuse de scène,
elle se voyait gagner ce combat. En attendant, l'artiste enfilait
des billes pour faire des colliers. Femme d'affaires accomplie,
elle en faisait la vente à l'hôpital. Chaque cliente recevait une
œuvre unique. Mano leur livrait un bijou à leur image. C'était
sa marque de commerce.

Pourtant, l'ennemi cruel gagnait du terrain. Malgré tout,
pas question d'établir un plan de traitement sans le consente-
ment de notre héroïne. Elle a choisi de vivre ses derniers mois
à la maison avec ses proches. Ainsi il fut fait. Ensuite, les soins
palliatifs ont pris le relais. Sylvain et Laurie-Anne, la jeune
sœur de Mano, ont relevé le défi jour et nuit pour être présents
auprès d'elle.

Par une soirée froide et brumeuse d'octobre, Mano, son
père et moi regardions le film *Le papillon bleu*. Je l'entends
encore poser la question: «Papa, peut-on aller là-bas chercher

un papillon bleu? Mon cancer peut-il partir si je le veux très fort?»

Sur le coup, se sentant impuissant, il n'a pas répondu. Le lendemain, il s'est assis avec sa fille, l'a prise dans ses bras et a caressé son doux visage. Toujours inquiète, Mano lui a posé une question difficile. Elle voulait savoir comment on vivait de l'autre côté. Imaginez un père chercher les mots pour expliquer ce qu'il ignore. Inspiré par son cœur, sans vraiment savoir de quelle façon, il a su trouver comment calmer les angoisses de sa fille. *Je l'ignore, ma belle Mano.*

Prenant une grande respiration, son père poursuivit: «Mano, on va faire une alliance avec ta mère. Tu seras entre moi et maman. Je te tiendrai une main. Lorsque tu la repousseras, je saurai que tu as attrapé celle de maman et qu'il sera temps de te laisser partir.»

Quelques jours plus tard, à bout de souffle, Mano acceptait de se rendre à l'hôpital. Tous, sauf elle, savaient qu'elle ne reviendrait plus à la maison, qu'elle ne coucherait plus dans son lit et qu'elle ne mangerait plus sa fameuse croustade aux pommes. Pourtant, elle insista pour apporter ses valises de billes et d'accessoires pour fabriquer des colliers. Pas question d'aller à l'hôpital sans ses billes, ses clientes l'attendaient!

Quelques heures après, au pied du lit de Mano, j'ai dit à Sylvain: «Ce soir, c'est le dernier. Elle ne passera pas la nuit.» Perturbé et inquiet, il prit la main de sa fille. Grâce à leur code secret, il savait qu'elle lui ferait signe.

Puis, comme inspirée, j'ai ajouté: «Sylvain, rappelle-toi que le dernier sens à s'éteindre, c'est l'ouïe. Que dirais-tu de lui faire écouter le conte de Noël écrit et enregistré par sa mère? Elle l'entendra.» Aussitôt dit, aussitôt fait, Sylvain a téléphoné à son fils, Jean-Pascal, pour lui demander d'apporter le conte.

Je vois encore cette scène si touchante d'un père et d'un frère à genoux, tenant les mains de Mano. Aux premiers sons, sa tête s'est retournée. Jean-Pascal et Sylvain ont senti son corps vibrer et ses doigts serrer leurs mains. Un murmure à peine audible sortit de sa bouche. Elle fredonnait le refrain si familier. Semi-comateuse, elle garda le contact tout au long du récit. Puis, quelques secondes après la fin de l'histoire, elle repoussa leurs mains. Mano était prête à partir. Elle avait repris contact avec sa mère. C'est ainsi qu'elle nous laissa.

Envahie d'une profonde tristesse, je me sentais tout de même sereine. En silence, Sylvain et moi sommes repartis avec ses valises, ses billes et ses colliers, déposés dans un fauteuil roulant. Nous avons traversé le corridor qui m'a paru si long. Je revois encore les infirmières, troublées de voir mourir une patiente devenue leur amie. Cette scène me revient souvent en tête. Hier, elle me faisait pleurer. Aujourd'hui, elle me donne le courage d'avancer sans regarder en arrière.

Quelques semaines plus tard, dans la forêt amazonienne, j'ai vu un très beau papillon bleu apparaître soudainement. Il vola directement vers Sylvain, puis s'arrêta et fit quelques pirouettes autour de nos têtes avant de s'envoler de nouveau.

Ému, Sylvain s'exclama: «C'est Mano! Elle est revenue nous dire qu'elle était encore parmi nous! Je suis heureux qu'elle ait réussi son passage.»

C'est ainsi que Marie-Noëlle se réserva le dernier mot de cette belle histoire d'amour et d'espoir que nous partageons avec nos amis.

Nicole Audet et Sylvain Boulanger,
Laval

Les vergers de mon père

En tant que bénévole en relation d'aide auprès de patients en fin de vie, je ne cesse d'être émerveillé du pouvoir de l'amour maternel et je souhaiterais partager avec vous l'un de ces moments inoubliables.

Lorsque je suis entré dans sa chambre, elle dormait profondément sous l'effet des médicaments. Malgré son corps décharné, elle était très belle. Sur le mur de sa chambre, une photo d'elle avec son fils dans la vingtaine nous révélait une radieuse maman dont on sentait toute la fierté dans son sourire, et toute la complicité de l'amour maternel dans ses yeux. Cette photo, datant d'environ trois mois, cachait un drame: celle qui entourait ce fils bien-aimé de la tendresse de ses bras allait le quitter pour toujours, dans très peu de temps, victime d'une maladie incurable.

Devenue veuve alors que son fils n'avait que sept ans, elle avait choisi de l'élever seule avec tous les sacrifices que cela impliquait.

Lorsque je suis revenu dans sa chambre quelques instants plus tard, elle était éveillée.

– J'ai soif, me dit-elle.

Lui demandant ce qu'elle désirait boire, elle me répondit qu'en ce temps de l'année (nous étions en automne), comme c'était la saison des pommes, un jus de pommes bien frais lui procurerait un grand plaisir. Une larme coulant sur sa joue, elle enchaîna:

– Voyez-vous, depuis que je suis ici, je repense à ma vie. Quand j'étais jeune, de la fenêtre de ma chambre à l'étage, en me réveillant le matin, je regardais les vergers de mon père à quelques mètres de moi. Je me souviens à quel point j'étais fascinée de voir les abeilles butiner d'une fleur à l'autre pour faire la pollinisation des pommiers en pleine floraison, aux couleurs et aux parfums sublimes. Je me souviens aussi, l'automne venu, avec quel délice je croquais dans ce fruit divin. Si je vous dis fruit divin, c'est parce que, maintenant, je regarde une pomme *avec les yeux du cœur*, comme dit la chanson. Une pomme, on peut la manger ou la boire; elle a la forme et la couleur d'un cœur; depuis des siècles, elle est considérée non pas comme le fruit du péché, mais comme le fruit de la connaissance dans son sens le plus noble et le plus spirituel du terme.

Tout en savourant avec un délice infini chaque gorgée de son jus de pomme, elle poursuivit avec le même charisme, la même grâce et la même sérénité:

– Cinquante ans, c'est jeune pour partir, ne pensez-vous pas?

J'ai dû détourner mon regard afin de cacher ma propre émotion.

– Mais maintenant j'ai compris que je peux partir l'âme en paix dans les vergers de mon père qui m'attend là-haut, car j'ai fait un homme de mon fils et j'ai compris que l'univers était caché dans une pomme!

Après l'avoir écoutée, j'ai réalisé pourquoi, malgré son corps meurtri, elle était si belle! À la suite de son départ vers l'au-delà, je désirerais lui rendre hommage et lui dire ceci:

– Ce fut un honneur de vous connaître, madame. Je sais que vous marchez maintenant dans les vergers du Père céleste, entourée des bras d'un papa qui partage et savoure avec sa fille l'incomparable fruit de l'amour.

Robert Alarie,
Beauharnois

Je n'avais pas vu
dans ses yeux...

Tout ce que son âme avait de tourments...
Je n'avais pas ressenti...
La froidure de toutes ses blessures...
Je le voyais tellement fort et grand...
Alors qu'il n'était qu'un petit enfant...
Qui n'avait pas grandi avec le temps...

Je n'avais pas vu dans ses yeux...
Des larmes couler...
Il préférait noyer doucement son cœur...
J'ai toujours cru en son sourire...
Je ne pensais pas qu'il pouvait trahir...
Tant de douleur et de détresse...
Tout ce dont il avait vraiment besoin...
C'était d'une caresse sur son chagrin...
Et moi, j'étais tellement loin...

Je n'avais pas vu dans ses yeux...
Tout ce qu'il aurait souhaité me dire...
Se confier à moi, sans me faire pleurer...
Me faire croire que parfois...
Il lui arrivait même de souffrir...
Et que, pour ne pas me faire de peine...
Il préférait me mentir...

Peut-être que j'aurais compris alors...
Que cet ange, au-delà même de la mort...
Me murmurait doucement...
Ne sois pas triste...
Je t'aime très fort et je te pardonne...
De ne pas avoir vu dans mes yeux...

J'ai tout fait, tu sais...
Pour te faire croire que j'étais heureux...

Oui, j'aurais peut-être mieux compris...

J'ai hésité très longtemps à mettre des mots sur cette souffrance atroce qu'est le suicide... Alors, j'ai choisi d'écrire ce texte en toute douceur, en laissant parler mon cœur...

Claire De La Chevrotière,
Saint-Maurice, Mauricie

Les derniers moments
d'une mère avec sa fille

Valérie Karolyn Landriault
9 novembre 1982 – 6 juin 2007

Valérie, notre jeune fille âgée de vingt-quatre ans et sept mois, fut victime d'un accident de voiture à vingt-trois heures quinze, le mercredi 6 juin 2007. La jeune fille de vingt-six ans qui brûla un feu rouge avait le double de la limite d'alcool permise dans son sang. Des charges criminelles furent portées contre elle et elle est maintenant en prison pour deux ans.

Ce n'est qu'à minuit trente que deux officiers vinrent sonner à notre porte pour nous annoncer le décès de notre belle grande fille Valérie, morte sur le coup. Nous étions en état de choc et cette nouvelle s'ajoutait au deuil de la mère de Gilbert, qui venait d'être enterrée dix jours auparavant. Vingt-quatre heures plus tard, nous rencontrions encore un directeur de maison funéraire avec une superbe photo de Valérie que nous avions apportée ainsi que le texte que nous avions déjà composé pour imprimer sur la carte souvenir de son décès.

Valérie venait de changer de carrière et elle était à l'emploi de Via Rail à Toronto. Elle aimait tellement son travail que nous avions choisi, pour ses funérailles, son uniforme avec sa belle cravate et sa belle veste bleu marine qui portait l'écusson de la compagnie. Nous pensions avoir pris la bonne décision jusqu'au moment où nous l'avons vue pour la première fois, avant que les visites commencent le lendemain à treize heures. Elle n'était vraiment pas belle: ses cheveux et son maquillage ne lui ressemblaient définitivement pas. Elle qui était toujours si bien arrangée et maquillée, même pour faire ses exercices! Je m'en serais voulu toute ma vie de l'avoir laissée dans cet état.

La décision devait se prendre rapidement et, dans un souffle, j'ai informé le directeur que j'aimerais qu'on la change de

vêtements, que je coifferais et bouclerais ses cheveux moi-
même, en plus de refaire son maquillage. Je ne savais pas d'où
me venait cette idée et où je prendrais le courage de toucher et
bouger ma fille. Je n'arrivais pas à réaliser que ma fille n'avait
plus de vie et qu'elle me manquerait pour toujours. Les miens
pensaient que j'avais perdu la tête dû au choc et que, même
avec de bonnes intentions, je ne serais pas capable de le faire,
qu'on devrait ensuite *me ramasser à la petite cuillère*.

De retour à la maison, nous avons demandé à la marraine
de Valérie, ma petite sœur Karolyn, de parader avec quelques
petits ensembles que Valérie aimait et ce fut au père de Valérie et à Érick, son frère, de donner leur accord pour le choix
final. Ensuite, nous avons préparé les petits accessoires qui
compléteraient le tout, une trousse pour coiffer les cheveux et
pour le maquillage.

Le lendemain matin à dix heures, ma sœur, qui s'était
offerte pour m'accompagner, et moi étions au salon. Pendant
que des employés changeaient Valérie de vêtements, nous
avons marché dans le voisinage pour méditer et parler de la
façon dont je désirais vivre cette expérience. Trente minutes
plus tard, nous avions le fer à friser à la main et le maquillage
prêt à être appliqué avec précision. Quand je l'ai revue avec
ses nouveaux vêtements, cela m'a fait du bien. La couleur était
plus douce et le tissu voilé drapait légèrement ses bras. Nous
avons alors mis à son cou une chaîne en or avec un pendentif
en forme de cœur serti de diamants que lui avait offert son
ami. Je lui avais mis aussi la montre que je lui avais donnée
pour Noël, la bague reçue en cadeau de son parrain et les boucles d'oreilles qu'elle avaient portées quelques mois auparavant, pour le mariage de son frère.

Nous avons ensuite pris beaucoup de soin à boucler ses
longs cheveux brun foncé pour leur donner du volume, puis
nous les avons attachés avec un petit foulard agencé qui venait
de sa grand-mère. Ses beaux cheveux tombaient maintenant
sur son épaule gauche. Finalement, nous lui avons appliqué
une légère touche de maquillage et j'ai retouché ses lèvres pour
leur donner un petit sourire. Comme elle était belle, notre fille,
pour recevoir sa toute dernière visite! Je la regardais du pied
du cercueil et c'est comme si je l'entendais me dire: «Merci,

maman, tu as bien fait ça, je suis fière de toi!» Après, il a fallu voir aux autres détails qui devaient être réglés en très peu de temps.

Valérie demeurait encore avec nous et, le soir de l'accident, elle avait préparé le souper pour son père et moi. Elle avait fait aussi un pain aux bananes ainsi qu'un gâteau à l'orange comme desserts. Elle nous a dit qu'elle voulait apporter le reste pour son équipe, le lendemain, car il était prévu qu'elle partait pour Ottawa. Alors, avant les funérailles, son père et moi avons décidé de couper les desserts en petits morceaux (535, pour être exact) et nous avons demandé au pasteur de les bénir pour que nous puissions les distribuer pendant le service.

Nous voulions aussi entendre une dernière fois la voix de notre fille. Elle chantait et avait enregistré deux années plus tôt la chanson de Kelly Clarkson: *For A Moment Like This*. C'était notre chanson favorite, à Valérie et moi. Nous avons donc demandé au directeur funéraire de faire jouer ce CD lors du partage du pain et lorsque nous sortirions avec le cercueil à la fin de la cérémonie. Pendant que les gens partageaient le « pain » de Valérie, nous étions debout et j'ai senti le besoin de me faire bercer dans les bras de mon époux au son de la voix de notre fille. Alors, Gilbert m'a prise dans ses bras et m'a bercée au rythme de la musique, comme si on dansait calmement, seuls. Soudain, Érick a pris sa femme dans ses bras et a fait de même. Par la suite, nous nous sommes aperçus que tous les gens autour de nous s'étaient, eux aussi, enlacés et se laissaient bercer au chant de Valérie. Les paroles de la chanson disaient qu'elle avait attendu toute sa vie pour un moment comme celui-ci, pour avoir un grand baiser! Maintenant, ce sera le baiser de Dieu seulement. C'était comme un beau message que Valérie voulait nous laisser en ce jour de son dernier départ.

Pour porter le cercueil à la fin de la cérémonie et pour sortir de la chapelle, nous avions choisi six hommes que Valérie aimait beaucoup: son père, son frère, deux amis, son cousin et son parrain. Pour les accompagner, Tammy, la femme d'Érick, a pris le bras de son mari et j'ai fait de même avec le bras de Gilbert. Ensemble, nous portions la dépouille mortelle de notre belle Valérie et je sentais son poids dans mon bras, sa présence dans mon âme et son amour dans mon cœur.

C'était le printemps, il faisait chaud et le soleil brillait. Je voulais porter une couleur pâle pour l'occasion et j'avais choisi un ensemble bleu ciel et une chemise de même couleur pour Gilbert. Après la cérémonie, lorsque la famille se rassembla dehors, je me suis rendu compte que les autres hommes avaient, eux aussi, une chemise bleu pâle et que les femmes avaient également une touche de bleu pâle quelque part dans leur ensemble. La foule était colorée et parce que mes yeux étaient bouffis par les larmes, je voyais un beau jardin de fleurs multicolores qui se balançaient au gré du vent.

Je suis tellement contente d'avoir préparé ma fille pour cet événement si spécial. Cela m'a permis de faire un beau cheminement à travers cette dure épreuve que furent les derniers moments passés avec elle. De plus, je comprenais que je n'aurais jamais la chance de la préparer pour son mariage, alors je trouvais d'autant plus important d'avoir pu la préparer pour sa dernière rencontre avec tous ceux qui l'aimaient.

Daniella Landriault,
maman de l'étoile la plus brillante
du firmament, Valérie K. Landriault,
Brampton, Ontario

8

VAINCRE
LES OBSTACLES

*Il m'a été donné de pouvoir garder
dans ma mémoire des souvenirs agréables,
des souvenirs de succès qui m'ont permis
de me reprendre en main durant
les différents orages qui traversent
indistinctement toute vie,
et la mienne n'a pas fait exception.*

Jean-Marc Chaput

Mon grand frère

Les défaites de la vie conduisent
aux plus grandes victoires.
                                        Max-Pol Fouchet

Je suis originaire d'un petit village situé au sud de
Rimouski qui s'appelle Les Hauteurs. J'y ai vécu mon enfance
sur la ferme familiale avec quatre frères et trois sœurs; le plus
vieux et le plus jeune étant des garçons, et moi le benjamin.
Les revenus de la ferme étant parfois modestes, mon père travaillait souvent loin de la maison comme ouvrier pendant que
Raymond, l'aîné de la famille, s'occupait du bon fonctionne-
ment de la ferme. La différence d'âge entre lui et moi étant
d'environ dix-huit ans, je le considérais donc un peu comme
mon père. Raymond était et est toujours un bon vivant avec un
sens de l'humour et de la taquinerie toujours présent.

À l'âge de huit ans, alors que j'étais en classe à l'école du
rang, je vis passer une ambulance à vive allure; c'était la première fois de ma courte existence que je voyais une vraie
ambulance. Mais ce qui attira surtout mon attention, c'est que
j'ai cru remarquer que mon père était à l'intérieur. Un sentiment d'angoisse m'envahit aussitôt et, à mon retour à la maison pour le dîner, j'appréhendais la mauvaise nouvelle.

Ma mère m'expliqua que Raymond était tombé en effectuant des réparations sur la maison; il n'était pas tombé de
haut, mais son front avait heurté un récipient de clous, ce qui
lui brisa les vertèbres du cou.

Après quelques semaines couché sur une planche avec des
sacs de sable placés de chaque côté de sa tête et de son corps, le
diagnostic tomba: paralysie complète de tout son corps, sauf la
tête.

Raymond a dû passer environ une année dans différents
hôpitaux et à l'Institut de réadaptation avant qu'il puisse revenir à la maison. Considérant nos moyens financiers modestes

et le fait que nous ne possédions pas d'automobile, les visites à l'hôpital avaient été très rares. Dans ma tête d'enfant, j'imaginais que mon grand frère reviendrait un peu diminué, mais sans plus.

Imaginez le choc de le voir arriver en fauteuil roulant, parvenant à peine à bouger les bras et les jambes. Ce fut mon premier grand malheur. Pourtant, ce malheur allait se transformer, avec le temps, en source continuelle de motivation pour moi. Petit à petit, je parvenais à apprivoiser ce *maudit* fauteuil roulant. Même si Raymond était physiquement très diminué, il avait gardé sa grande combativité et son sens de l'humour.

Je me souviens, entre autres, de cette journée où mon frère cadet et moi le promenions dans son fauteuil roulant près de la grange et que, en passant un peu trop près du *tas de fumier*, une roue du fauteuil s'était enfoncée et Raymond s'était retrouvé à plein ventre dans un mélange de terre boueuse et de vous savez quoi. Incapables de le relever, nous avons été envahis par un état de panique générale. Alors que nous étions au bord des larmes, Raymond éclata de rire et nous dit: «Là, on est dans la m...» En continuant de rire, il ajouta: «C'est pas grave, aidez-moi à me rasseoir et allez chercher papa à la maison.» Inutile de vous dire que la distance entre la grange et la maison fut parcourue en un temps record.

À force de ténacité et d'exercices avec des appareils de fortune, Raymond parvint à retrouver une certaine autonomie de ses mains. Il était maintenant capable de manger seul et de signer son nom. Concernant son hygiène personnelle, il y arrivait tant bien que mal avec l'aide de mon père. C'est également mon père qui s'occupait de changer son sac puisqu'il portait maintenant une sonde pour uriner et qu'il parvenait à satisfaire ses besoins naturels. Malgré toutes ses limites physiques, il gardait le moral, bien décidé à ne pas en rester là.

Quelques années plus tard, il suivit un cours de comptabilité et devint comptable pour une entreprise dans la région de Mont-Joli. À la même époque, il rencontra une femme de qui il devint amoureux et ils se marièrent. Avec l'aide des membres de la famille, Raymond se fit construire une petite maison adaptée à ses besoins et ceux de sa conjointe. Ses projets étaient tellement ambitieux, considérant ses limites physiques, qu'on devinait souvent un gros point d'interrogation dans le visage des gens lorsqu'ils parlaient de ce couple.

Je me rappelle le jour où il décida de suivre un cours de conduite. Il voulait s'acheter un véhicule adapté et il me téléphona pour que j'aille l'essayer avec lui. Heureusement que c'était au téléphone, car il aurait sûrement vu dans mon visage une grande incertitude, pour ne pas dire une grande frousse. Comment pourrait-il parvenir à conduire avec si peu de mobilité de ses bras et son manque de coordination? Je me disais qu'on se retrouverait tôt ou tard dans le champ. Pourtant, il conduit parfaitement bien depuis.

Un jour, après avoir fait étendre de la terre pour son terrassement extérieur, il réalisa qu'il y avait environ six pouces de terre de trop pour y installer la tourbe. Il décida qu'il ferait le travail lui-même pendant ses moments libres. Il plaçait un seau sur un des appui-pieds de son fauteuil roulant et, de peine et de misère, il parvenait à y mettre le quart d'une pelletée de terre pour ensuite aller vider le tout derrière la maison. Après quelques semaines, il avait enlevé tout le surplus de terre. Ce ne sont là que quelques exemples de tout ce qu'il réussissait à accomplir à force de persévérance, tout en restant positif et reconnaissant d'être en vie. Je pourrais en écrire des pages et des pages.

À l'époque, les médecins disaient que son espérance de vie serait de quarante ans maximum, considérant la paralysie de certains organes internes. Il y a environ trois ans, il fut hospitalisé et on constata que ses reins ne fonctionnaient plus et que son état était très critique. Les médecins semblaient si peu optimistes qu'ils voulurent lui éviter le fardeau supplémentaire de la dialyse. Mais Raymond leur a signifié clairement qu'il n'entendait pas baisser les bras.

Au moment où j'écris ces lignes, mon frère est retraité et se dirige vers ses soixante-dix ans. Trois jours par semaine, il va au centre hospitalier pour sa dialyse, de sept heures trente jusqu'après le souper. Il a toujours son moral d'acier et son grand sens de l'humour. Et qui sait combien de limites il repoussera encore.

Chaque fois que je vis des moments difficiles, je pense à tout ce qu'il a surmonté et je reprends vite courage. Je réalise que c'est souvent nous qui nous plaçons des barrières là où il n'y en a pas.

Par ce texte, Raymond, je veux te rendre hommage et te dire que tu es et restera toujours ma source d'inspiration, mon idole, mon frère.

Chanel Roussel,
Sainte-Luce

NOTE: *Raymond est décédé à l'été 2011, mais il est demeuré pour moi la grande source de motivation et de courage qu'il fut. Je connais le bonheur; j'ai une conjointe, des enfants et une famille formidables et, quelque part sans le savoir, il en est un peu l'artisan.*

Cœur d'or

Notre existence est l'addition de journées qui
s'appellent toutes aujourd'hui... Une seule journée
s'appelle demain: celle que nous ne connaîtrons pas.

Armand Salacrou

Du jour au lendemain, la vie de ma mère a basculé lorsqu'elle a appris, à l'âge de trente-cinq ans, qu'elle avait un cancer des ovaires. Mon frère et moi, âgés respectivement de dix et douze ans, fréquentions l'école primaire et nous n'avions aucune idée de l'impact que cette nouvelle aurait sur nos vies. Jamais elle n'a osé nous parler des implications de sa maladie. Je ne sais toujours pas si c'était par pudeur ou pour qu'on puisse continuer à grandir en toute innocence... Bien que le cancer fût omniprésent, ma mère lui laissait peu de place en se battant avec la force du guerrier, repoussant chaque jour l'ennemi invisible.

Ce n'est que beaucoup plus tard que j'ai compris tout le courage et la détermination dont elle a su faire preuve. Je me souviens très bien de ces jeudis où elle allait suivre ses traitements de chimiothérapie pour revenir à la maison nous préparer le souper, se lever de table pour aller vomir et revenir s'asseoir comme si de rien n'était. En fait, je crois qu'il est important de mentionner qu'au cours de cette épreuve, ma mère n'a rien changé à sa vie. Elle corrigeait nos devoirs, nous faisait pratiquer nos leçons, le piano ou toute autre activité parascolaire. Et ce, tout en poursuivant sa carrière de journaliste à Radio-Canada. Tous les samedis soir, elle recevait ses meilleurs amis à souper et prenait un soin particulier à cuisiner. La table était toujours bien mise, avec des fleurs et des chandeliers, la vaisselle et la coutellerie du dimanche, et des desserts achetés à la pâtisserie.

Ma mère n'a jamais fait les choses à moitié. Avec elle, tout prenait un air de fête. S'il est un souvenir qui reste gravé dans ma mémoire, c'est ce merveilleux Noël de 1980. Les journalistes de Radio-Canada étaient en grève cette année-là et mon frère et moi avions vite compris qu'il y aurait peu de cadeaux sous l'arbre. Jusqu'à maintenant, cette journée demeure mon souvenir favori. Il y avait sur la table un festin de rois, des hors-d'œuvre aux fruits de mer, de la dinde, des condiments, et nous étions simplement heureux d'être réunis. Dans l'air flottait cette magie de l'amour qu'on tente de dépeindre dans les films et les livres mais qui, lorsqu'elle se vit, est d'une puissance indescriptible.

Cinq années après l'annonce fatidique, ma mère gardait toujours le cap. Elle avait gagné son pari et faisait mentir tous les pronostics à son égard... Mais cette victoire fut de courte durée. Alors qu'elle s'attendait à avoir livré le plus grand combat de sa vie, ses médecins lui annoncèrent que le cancer était toujours présent, qu'il s'était attaqué à d'autres organes... Elle devait recommencer une batterie de tests et, cette fois-ci, on tenterait la radiation. Lorsqu'elle est venue me trouver ce soir-là, elle a pleuré un bon coup, mais elle ne s'est pas laissée abattre... Comment pouvait-il en être autrement? Elle venait tout juste d'avoir quarante ans.

J'ai quitté le nid familial cette année-là, désirant voler de mes propres ailes. Je dois tout de même ajouter que ma présence à la maison était encore fréquente. Les bons repas mijotés par maman étaient tout simplement divins. C'est d'ailleurs lors de l'une de mes visites que j'ai été frappée par une révélation très claire: ma mère n'en avait plus pour longtemps. J'avais entendu très distinctement qu'il lui restait dix-huit mois à vivre... et j'étais inconsolable. C'était comme si un ange avait pris la peine de m'avertir qu'à partir de maintenant, il fallait que je savoure chaque instant avec elle.

Notre relation, à ma mère et moi, avait connu bien des hauts et des bas au cours de mon adolescence. Il était grand temps que nous puissions communiquer à un autre niveau et avoir de vrais échanges mère-fille. Grâce à la vie, je revenais vivre à la maison en septembre 1986. L'été est arrivé bien trop vite cette année-là et maman était de plus en plus souvent étendue sur le canapé du salon. Les chats, sentant probablement l'évolution de sa maladie, se couchaient sur elle pour essayer de la guérir.

C'est au mois d'août 1987 qu'elle a pris le temps de nous parler, à mon frère et à moi, et de nous dire que, pour la première fois depuis qu'on avait posé le terrible diagnostic, elle sentait que la maladie avait pris le dessus. Elle n'avait d'autres choix que de rendre les armes. Encore à cette époque, j'étais loin de me douter que la fin était si proche. Nous étions au début du mois d'octobre, et j'étais déchirée entre poursuivre ma session universitaire ou tout laisser tomber pour prendre soin d'elle... De son côté, ma mère était entourée de sa meilleure amie qui, tous les jours, lui rendait visite à l'hôpital. Je suis venue la voir à deux reprises lors de ce court séjour et, au moment de la quitter la dernière fois, j'ai tout compris. Alors que je l'embrassais, elle m'a regardée droit dans les yeux et m'a dit, avec une douceur indescriptible: «Bye-bye, ma grande».

Je ne sais toujours pas comment j'ai fait pour me rendre à ma voiture, et je suis restée longuement assise à regarder sa fenêtre. J'ai dû pleurer pendant près d'une heure, mais j'étais maintenant chargée d'une autre mission: celle de convaincre mon frère de lui rendre visite le lendemain matin. Il se rendit à son chevet et ils eurent une belle et longue conversation. Ce devait être la dernière; elle nous avait dit, à tous les deux, combien elle nous aimait et qu'elle pouvait finalement laisser derrière elle son corps de souffrance.

La nuit de sa mort, j'ai eu le sommeil particulièrement agité et, dès la première sonnerie du téléphone, j'ai su qu'il était trop tard. Ma mère s'est éteinte dans la nuit du 11 octobre 1987, quatorze jours avant de célébrer son quarante-quatrième anniversaire de naissance, mais non sans avoir exaucé son vœu le plus cher. Lors du premier diagnostic, le médecin traitant avait décidé d'être franc avec elle et il lui avait prédit qu'il lui restait exactement deux mois à vivre! Ma mère l'avait regardé droit dans les yeux et lui avait répondu qu'il se trompait, que cela n'était tout simplement pas possible puisqu'elle avait deux jeunes enfants, et qu'elle les mènerait tous les deux à la majorité!

Au-delà de sa courte existence, ma mère a su faire preuve d'un courage exemplaire et, surtout, se tenir droite et forte devant l'adversité. Son secret, c'est l'amour qu'elle a su porter aux gens qui l'entouraient et qui le lui rendaient bien, et sa force de mordre dans la vie comme s'il n'y avait pas de lendemain.

Elle s'est démarquée comme professionnelle de l'information et comme mère, et jamais elle ne s'est apitoyée sur son sort. Elle n'a jamais accusé la maladie de l'empêcher d'être ce qu'elle était réellement... un cœur d'or.

Nathalie Morin,
Gatineau

Dieu m'a donné
des ailes

«Bravo championne!» disait maman. Aujourd'hui mon conjoint me le dit à son tour. Je suis une miraculée! Une survi-
vante! J'ai eu la chance de renaître à la Vie et au bonheur.

À trente-sept ans, le monde s'ouvrait à moi. Polyglotte et
possédant trois baccalauréats, je voulais aller enseigner outre-
mer. Toutefois, le destin en décida autrement.

Le 20 juin 1996, j'avais décidé d'aller dans un restaurant
de la Mauricie pour y prendre une bouchée. Avant de quitter,
je suis allée à la salle de bain. J'étais loin de penser que ma vie
allait basculer à tout jamais, ne me doutant pas du drame qui
se jouerait lorsque j'ouvrirais la porte. Un mégot de cigarette
abandonné sur le plancher de la salle de bain a touché le bas
de mon pantalon, fait de polyester. C'est à ce moment que le
courant d'air a enflammé tous mes vêtements. Je suis devenue
une torche humaine! Quelle horreur! Quelle souffrance!
J'essayais en vain d'éteindre le feu. Horrifiés, les clients et la
serveuse ne savaient que faire, j'étais brûlée vive en l'espace
de quelques minutes.

On me réanima à trois reprises. Arrivée à l'unité des
grands brûlés à Québec, on vit l'ampleur des brûlures et on me
donna 2% de chance de survie. J'étais brûlée sur 91% de ma
surface corporelle au 3e degré profond, mais une des rares sur-
vivantes au Québec. Grâce à la culture de peau, les spécialistes
ont pu faire des greffes sur mon corps.

La première hospitalisation dura quatorze longs, très longs
mois, dont quatre dans le coma, branchée à un respirateur, et
cinq mois en réadaptation intensive. C'est là où le temps est
devenu mon ami, mon allié. Je voulais vivre, je me battais
pour ma survie. Les infirmières et ma famille m'ont dit que je
répétais sans cesse: «Est-ce que je vais marcher?» À mon
réveil, mon corps était inerte, seuls mes yeux bougeaient. Ils
étaient brillants, pleins de vie; toutes mes émotions passaient

par eux. On m'annonça la terrible réalité: je ne pourrais plus marcher, mes chevilles étaient trop brûlées. Voilà qu'une pluie de questions envahirent mon esprit: *Qu'est-il arrivé? Quand? Comment?* J'étais incapable de parler, le feu avait brûlé mes cordes vocales! *Pourquoi moi?*

Avec une bonne dose de courage et de détermination, plusieurs mois de physiothérapie, j'ai réussi à faire mon premier pas, un des plus beaux moments de ma vie. Je me suis dit alors: «Je vais peut-être y arriver.» J'ai dû tout réapprendre: marcher, m'habiller, me laver, bien respirer, parler... tout, tout! J'ai rebâti mon estime de soi, je me suis réapproprié ma Vie, j'ai dû apprivoiser ce nouveau corps atrophié, m'habituer au regard des autres. J'ai vécu plusieurs deuils, dont celui de mon corps, de ma vie d'avant, de mes deux sports préférés: le vélo et le ski, et j'en passe. N'ayant reçu aucune indemnité pour l'accident, j'étais dépendante des autres.

J'ai appris que l'important, c'est l'attitude que j'allais prendre face à l'accident. Mes yeux se sont ouverts sur la Vie et j'ai réalisé que j'avais droit à une deuxième chance, une nouvelle vie! J'ai compris que le bonheur se trouvait à l'intérieur de moi. Cette nouvelle vie qui se présentait à moi, je la voyais au début comme une montagne de difficultés à traverser. J'étais en colère contre elle, j'éprouvais du chagrin. J'ai passé par une multitude d'émotions avant d'arriver à un certain apaisement.

Durant cette période, je me rendais régulièrement à la chapelle. J'y allais pour parler avec Dieu. C'était plus des pleurs que du questionnement. Je lui répétais sans cesse: *Pourquoi moi? Qu'est-ce que j'ai fait pour mériter cette épreuve?* Je la croyais insurmontable. Un certain soir, seule comme d'habitude dans cette petite chapelle à peine éclairée par des lampions, je lui ai dit: *D'accord, la vie m'a envoyé cette épreuve, mais seule je ne pourrai jamais passer à travers.*

C'est alors que je me suis sentie entourée par de grands bras et la chapelle s'éclaira subitement. Je croyais que quelqu'un m'avait vue et qu'il avait allumé les lumières, mais il n'y avait que moi. Ce fut pour moi la confirmation que je n'étais plus seule pour faire ce long voyage, j'étais *accompagnée*. Tel fut le miracle de ma vie. Dieu m'a donné des ailes et je suis sortie de la chapelle en souriant. C'est ainsi que j'ai connu mon réveil spirituel.

À ce moment, j'ai choisi de vivre non pas dans le ressentiment, la haine et l'apitoiement, mais de vivre heureuse. J'ai choisi la joie de vivre, un jour à la fois, malgré tous les *malgré*. Cette période fut pour moi le début d'un cheminement spirituel qui amena de grands changements intérieurs dans ma façon de voir la vie. J'ai fait un grand ménage! Pour rien au monde je ne voudrais perdre cet espoir qui m'habite. La prière et la foi sont présentes dans ma vie de tous les jours.

Jusqu'à présent, j'ai subi soixante-quinze chirurgies sous anesthésie générale afin d'améliorer ma mobilité et ma qualité de vie. Aujourd'hui, je marche avec une canne et j'utilise un fauteuil roulant pour les longues distances.

J'ai développé mon sens de l'humour afin de dédramatiser les événements (tout cela ne s'est pas fait en un jour, cependant!). Ma joie de vivre et ma croissance personnelle m'ont permis de devenir conférencière-motivatrice. Je fais du bénévolat, j'ai été porte-parole pour la Fondation des pompiers du Québec pour les grands brûlés, et je m'implique dans divers organismes pour les grands brûlés... Les gens disent que je suis une femme de cœur, une femme d'honneur, courageuse et déterminée.

Malgré toutes mes souffrances physiques, mes douleurs chroniques, ma mobilité réduite et les séquelles permanentes, je mords quand même dans la Vie à belles dents. Cette renaissance, ma deuxième vie, est si simple, si belle, remplie de sérénité et de calme. C'est incroyable tous les beaux moments que je vis maintenant. Je prends le temps de voir la nature s'éveiller, de humer les délicieuses odeurs du printemps, l'été et sa douce chaleur, les merveilleux tapis de fleurs odorantes et les magnifiques couchers de soleil, les couleurs de l'automne québécois, les paysages féériques de l'hiver. J'ai laissé la place à mon enfant intérieur et donné libre cours à mon cœur d'enfant.

J'ai dû faire aussi une croix sur ma vie de couple, mon conjoint m'ayant laissé après l'accident. Cependant, la vie me réservait un autre miracle.

J'ai alors rencontré Pierre, qui est devenu mon ami, mon confident. Pendant deux années, nous avons été les meilleurs amis du monde. «Le prince charmant ne viendra sûrement pas sonner à ma porte», lui disais-je. Et Pierre me répondait: «On ne sait jamais.» Bien sûr, le prince, c'était lui. Ma mère, elle, voyait tout et me disait: «Ma fille, cet homme t'aime de tout son être.» J'avais tellement peur d'être blessée de nouveau. Son amitié m'était tellement précieuse!

Je n'avais jamais connu l'Amour véritable. Et voilà qu'en 2001, il me déclara son amour. À quarante et un ans, je venais de rencontrer l'homme de ma vie. Le premier baiser fut magique et il est gravé dans mon cœur à jamais. Pierre est la perle qui embellit ma vie tous les jours. Ce qui est merveilleux, c'est qu'il a su aller au-delà des apparences. Pour lui, mes cicatrices n'existent pas, il me trouve belle. Il m'appelle son Ange. L'essentiel se voit avec les yeux du cœur, comme on dit. La beauté extérieure est éphémère, la beauté intérieure est éternelle.

Aujourd'hui, je m'attarde à ce que j'ai et non à tout ce que j'ai perdu. C'est un privilège d'être en vie et je profite de chaque petit moment présent, car je sais que c'est possible de voir le soleil au-delà des nuages, de voir la lumière au bout du tunnel. Le plus grand trésor de la vie, c'est... d'être en Vie!

Oui, les miracles, ça existe!

Sylvia Garand,
Notre-Dame-du-Mont-Carmel, Mauricie

Le test des larmes

En septembre 1976 s'ouvrait l'une des plus belles périodes de ma vie: à l'aube de mes vingt ans, je commençais mon cours de médecine à l'Université de Sherbrooke. Mon rêve d'enfant!

Tout au long de ma formation, j'ai admiré l'humanisme de mes professeurs. Mon préféré, musicien et un brin philosophe, nous disait souvent: «Pour devenir un bon médecin, il faut savoir deux choses: écouter pour comprendre, et parler pour se faire comprendre.» Après trois années d'études, j'ai été promue stagiaire. Du jour au lendemain, le personnel et les patients m'appelaient «docteur». J'étais à la fois excitée et inquiète: d'un côté, je brûlais d'impatience de mettre mes connaissances en pratique et, de l'autre, je craignais de commettre un faux pas. Je ne me doutais pas qu'un événement allait me confronter si tôt à mes propres doutes.

C'était au cours de l'une de mes premières gardes. Un soir, une infirmière me demande de venir voir une petite fille qui n'arrête pas de pleurer. Or, il est impératif qu'elle dorme, car elle doit subir une importante opération le lendemain matin.

L'histoire de Mélanie est tragique. Deux jours auparavant, alors qu'elle jouait dans la cour de l'école, elle est tombée sur un objet qui lui a perforé un œil. Aucun espoir de le sauver: Mélanie a irrémédiablement perdu la vue du côté gauche. Or, à l'époque, les chirurgiens ne disposaient que de trois jours pour enlever l'œil et mettre en place une prothèse. Passé ce délai, l'organisme sécrète des anticorps qui s'attaquent non seulement au globe devenu inutile, mais aussi à l'autre œil, d'où le risque de cécité totale.

Je comprends la détresse de Mélanie. À neuf ans, elle vient de subir une épreuve qui laisserait désemparée n'importe quel adulte. Et la perspective de l'opération doit ajouter encore à son angoisse. En parcourant le dossier, j'apprends qu'elle a éclaté en sanglots après le repas du soir. Ses parents ont essayé à tour de rôle de la consoler, en vain. Une infirmière a pris la relève avant de s'avouer, elle aussi, dépassée.

Que faire? Prescrire un somnifère? Mes professeurs n'auraient sûrement pas approuvé cette décision. Tenter de réconforter l'enfant à mon tour? Mais les livres de médecine m'avaient appris à sauver des vies, pas à consoler des malades.

Toute petite, j'adorais mes visites chez le médecin. Elles faisaient partie de mes sorties préférées. Le Dr Tremblay m'accueillait avec un grand sourire et, de sa voix grave, disait: «Que puis-je faire pour ma petite jumelle?» Il m'avait mise au monde le jour de son anniversaire. Je considérais cela comme un immense privilège. À chaque visite, je grimpais sur sa table d'examen et je le regardais m'ausculter, fascinée par son stéthoscope. Puis, il m'assoyait sur ses genoux et écoutait attentivement mes petits secrets. Quels moments magiques! Il m'a inculqué l'amour de la médecine.

Confronté à la situation présente, qu'aurait fait le Dr Tremblay? Je suis certaine qu'il aurait trouvé les gestes et les mots justes pour apaiser Mélanie. J'entre dans la chambre de la jeune fille. Les parents me jettent un regard plein d'espoir: ils ignorent sans doute que j'ai à peine un mois d'expérience derrière moi! Les mots tardent à venir. J'apprivoise le lourd silence. Bouleversée, j'observe ce visage secoué de sanglots que l'enfant enfouit contre l'épaule de sa maman. Puis, doucement, j'approche une chaise. «Mélanie, comprends-tu ce qui arrivera demain?» Elle hoche la tête. «Tu as peur de l'opération? des piqûres?» Elle fait signe que non. «Est-ce que c'est la prothèse qui t'inquiète?»

Elle secoue de nouveau la tête. Sa mère intervient pour me dire qu'une infirmière lui a tout expliqué. Mélanie a vu et manipulé une prothèse oculaire. «As-tu peur que tes amies se moquent de toi?» Son attitude étonnée m'indique que je fais fausse route. Elle pleure toujours. Comme je me sens impuissante! J'aimerais tant pouvoir percer le gros secret qui la rend si triste. Finalement, à court d'idées, je lui demande: «Mélanie, à quoi pensais-tu quand tu t'es mise à pleurer ce soir?»

De sa petite voix tremblotante, entrecoupée de sanglots, elle murmure: «Je voulais pleurer pour la dernière fois! Sans mon œil, je ne pourrai plus jamais pleurer, je n'aurai plus jamais de larmes!»

C'était donc cela, la cause de son chagrin. Tirant un crayon et un bloc-notes de ma poche, je dessine un œil avec un petit sac de larmes en dessous.

«Tu vois, Mélanie, ces deux parties ne se touchent pas. Demain, le docteur n'enlèvera pas ton petit sac de larmes, et tu pourras encore pleurer.»

«Je pensais que les larmes étaient dans mon œil. Alors, c'est sûr, je vais encore pouvoir pleurer?»

«Bien sûr, Mélanie, tu pourras toujours pleurer. Je te le promets.»

J'ai pris doucement ses mains et caressé ses beaux cheveux bruns. Rassurée, elle a fini par glisser dans le sommeil. De retour dans ma chambre, j'ai pleuré, moi aussi. Mes professeurs avaient raison. Notre devoir, à nous médecins, c'est d'abord d'écouter, de comprendre et de rassurer.

Je n'ai jamais revu Mélanie, mais je n'ai pas oublié sa leçon. Devenue médecin, je me suis efforcée d'être toujours à l'écoute de mes patients, de leurs souffrances et de leurs peurs. Quelques années plus tard, j'ai eu la chance d'enseigner la médecine familiale. J'ai souvent raconté l'histoire de Mélanie à mes étudiants pour souligner l'importance de se mettre à la place du malade. À leur tour, ils ont essayé, et les résultats les ont émerveillés.

J'ai pratiqué et enseigné la médecine familiale pendant dix-sept années avant de m'orienter vers l'informatique médicale. L'expérience m'a appris que les peurs des patients, leurs fausses croyances, voire la négation de leurs problèmes, nuisent à leur guérison. C'est pourquoi, quand mes amis me disent qu'ils se sentent incompris de leur médecin, je leur réponds: «Ouvrez-lui votre cœur. Il en sera touché et fera tout pour apaiser vos craintes.»[*]

Nicole Audet,
Laval

---

[*] *Reproduit avec permission. © 2002, Périodiques Reader's Digest Canada Limitée (Sélection, mars 2002).*

Rince-bouche magique

J'ai vingt et un ans, je poursuis ma deuxième année d'études en ergothérapie à l'université. Depuis un certain temps, je me sens faible, je tousse beaucoup et je fonds comme neige au soleil, près de quatorze kilos en l'espace de trois mois. Je consulte donc mon médecin qui me fait subir une batterie de tests. Il m'annonce que j'ai un cancer des ganglions, phase 4, c'est la dernière phase avant... Seul mon cerveau est épargné. Les chances de m'en sortir sont minces et les traitements doivent commencer dans les soixante-douze prochaines heures. Le médecin est honnête, il croit que je devrais être hospitalisée pour une sédation palliative, car il ne pense pas que je vais survivre.

J'ai vingt et un ans et je refuse de me laisser mourir. Je veux vivre et je ne lui laisse pas le choix. Étant témoin de ma détermination, il décide de me traiter. Il m'offre 25% de chances de réussite par la chimiothérapie et me dit que le reste m'appartient. Tout chavire dans ma tête. L'horloge tourne trop vite... La réalité est dure, après tout ce bombardement chimique. Je peux mettre une croix sur l'espoir d'avoir des enfants, de fonder une famille! Je n'ai même pas le temps de faire congeler mes ovules dans une clinique de fertilité.

Il me faut maintenant livrer le plus important combat de ma vie. Je suis jeune et j'ai tout à accomplir, il faut coûte que coûte aider mon corps à retrouver sa vitalité.

Malgré l'accablante nouvelle, mon ami de cœur du moment continue à faire preuve de violence verbale et psychologique à mon endroit. Rien d'étonnant puisque ça dure depuis cinq ans déjà. Il ose même me dire que, si je venais à mourir, il aimerait récupérer les cadeaux qu'il m'a faits. Je suis stupéfaite, mais je n'ai pas la force de régler cette situation. En fait, j'ai bien d'autres chats à fouetter! Je dois consacrer toutes mes énergies à ma guérison.

Je décide de retourner vivre chez mes parents. Ma mère me suggère de visualiser mon cancer comme un jeu de *Pacman*. Je vois les pastilles jaunes travailler sans relâche et s'empiffrer de cellules empoisonnées, mes cellules empoisonnées!

Mon horaire demeure le même: je poursuis mes études tout en travaillant à temps partiel et je me présente régulièrement à l'hôpital pour y recevoir mes traitements. Depuis que j'ai perdu tous mes cheveux, j'évite à tout prix de me regarder dans le miroir. Je porte fièrement un petit béret et mes amis dessinent de jolies fleurs et des petits bonshommes sourires sur mon crâne.

Après ma chimiothérapie et pendant mes traitements de radiothérapie, je vois un jeune homme dans l'escalier. Le destin se charge de m'ouvrir grands les yeux et le cœur et de me le faire rencontrer, même si l'endroit est peu propice aux histoires romantiques.

André est en traitement de radiothérapie pour le même cancer que moi. Je ressens la chaleur qu'il dégage et je veux à tout prix apprendre à le connaître davantage. Je ne sais pas si j'aurai la chance de le revoir. Dans la salle d'attente de l'hôpital, André attend toujours de rencontrer le radio-oncologue. Il parle avec un gentil bénévole des bienfaits du *rince-bouche magique* qui aide à soulager les douleurs de la gorge causées par les traitements de radiothérapie. Je prends mon courage à deux mains et j'entre dans la conversation malgré ma timidité. Au moment propice, j'ose même lui demander son numéro de téléphone! Mon audace le surprend un peu, mais il me le donne quand même.

De fil en aiguille, nous parlons de nos vies, de nos histoires d'amour tumultueuses et difficiles. Je reste bouche bée quand j'apprends qu'il est le neveu de ma collègue. Cela fait bientôt deux ans qu'elle m'en parle en insistant que nous serions si bien assortis.

En dépit des pronostics, je remonte la pente de façon surprenante. Un judicieux mélange d'ingrédients revigorants, composé de visualisation, de chimiothérapie, de radiothérapie et du grand amour, me permet de livrer l'ultime combat.

Bien que je n'aie plus de cheveux, je me rends vite compte que l'amour d'André va au-delà de mon apparence physique. Notre relation prend son envol. Nous sommes destinés l'un pour l'autre, des âmes sœurs, c'est certain. Nous imaginons les plus beaux rêves pour notre avenir. Après trois semaines de fréquentations nous emménageons ensemble. Deux années plus tard, soit trois ans jour pour jour après avoir reçu mon diagnostic de cancer, nous célébrons notre mariage.

Je me souviens que, lorsque j'ai vu André pour la première fois, je savais au fond de mon cœur qu'il était l'homme de ma vie. C'est extraordinaire de penser que, dans le combat pour notre vie, dans les moments les plus sombres et grâce à la maladie, l'amour se manifeste et triomphe.

Nos corps se remettent lentement de leurs épreuves et, un an après avoir éradiqué toute trace laissée par les nombreux traitements, je suis en symbiose avec la vie. Elle m'offre alors le plus beau des cadeaux... celui d'en porter une nouvelle dans mon ventre. Elle m'honore de ce privilège à trois occasions et me montre son doux visage sous les traits d'Andréanne, de Guillaume et de Noémie. André et moi sommes tellement heureux, notre vie est si belle!

De cette épreuve, je ne conserve aucune amertume. En fait, mon cancer m'a appris à ouvrir les yeux sur le vrai sens de la vie, avec toute sa fragilité et ses précieuses secondes. Je travaille maintenant comme récréologue dans une unité de soins palliatifs où j'ai pour mission d'améliorer la qualité de vie des personnes atteintes d'une maladie en phase terminale.

Je crois sincèrement que la vie a entendu mon appel, celui de la savourer plus que tout, et je lui ai montré, sans relâche, combien je tenais à elle. Lorsqu'elle a remarqué mes efforts et mon combat acharné pour continuer de la célébrer, elle m'a gentiment serrée dans ses bras et m'a invitée à raconter mon histoire, MA VIE!

Encore aujourd'hui, lorsque je me rince la bouche chaque matin, je souris intérieurement en repassant dans ma tête ma première rencontre avec l'amour de ma vie, grâce à une histoire de rince-bouche magique!

Sylvain Dion, Gatineau,
tel que raconté par Natalie Harrison,
Gatineau

Pelleteux d'nuages

*   *Expression typiquement québécoise qui désigne quel-
    qu'un de rêveur, qui a des objectifs considérés par ses
    pairs comme un peu trop optimistes.*

Le 3 septembre 2004, en Gaspésie, à l'âge de trente-quatre
ans, j'ai reçu un violent coup à la tête et ma colonne vertébrale
a été fracturée à six endroits lors d'un terrible accident de voiture. Par la suite, j'ai *dormi* un bon mois et demi et je suis
finalement sorti du coma avec un nouveau badge d'honneur:
traumatisé crânien cérébral (TCC).

À mon réveil, j'étais très sonné. C'est alors que j'ai réalisé
que je ne pouvais plus marcher ni me tenir debout, que je
serais même incapable de me laver, qu'il me faudrait réapprendre à manger et à parler. Et comme si ce n'était pas suffisant, la vie me réservait une autre jambette. Je me suis cassé
la cheville le 1er octobre 2005. Ma coordination n'étant pas
encore au point pour l'utilisation de béquilles, je suis retourné
à la case départ, comme au Monopoly. J'ai passé «Go» pour me
retrouver un autre six mois dans un fauteuil roulant, pour un
grand total de dix-huit mois bien *roulés*. Ce fut le plus long six
mois de ma deuxième vie.

Même si je dois vivre avec les séquelles de cet accident, je
me compte très chanceux d'avoir été béni une deuxième fois du
souffle de la vie et de la joie qui m'habite jour après jour.

Voici un fait cocasse qui illustre bien ma nouvelle vie.
J'habite à Stukely-Sud, dans les Cantons-de-l'Est et, sur mon
terrain, il y a trois bâtiments: ma maison et deux bâtisses en
bois rond. L'une me sert de garage et l'autre, de logement pour
mes invités. J'y ai installé un congélateur dans lequel sont
rangés tous mes plats congelés préparés par ma famille, par
moi ou encore achetés dans la section des produits congelés au
supermarché. Et comme je suis un très grand amateur de
crème glacée, été comme hiver, j'ai besoin d'avoir accès à mon
congélateur en tout temps.

Lors de l'achat de la maison, l'ancien propriétaire a laissé toutes sortes de choses dans le garage, comme des scies, des marteaux, des outils de jardinage, deux tondeuses qui fonctionnent très bien et plusieurs pelles. L'une d'elles fait parfaitement mon bonheur. Vous savez, le genre de pelle que l'on n'a qu'à pousser sans la soulever et qui accumule la neige dans son gros récipient. Puis, lorsque vient le temps de dégager son chargement, on n'a qu'à la reculer d'un coup sec pour que la neige se dépose en tas. C'est comme si elle avait été conçue spécialement pour moi.

Au cours des mois de décembre, janvier et la première moitié de février, j'avais accès sans problème à mon congélateur et à mon garage. J'avais même entretenu un petit sentier jusqu'au mirador derrière la maison d'invités. Celui-ci en est un *de luxe*, puisque je peux y accéder à l'aide de marches et de rampes. C'est un superbe balcon à environ douze pieds du sol, suspendu dans les arbres. J'aime bien y monter pour prendre l'air et ma dose de vitamine D. La vue y est superbe.

L'hiver était particulièrement doux cette année-là. La veille d'une fameuse tempête, je n'avais pas écouté la météo et j'avais laissé la pelle devant la maison d'invités en me disant que je finirais de pelleter le lendemain. Mais voilà qu'il est tombé deux pieds de neige au cours de la nuit.

Le lendemain matin, je suis sorti dehors pour aller dégager mes sentiers. J'avais cependant complètement oublié avoir laissé la satanée pelle près de ma maison d'invités. Tout à coup, un vague souvenir m'a envahi et je me suis dirigé sans tarder vers ma salle de bain puisque, de la fenêtre, je peux voir la façade de la petite maison. Et là, j'ai constaté que ma fameuse pelle était ensevelie sous deux pieds de neige. J'ai aperçu une partie du manche et j'ai eu l'impression qu'on venait de me couper les deux bras!

Alors, d'un air abattu, j'ai commencé à me frayer un chemin avec une pelle ordinaire. Je suis convaincu d'être la seule personne au Québec à avoir pelleté pour se frayer un chemin jusqu'à une pelle. Mon équilibre étant toujours précaire, je tombe en général au moins une fois par jour dans la neige. Je ne me fais pas mal, mais est-ce que je peux vous dire que:

«C'é tu assez frette d'la neige dans l'cou!» «Y a rien là, que j'me dis, chus pas une fillette quand même.» Et j'ai continué à dégager mon sentier pendant quatre jours. Il faut dire que je me fatigue beaucoup plus vite qu'avant. Je ne peux pas pelleter plus d'une heure par jour, soit l'équivalent d'environ vingt pieds. Ce jour-là, je n'ai jamais autant forcé de toute ma vie.

Du 24 février au 4 mars, j'ai dû tout abandonner, car je me suis fait tellement mal au dos en pelletant que j'avais de la difficulté à marcher. D'après moi, c'est l'année et demie que j'ai passé en fauteuil roulant qui a affaibli mes muscles dorsaux. Ce fut un dur coup à mon ego d'homme, mais il a bien fallu que je me rende à l'évidence et que je me répète: *Hé, ti-gars, t'es pas Superman!*

Pendant huit longues journées, je n'ai pas eu accès à mon congélateur et, comme j'étais arrivé au bout de mes provisions, j'ai dû faire appel à la cavalerie. Mon père s'est pointé chez moi avec sa souffleuse dans une remorque. Il a dégagé le sentier jusqu'à ma satanée pelle, mais pour le mirador, c'était trop accidenté. Croyez-moi, l'hiver prochain j'aurai une souffleuse!

La morale de cette histoire est que si on te dit que tu es un pelleteux d'nuages parce que tes rêves sont trop optimistes, eh bien, continue à pelleter. On m'a déjà dit que je ne marcherais plus jamais, alors que je pellete aujourd'hui.

J'aimerais remercier René, mon père, l'homme à la souffleuse, et Pierre Hamel, mon physiothérapeute du Centre de réadaptation de l'Estrie qui m'a fait monter une montagne à reculons pour la première fois de ma vie. Je n'aurais jamais cru que marcher à reculons me ferait avancer dans la vie!

Je suis convaincu d'être le seul homme au Québec qui est heureux lorsqu'il neige, non pas pour aller skier mais pour avoir la chance d'aller pelleter. Mon nouvel objectif est d'aller faire du ski au Mont-Orford. Eh oui, je suis un pelleteux d'nuages. Si j'arrive à chausser des skis et descendre une pente sans me casser la gueule, je te le promets, Pierre, que, pour la première fois, un homme grimpera le Mont-Orford à reculons. En été toutefois. Et je n'ai qu'une parole!

Benoit Trépanier,
Stukely-Sud, Estrie

Jour de novembre

Jour de novembre pluvieux et froid... Dans mon cœur, cependant, une chaleur insaisissable se répand. Après plus d'une année d'essais et d'attente, je suis finalement enceinte... Un bonheur indescriptible m'habite, j'aurai maintenant une famille à moi. Pendant toute la période des fêtes, je me suis frotté le ventre, malgré le fait que je n'étais enceinte que depuis deux mois. J'étais fière et je voulais montrer mon petit ventre et mon bonheur à tout le monde.

Arrive le grand jour et tout se déroule magnifiquement. J'accouche avec le sourire tellement je suis heureuse. L'infirmière annonce que c'est un beau gros garçon très vigoureux. Puis, en deux minutes, tout bascule. Le médecin ausculte mon fils et, après des examens plus approfondis, il m'informe froidement que mon poupon souffre d'une malformation cardiaque, qu'une opération à cœur ouvert l'attend d'ici un an si cette malformation ne se corrige pas d'elle-même. La douleur est indescriptible. J'ai froid et je suis incapable de me réchauffer. Le temps vient de se figer.

Finalement, le retour à la maison se fait avec un petit bébé devenu tout à coup plus fragile. Ce ne sont que des pleurs durant tout le trajet du retour, mais la vie doit continuer malgré tout. J'espère de tout cœur, et tous les soins possibles sont prodigués à mon enfant, de concert avec les spécialistes.

Malgré la peine et la peur que je ressens, cet enfant a tellement été désiré que je décide de profiter de chaque moment avec lui en ne laissant pas son état me soustraire au bonheur de serrer ce petit être dans mes bras. Chaque instant est précieux et savouré à plein.

Le jour de son premier anniversaire, il subit l'examen final et j'apprends qu'il est guéri! Rien ne vaut cette sensation de paix et de bonheur intense. Je suis soulagée, un poids immense est retiré de mes épaules. Mon garçon va vivre en santé et n'aura pas à subir cette intervention chirurgicale très risquée. Je suis profondément comblée par ce dénouement heureux.

Les années passent et je sais que la vie est plus forte que tout. Cette dure épreuve, j'en suis sortie plus forte et surtout grandie. Tout le monde s'entend pour dire que cet enfant est merveilleux, calme et étonnamment intelligent pour son âge.

Puis, arrive l'étape de l'école pour mon garçon. Il travaille fort, il est très bien encadré, mais il ne réussit pas à comprendre des apprentissages pourtant fort simples. Je suis très surprise et je doute même des compétences de son enseignante. Il est alors changé d'école, mais les problèmes continuent malgré tout. Heureusement, c'est un enfant calme et docile, mais il affiche toujours plusieurs échecs. Les gens me disent qu'il fait tout simplement partie de la catégorie de jeunes qui ne seront jamais bons à l'école et recommandent d'arrêter de me questionner. Mais mon instinct me dit tout de même de pousser l'investigation plus loin. Je ne peux me résoudre à accepter ce diagnostic absurde et j'exige des tests plus approfondis. Après plusieurs mois d'attente et d'incertitude, j'obtiens enfin un rendez-vous pour mon garçon avec une pédopsychiatre. Lorsque j'entre dans son bureau, je ressens aussitôt une impression de compassion et de douceur que dégage cette spécialiste.

À la suite de son évaluation, elle explique qu'elle a rarement eu un diagnostic aussi clair à annoncer à quelqu'un. Je sens le temps se figer encore une fois. Mon garçon est assis à côté de moi et je sens qu'il ne comprend pas les mots que la pédopsychiatre prononce: *maladie très rare, syndrome de dysfonction de l'hémisphère droit, incurable...* Je tourne alors mon regard vers la gauche afin qu'il ne me voie pas pleurer, mais je m'aperçois qu'il y a un miroir. Mon fils me regarde à travers lui, mon cœur alors se déchire. Je n'oublierai jamais ses yeux et l'inquiétude que j'y ai lue. Je trouve le courage de lui sourire pour le rassurer, tout en me concentrant pour rester forte et ne pas pleurer. C'est tout ce qui tourne dans ma tête: ne pas pleurer afin de ne pas inquiéter mon garçon. Je n'ai jamais eu autant de difficulté à retenir mes larmes, et je les ai retenues seulement pour lui. Cet enfant est toute ma vie et la sienne semble tout à coup hypothéquée pour une deuxième fois... Pourquoi lui, pourquoi moi? La douleur est si vive que je suis incapable de parler.

Je quitte la pièce en silence et tente de sourire à mon fils en lui disant que tout ira bien, qu'il est un garçon merveilleux. La décision est prise de ne pas lui révéler ce que je sais maintenant. Selon les diverses littératures et les suivis psychologiques, il est tout de même avancé sur plusieurs aspects, comparativement à d'autres enfants dans sa condition. Cela est probablement dû au fait qu'il a toujours été aidé à dépasser ses limites.

Plusieurs éléments font maintenant davantage de sens dans ma tête. Je comprends pourquoi il a eu tant de difficulté à apprendre à pédaler, à découper, à écrire, à faire du ski, à lancer un ballon comme les autres enfants de son âge. Cependant, jamais n'ont cessé les encouragements, les conseils de travailler plus fort, de donner le meilleur de lui-même, qu'il peut y arriver.

Pourquoi s'arrêter à ce diagnostic et l'empêcher de mener la vie à laquelle il a droit, lui aussi? Malgré cette seconde épreuve, je demeure forte et positive. Mon fils va jusqu'au bout de ses capacités, il est habitué à fournir des efforts. Parfois, la douleur est si intense qu'aucun mot ne peut me réconforter. J'en parle à mon entourage proche à l'occasion et, en d'autres circonstances, je respecte aussi mon besoin de vivre cette douleur en silence. Un enfant autant désiré et aimé ne peut-il pas simplement vivre une vie tranquille et sans tracas?

Maintenant que le temps a passé, je continue d'aller de l'avant et je me dis que, encore une fois, l'amour et l'espoir sont plus forts que tout. Les embûches ne sont pas terminées pour lui, mais qui n'en a pas? Je suis très proche de mon garçon et, de par ces épreuves, j'ai la certitude que lui et moi aurons la force de passer à travers beaucoup d'obstacles, que j'aurai surtout la capacité de le soutenir et de l'aimer du plus profond de mon cœur.

Dernièrement, par une journée de novembre ensoleillée, je conduisais ma voiture alors que la radio diffusait une douce musique. Je me suis soudainement surprise à penser que j'étais heureuse, malgré tout et sincèrement. La vie n'est pas parfaite, mais nous la vivons intensément avec son lot de joies et de peines. Après de telles épreuves, chaque petit bonheur devient précieux et, surtout, je prends le temps de reconnaître et d'apprécier chacun d'eux.

Mon garçon représente une leçon de courage et il m'incite à me surpasser. Je sais maintenant que, malgré de vives douleurs, le bonheur peut toujours revenir. Au début, je ressentais de la culpabilité de sourire à nouveau, mais je me suis vite rendu compte que la vie est plus forte que tout. Les journées où la tristesse m'envahit, je regarde mon garçon qui sourit et qui fait tout ce qu'il peut pour devenir meilleur. Je me dis alors que *c'est ça, la vie!* Imparfaite, imprévisible mais remplie de leçons qui nous rendent plus forts.

Voilà l'histoire d'une jeune maman qui ne changerait maintenant plus rien à sa vie.

Julie Lefebvre,
Shawinigan-Sud

À toutes jambes
sur le chemin de la vie

Lorsque je me rends au magasin, au marché ou au club sportif, je suis toujours ébahie de constater à quel point les gens détestent marcher. N'importe quelle excuse semble bonne pour stationner la voiture le plus près possible de l'endroit où l'on se rend. Pourtant, quelle joie de marcher, quel don que la santé! Chaque matin, je remercie Dieu et le docteur Edgar Lépine. Ensemble, ils ont su me redonner mes jambes lorsque j'avais quinze ans, grâce à une intervention chirurgicale qui demeurait quelque peu inusitée à l'époque, en 1960.

Dès l'âge de cinq ans, je savais nager. À sept ans, je participais à des compétitions de nage synchronisée et de plongeon. À dix ans, je n'avais qu'un rêve: celui de participer aux Jeux olympiques. Ce rêve occupait toutes mes pensées. Quel beau rêve! Le plongeon représentait pour moi la sensation sublime de voler pour un bref instant.

À l'âge de douze ans, mon avenir semblait prometteur. Mon rêve devenait de plus en plus sérieux et j'étais confiante d'atteindre un jour mon but. Mais la vie me réservait une tout autre destinée. Trois semaines avant l'anniversaire de mes quatorze ans, alors que je pratiquais mes sauts sur un trampoline situé sur la plage d'une station de villégiature, je perdis le contrôle et fit une chute tête première dans le sable. Sur le coup, mon bras gauche très mal fracturé attira toute l'attention. Nous étions le 24 juin et j'ai eu la très grande chance de pouvoir recevoir des soins immédiats d'un médecin de campagne extraordinaire. Il redressa les deux os de mon avant-bras qui avaient été fracturés et déplacés. Une chirurgie de quelques heures arrangea le tout. Dix jours plus tard, le médecin annonça à mes parents qu'il m'installerait un support en fibre de verre, ce qui était à l'époque encore une technique à l'essai. «De cette façon, dit-il, votre fille pourra se tremper un peu cet été.»

Plusieurs sessions de physiothérapie et quelques mois plus tard, mon bras semblait en voie de guérison.

Cependant, la vie me réservait une autre surprise. Vers la mi-décembre, j'ai remarqué que mes jambes s'engourdissaient, surtout pendant la nuit. En janvier, je tombais n'importe où, n'importe quand. Une nuit, ma mère est entrée dans ma chambre et me surprit à faire les cent pas afin de retrouver la sensibilité de ma jambe gauche. Les visites chez les spécialistes ont alors débuté.

Lorsque le mois de juin arriva de nouveau, cinq spécialistes s'étaient finalement mis d'accord sur un même diagnostic. Ma colonne vertébrale était instable et se déplaçait, ce qui occasionnait un coincement de la moelle épinière. Bref, je perdais l'usage de mes jambes. Tous me recommandaient une chirurgie qui était encore peu connue à l'époque. Il fallait prendre l'os de mon bassin pour fusionner mes deux dernières vertèbres lombaires à mon sacrum. On décida d'effectuer la chirurgie dès la deuxième semaine de septembre. Ainsi, le risque d'infection serait réduit et je souffrirais moins de la chaleur si un plâtre corporel s'avérait nécessaire.

L'intervention se déroula très bien et le docteur Lépine m'avisa qu'on devait m'installer un plâtre des aisselles jusqu'aux genoux. Je pourrais alors rentrer à la maison. Mes parents devaient se procurer un lit d'hôpital et s'assurer de la disponibilité de soins à domicile, puisque ce lit deviendrait mon domaine permanent pour trois mois et demi environ.

J'aimerais pouvoir dire que je fis preuve d'un courage énorme tous les jours, tout le temps, mais il n'en fut rien. Parfois, la peur de ne plus jamais pouvoir marcher me prenait. Je ne pouvais en parler à personne, car mes parents avaient leurs propres inquiétudes et j'en étais bien consciente. Tous les jours, après le dîner, je m'accordais une période de repos, car je consacrais beaucoup de temps à mes études à la maison. Durant ces moments, j'écoutais de la musique et je m'imaginais en train de plonger, de nager ou de skier. Ces moments étaient si doux...

Je me souviens d'un jour où mon oncle, un de mes héros, est arrivé de Québec. C'était un soldat qui avait connu la guerre et l'emprisonnement. Lors de son arrivée, je venais tout juste de pleurer. J'entendis ses pas dans l'escalier, il venait me voir. Quelle honte! J'avais les yeux rougis par les larmes. Je lui dis: «Tu dois me trouver couillarde de pleurer ainsi, n'est-ce pas?» Et il me répondit quelque chose qui me toucha au plus profond de moi et qui reste dans ma mémoire depuis toutes ces années: «Non, pas du tout. J'ai vu les hommes les plus courageux fondre en larmes comme des enfants pendant la guerre. Cependant, quand on leur donnait un ordre, ils faisaient ce qu'ils devaient faire. C'est ça, le courage. Le courage n'est pas basé sur le fait que nous pleurions ou non.» Quelle belle leçon!

Au bout de trois mois et demi, soit deux jours avant Noël, le docteur Lépine vint me visiter à la maison afin de scier le plâtre. On m'installa un corset muni de quatre barres de métal dans le dos et je pus faire quelques pas. Ce moment fut l'une des rares fois où j'ai vu mon père pleurer, tellement il était ému!

Cette année-là, je n'ai pas eu besoin de cadeaux sous le sapin de Noël. Mon plus beau cadeau était de retrouver mes jambes et de pouvoir marcher à nouveau. Je me sentais heureuse malgré tout!

Les années qui suivirent furent parfois difficiles. J'avais perdu mon rêve, mon identité d'athlète. Je ne savais donc plus exactement qui j'étais ni ce que je voulais faire de ma vie. Mon second rêve avait été de devenir océanographe, un désir qui me semblait maintenant impossible. Mais je marchais, sans corset ni béquilles. Je me souviens que mon médecin m'avait affirmé que si je parvenais à marcher avec un corset et sans béquilles, nous aurions accompli un miracle. Et quel miracle!

Un jour que je m'étais blessée au dos, juste au-dessus de la greffe qu'on m'avait faite, le docteur Lépine me dit: «Gisèle, tu souffres d'un handicap. Il est léger, mais tu dois l'accepter, tu dois comprendre.» Je l'ai regardé droit dans les yeux et, avec toute mon audace d'adolescente, je lui ai répondu: «Non, c'est vous qui devez comprendre. Je n'ai pas seulement l'intention de marcher, je veux et je vais danser, courir et même voler!» Il a tout simplement souri, de ce doux sourire empreint de compréhension. Ayant lui-même déjà affronté ses propres défis physiques, il comprenait très bien, au fond de lui, comment je pouvais me sentir.

C'est seulement une fois arrivée à l'âge adulte que j'ai réalisé que mon courage représentait bien peu comparativement au sien. C'était un médecin chirurgien orthopédiste de renom. Moi, j'avais tout à gagner et rien à perdre. De son côté, il avait mis sa réputation en jeu en risquant une intervention chirurgicale encore toute nouvelle à l'époque.

Cinquante années ont passé. Je marche toujours, je pratique plusieurs sports et je me sens bien. Et, chose incroyable, je n'ai jamais eu à retourner sous le bistouri pour réparer mon dos à nouveau.

La morale de cette histoire: marchez de tout cœur, jouissez de chaque pas. Quel incroyable cadeau j'ai reçu et qui me permet de vivre pleinement depuis cinquante ans! J'en suis reconnaissante au docteur Lépine ainsi qu'à toute son équipe de l'hôpital Maisonneuve-Rosemont de Montréal. La fillette devenue adulte et aînée en bonne santé vous garde une place bien tendre dans son cœur.

J'ai appris récemment que le docteur Lépine est décédé. La dernière fois que je l'ai vu, j'avais vingt-deux ans. J'espère, par ce texte, offrir à sa famille cet humble hommage en guise de témoignage envers sa grandeur de cœur, ses compétences incroyables, son courage et son humanité.

Gisèle Lamontagne,
Wakefield

9

UNE QUESTION
DE PERSPECTIVE

*Les défis que j'ai vécus m'ont amené,
et parfois même propulsé, vers des réalisations
personnelles inattendues et des moments
de bonheur incroyables.*

Guy Bourgeois

Rêve ou réalité

Il faut mener un homme, tout homme, jusqu'à lui-même
et lui apprendre à se construire...

Jean Guéhenno

À l'époque, j'étais bénévole pour la Fondation Rêve d'enfants à la division du Saguenay. J'adorais accompagner des parents de la région lors de la concrétisation du rêve de leur enfant malade. J'aimerais vous raconter l'histoire de l'une de ces familles.

Leucémie, cancer, hôpital, maladie... ce ne sont que des mots, mais des mots qui sonnent faux quand c'est l'un des nôtres qui est concerné par cela. Marie était une fillette de sept ans au crâne dégarni comme la peau d'un dauphin et arborant des yeux bleus au regard profond comme l'océan. J'allais être pour elle «le mon oncle» qui allait réaliser son rêve. Les rencontres d'admissibilité et autres formalités administratives étant complétées, une date avait été fixée avec la famille afin que Marie et les siens puissent bénéficier de la magie de Disney. Mon employeur savait déjà que mes vacances annuelles étaient toutes consacrées à la fondation. Quelle ne fut pas sa surprise de me voir entrer au travail le matin même où j'étais supposé partir...

Une rechute. Quel mot cruel! Pourtant, tout allait si bien pour cette enfant jusqu'à ce jour. Je n'arrêtais plus de me poser des questions sur la justice en ce bas monde. Je me demandais pourquoi des criminels vivaient très vieux tout en semant le mal autour d'eux, tandis que cette fillette si pure et innocente ne demandait rien de plus que de voir le soleil se lever le matin suivant. Je me demandais quel était donc le but de notre passage sur cette terre, quel en était le message.

Mais le destin faisant bien les choses, l'impossible se concrétisa. Les globules blancs de Marie grimpèrent en nombre suffisant pour qu'elle puisse effectuer le fameux voyage. Rapidement, sans perdre une seconde, nous remettions le processus en branle. Finalement, par un beau matin de décembre, nous nous envolions tels des oiseaux migrant vers le soleil du sud. Direction: Walt Disney World!

Lorsque nous sommes arrivés enfin à destination, l'excitation était à son comble. Marie ne pouvait attendre plus longtemps de voir ce dont elle avait rêvé lors de ses longs séjours dans les hôpitaux. Elle courait dans tous les sens, la petite flamme s'étant rallumée dans ses yeux. Elle renaissait à nouveau! Sa maman, émue, la gorge nouée et les yeux larmoyants, n'en revenait tout simplement pas de voir sa fille dans cet état. La famille nageait dans un grand bonheur, enfin!

Pour notre première journée, nous nous rendîmes au château de Cendrillon. En arrivant sur le site, Marie ne tenait plus en place. La magie de Disney opérait encore une fois. Nous étions le 24 décembre. Quel beau cadeau pour cette famille qui, depuis plus de deux ans, ne vivait qu'en fonction de la maladie de leur fillette. Ces gens étaient épuisés, fatigués, mais unis et souriants en cette veille de Noël.

Le lendemain matin, toute la famille fut prête pour une autre journée magnifique, excepté la maman qui, n'ayant pas fermé l'œil de la nuit, était exténuée. Peut-être appréhendait-elle le pire pour sa fille, croyant que ce regain de vitalité ne pouvait être que temporaire.

À la fin de la quatrième journée de ce fabuleux rêve, Marie vint me voir, comme elle avait l'habitude de le faire tous les soirs avant de se coucher. Elle s'installa sur le lit et, avec toute sa candeur, me demanda ce que j'allais faire une fois rentré au Saguenay.

– Je vais continuer ma petite vie routinière, lui répondis-je. Et toi, que feras-tu lors de notre retour?

– Moi... rien! me dit-elle.

– Pourquoi dis-tu ça? lui demandais-je.

Son visage se rembrunit, la lumière de ses yeux s'éteignit et elle me lança:

– Quand je vais être morte, est-ce que tu vas venir me voir?

Quelque chose en moi se déchira et une chair de poule recouvrit mon corps tout entier. Je cherchai les mots justes. Un nœud se forma dans ma gorge, je la pris dans mes bras et lui dit qu'elle ne mourrait pas, en tous cas, pas tout de suite. Qu'elle partirait un jour, comme tout le monde, mais pas maintenant!

– Non, je vais mourir quand je reviendrai, je le sais, me dit-elle en me regardant droit dans les yeux.

Puis, au pas de course, elle repartit jouer avec sa petite sœur. Je fus incapable d'en discuter avec ses parents, tellement j'étais démoli par ses propos. À partir de ce moment, l'être dur, insensible et intouchable que je croyais être était terrassé par les paroles de cette fillette de sept ans. Pendant le reste du voyage, je me contentai de la regarder vivre avec les siens tout en partageant leur bonheur éphémère.

Quelques semaines s'étant écoulées depuis notre retour de la Floride, je reçus un faire-part. C'était Marie qui m'invitait au mariage de ses parents. Son plus grand souhait était qu'ils se marient le plus tôt possible. Je la contactai et j'acceptai avec empressement son invitation.

Le jour du mariage, je regardai ses parents défiler dans l'allée de l'église. Elle me vit, me sourit et me fit un petit signe de la main, sans plus, puis elle vint me dire tout bas de ne pas bouger, qu'elle reviendrait me voir un peu plus tard. La cérémonie terminée, elle me rejoignit et me donna une grosse bise sur la joue, tout en me demandant si j'avais aimé le mariage.

– C'était fabuleux, lui ai-je répondu.

Elle m'informa qu'elle et sa famille se dirigeaient vers la salle de réception et me demanda si j'y serais. J'acquiesçai. Quand j'arrivai, Marie m'aperçut et, telle une antilope, me sauta dans les bras et serra très fort son petit corps contre le mien. Elle dit à qui voulait bien l'entendre que c'était moi le «monsieur» qui l'avait emmenée à Walt Disney! Les gens semblaient surpris de la voir si radieuse et débordante d'énergie dans les bras d'un étranger.

Je quittai la salle en même temps qu'une tante qui ramenait les fillettes complètement épuisées à la maison, tout en laissant derrière elles leurs *nouveaux parents*.

* *

Je restai quelque temps sans obtenir de nouvelles de la famille, étant très occupé par mon travail et me consacrant à mon bénévolat. Puis, voulant me mettre au fait des déroulements, je pris le téléphone et je contactai ces gens. Au bout de quelques sonneries, quelqu'un décrocha le combiné. Silence... on ne me parla pas tout de suite. Je fus inquiet, un frisson me parcourut le dos puis, enfin, on me répondit.

– Marie est à nouveau à l'hôpital, sa maladie a refait surface.

La voix tremblotante, j'ajoutai que j'étais vraiment désolé. J'étais sous le choc. Quel malheur! Je ne pouvais pas la voir ni lui parler. Il ne me restait que les multiples souvenirs d'elle dans lesquels je replongeai l'espace d'un instant.

J'étais vraiment ébranlé. Pourtant, je ne suis pas quelqu'un d'émotif; je suis un pur et dur, tant avec moi-même qu'avec mon entourage. Je ne me comprenais plus. Pour la première fois de mon existence, une drôle de sensation avait pris possession de mon corps et de mon esprit.

Recevant périodiquement de bonnes nouvelles à propos de la condition de Marie, je me disais qu'elle allait s'en tirer, que ce n'était qu'un mauvais moment à passer pour elle et sa famille. Hélas, je me fourvoyais, car un soir, la sonnerie du téléphone retentit, tel un coup de canon dans la maison. J'appréhendais déjà la nouvelle, mais je pouvais aussi me tromper. Malheureusement, ce n'était pas le cas, pas cette fois. Les mots terribles exprimés par la maman de Marie résonnèrent dans ma tête. La petite n'était plus des nôtres, elle nous avait quittés. Je raccrochai le combiné tout en m'assoyant sur un tabouret. Je fis le vide.

Encore une fois, je me demandai pourquoi cette disparition m'affectait tant, pourquoi étais-je si bouleversé. J'avais pourtant eu à faire face à la mort par le passé et jamais cela ne m'avait dérangé autant.

On rapatria son petit corps dans sa ville natale pour les obsèques. La date des funérailles était fixée et je me fis un devoir de m'y rendre afin de lui dire un dernier adieu. Arrivé au salon funéraire, je constatai que tout le monde pleurait dans le portique. J'entrai et je vis le cercueil ouvert. Je m'approchai lentement, me faufilant entre les gens. En un instant, je fus à ses côtés. Elle était radieuse, de petites fleurs ornaient ses cheveux bouclés et elle portait une magnifique robe. Une larme coulait sur ma joue et ma vue s'embuait. Étais-je devenu sentimental? Pendant un moment, plus rien ne compta. Je me retrouvais seul avec elle. Nous étions connectés par un fil invisible. Je la voyais heureuse, sachant qu'elle ne souffrirait plus jamais.

Après avoir offert mes condoléances à la famille, je retournai la voir afin de lui demander de m'accompagner à mon tour dans la vie, comme je l'avais fait pour elle pendant sa maladie.

Depuis ce temps, il m'arrive très souvent de me tourner vers elle. Elle me regarde parfois, toute souriante, sur sa photographie que je garde précieusement dans mon ordinateur. Quand je repense à toute cette histoire, je crois sincèrement que Marie a gagné un pari en me rendant plus... humain.

Harold Tremblay,
Chicoutimi

Les bonheurs les plus courts fabriquent
souvent les souvenirs les plus longs.
Raymond Giguère

Le Nestea

Au Québec depuis peu, arrivée de France en 2001, je viens de faire une balade à cheval, en plein été, et je souhaite étancher ma soif. Le centre équestre propose des boissons fraîches et, m'approchant du comptoir, je m'adresse au responsable de la buvette:

– Bonjour, je voudrais un «nesti».

– Comment?! me répond l'homme, les sourcils en accent circonflexe.

Je répète:

– Un nesti, s'il vous plaît.

– Un quoi?! reprend-il, l'air mauvais.

À ce moment précis, je pense que le pauvre homme est sourd et je répète fort et distinctement:

– Un n-e-s-t-i!

Il devient de plus en plus menaçant, alors je lance, en désespoir de cause:

– Ben ça!, pointant une bouteille de thé glacé de la marque *Nestea*, dans le frigo derrière lui.

Il éclate de rire:

– Ah, un thé glacé!

Je bats en retraite, mon Nestea sous le bras, sans comprendre.

Une année plus tard, possédant mieux la culture québécoise, je retourne au même endroit et tombe sur le même serveur qui me regarde en riant et me dit:

– Je vous reconnais. C'est vous, le *Nestea*!

Et nous éclatons de rire.

Pascale Piquet,
Saint-Jean-de-Matha

Un ange en autobus

J'avais à peine vingt ans. J'étais à l'autre bout du monde, au Venezuela, et je caressais le rêve de réussir en affaires. J'avais investi tout ce que je possédais, et j'avais tout perdu à la suite de la fermeture inattendue de la compagnie pour laquelle j'étais chargée du développement. Le pays entrait en élection et l'idéologie montante en faveur d'Hugo Chavez créait des émeutes violentes dans tout le pays, attirant l'attention des médias. L'annonce de cette instabilité politique alerta mes parents, qui décidèrent de venir au pays avec l'intention de me ramener avec eux.

Sans le sou, j'utilisai mes dernières ressources pour les rencontrer à Porto la Cruz. Je restai avec eux quelque temps, juste ce qu'il leur fallait pour essayer de me convaincre de rentrer au Québec avec eux. L'orgueil m'empêcha d'avouer ma défaite et d'accepter leur généreuse proposition. Je quittai donc l'hôtel en taxi avec mes derniers cinquante bolivars vénézuéliens, ce qui équivaut à douze dollars.

Le taxi me déposa à une station d'autobus et je pris ce qu'il me restait d'argent pour me rendre où j'étais arrivée, à Valencia, me rappelant avec amertume que je n'avais plus de logis et que mon visa était expiré… Je réalisai alors la gravité de ma situation et regrettai amèrement ma décision quand notre autobus eut un accident. Les passagers furent laissés dehors au milieu de la jungle en pleine nuit. Heureusement, nous avons été pris en charge quelques heures plus tard par un autre autobus qui passait par là. Ce dernier était surchargé et la musique latine jouait à tue-tête pendant que les gens chantaient, tout heureux.

Bien que la situation fut cocasse, j'étais complètement démolie. Qu'allais-je faire maintenant? Un homme bien habillé remarqua ma peine et me demanda calmement ce qui n'allait pas. Je lui avouai sans retenue mon rêve anéanti, mon échec lamentable, ma stupidité d'être restée dans un pays dangereux, sans un sou en poche, sans permis, sans logis, et mon trop grand orgueil pour rentrer.

Il m'expliqua qu'il ne fallait pas abandonner ses rêves et que j'avais pris la bonne décision, malgré tout. Qui était-il pour dire une chose pareille en de telles circonstances? Je ne peux expliquer pourquoi, mais à ce moment-là, tout changea. Je remerciai cet homme et je quittai l'autobus, pleine d'allégresse.

Je surmontai cette épreuve non sans difficulté. J'arrivai rapidement à trouver du travail et à accumuler assez d'argent pour sortir du pays par mes propres moyens. Je partis ensuite à Paris où je fus la plus jeune personne engagée à la direction de l'équipe des banquets dans un grand hôtel, où j'ai eu la chance de côtoyer de grandes personnalités. Cette expérience fut cruciale pour la suite des choses. Trois années plus tard, je démarrai ma première entreprise au Québec, laquelle gagna plusieurs prix et reconnaissances.

Aujourd'hui, à la veille de mes trente ans, je vis mon rêve avec passion et j'encourage les jeunes entrepreneurs à se lancer et à poursuivre leur rêve jusqu'au bout. J'appris par la suite que l'homme rencontré dans l'autobus était une personnalité d'affaires bien connue au Venezuela, et que des circonstances malencontreuses l'avaient fait monter dans ce véhicule.

Vous voyez? En vous accrochant à votre rêve et en restant attentif aux signes, tout devient possible!

Hélène Leblanc,
Montréal

Manu et Marcelle

La vie humaine, ça a un sens! Il faut y mettre un sens soi-même, c'est le plaisir de vivre. Chacun doit se l'inventer.

Yves Thériault

Manu et sa femme réfléchirent longtemps avant de se lancer dans cette nouvelle aventure. Tous deux savaient que de longues heures de travail ainsi que les économies familiales seraient engouffrées dans la pâtisserie que Manu se proposait d'ouvrir. Si le couple optait pour investir dans ce commerce, il contraignait à coup sûr leur famille de deux enfants à un budget serré pour plusieurs années. Alors, le couple décida que Suzie, la femme de Manu, conserverait son emploi afin d'assurer un revenu minimal à la famille. Suzie proposa aussi d'aider son époux lorsqu'elle le pourrait, en plus de s'occuper de l'administration du commerce. C'est donc en suivant ces plans, sans aide gouvernementale, que la pâtisserie ouvrit ses portes.

La première année en fut une de sacrifices. Manu toucha un petit salaire, mais la pâtisserie réussit à survivre à cette période critique. Heureusement, les commandes entraient, les clients revenaient et le bouche à oreille commençait à porter fruit. Cependant, Manu ne pouvait embaucher d'employé permanent, car il n'en avait pas les moyens, la marge de profit sur ses pâtisseries n'étant pas assez élevée. Malgré l'insuffisance de fonds, le commerce de Manu atteint vite un seuil où le nombre de commandes dépassait de beaucoup ce qu'un propriétaire unique pouvait faire de ses mains.

La pâtisserie était devenue victime de son succès. Les heures de travail de Manu augmentèrent en flèche. Le jeune propriétaire se tourna alors plus d'une fois vers différents programmes gouvernementaux en vue d'embaucher des employés à temps partiel subventionnés. Malheureusement, cette formule ne fonctionnait que pour un temps. Manu finissait toujours par se retrouver seul. Mais les commandes placées auprès de la pâtisserie augmentaient sans cesse.

Marcelle était une clientèle régulière de ce petit commerce. Elle y venait pour passer le temps et pour se changer les idées. Divorcée, sans enfant, souffrant d'embonpoint, elle réglait ses présences en fonction de sa haute pression. Les jours où elle souffrait moins, elle se dirigeait péniblement à pied vers la pâtisserie mais, la plupart de son temps, elle le passait à écouter la télévision. Sa vie se limitait, en fait, à quelques sorties matinales à la pâtisserie où elle échangeait quelques mots avec Manu, suivies d'une longue séance de télévision jusqu'au coucher. De l'aveu de Suzie et Manu, Marcelle affichait sans cesse un air triste et dépité.

Un matin, la présence de Marcelle à la pâtisserie coïncida avec l'une des plus grandes abondances de commandes de la jeune histoire du commerce. Les deux mains de Manu ne suffisaient plus à répondre aux dernières commandes. Épuisé par la fatigue accumulée, dépassé par les événements, il se lançait dans toutes les directions, ne sachant plus où donner de la tête.

En sirotant son café, Marcelle remarqua l'état de panique de Manu dans la cuisine. Elle comprit que le jeune homme n'arrivait plus à fournir. Sans hésiter, elle lui offrit son aide. Manu aurait normalement refusé, mais il s'agissait d'une situation de crise. Devant la montagne de commandes qui menaçait de l'enterrer vivant, et l'effet de surprise que fit sur lui l'offre de Marcelle, il hésita une fraction de seconde avant de l'accepter.

À la fin de la journée, toutes les commandes étaient remplies, la vaisselle était lavée et la cuisine était propre, prête pour les commandes du lendemain. Manu remercia chaleureusement Marcelle.

Tout au long de la journée, Manu remarqua que Marcelle se débrouillait remarquablement bien dans la cuisine. Pour sa part, Marcelle prenait goût à travailler avec le jeune homme. Contre toute attente, elle demanda si elle pouvait revenir le lendemain travailler à la pâtisserie. Le jeune propriétaire ne s'y opposa pas. Il prit néanmoins soin de lui préciser qu'il n'avait pas de quoi la payer. Il lui offrit cependant un repas chaud par jour en échange de ses services. La retraitée accepta de travailler bénévolement à la pâtisserie, mais refusa que le jeune homme lui paie ses repas. Tout ce qu'elle demandait à Manu en contrepartie de ses services était qu'il étale dans un des comptoirs de la pâtisserie les quelques sucreries qu'elle préparait la veille.

Manu remercia le destin de lui avoir trouvé une employée dévouée, performante et qui demandait seulement, en échange de ses services, d'exposer quelques sucreries. Il pouvait à présent répondre à de plus grosses commandes sans trop se soucier de ses capacités à les remplir. Mais, selon plusieurs personnes, Marcelle fut la vraie gagnante dans cette affaire. Elle perdit plus de cinquante livres à force de marcher pour se rendre à la pâtisserie tous les matins et y travailler toute la journée. De l'avis du médecin qui la suivait depuis longtemps pour sa haute pression, offrir ses services bénévolement et se rendre utile était la meilleure façon pour elle de retrouver la santé. Cependant, ce que la retraitée retrouva de plus précieux fut son sourire. Marcelle était désormais heureuse et en santé.

* *

Où que vous soyez au Québec, cette petite pâtisserie ressemble beaucoup, en fin de compte, aux commerces ayant pignon sur rue au coin de chez vous.

Un commerce, c'est beaucoup plus qu'une fabrique à profits. C'est d'abord et avant tout un endroit où plusieurs vies se croisent et où, peut-être, un jeune entrepreneur accumule de longues heures pour subvenir aux besoins de sa famille. Un petit commerce, c'est une fabrique à dignité qui aide des gens comme Marcelle dans tous nos coins de pays à se tenir un peu plus droit.

François Joly,
Gatineau

La foi de maman

Il n'y a rien de plus beau que de s'approcher de la divinité et d'en répandre les rayons sur la race humaine...

Ludwig Von Beethoven

J'ai toujours été fascinée par la vie de ma mère. La force de son courage et la foi qui l'anime du bout de ses quatre pieds onze pouces m'ont aidée à surmonter bien des épreuves. Dès mon plus jeune âge, je lui demandais de me raconter des histoires sur sa vie.

Tout commença en 1923. Françoise naît en janvier durant une tempête de neige, en pleine campagne québécoise, aidée d'une sage-femme. C'est le commencement de la grippe espagnole. Sa sœur aînée ne survivra pas. Septième d'une famille peu fortunée de onze enfants, elle voue une admiration sans bornes pour son père, qui doit souvent partir pour aller défricher les forêts. Malheureusement, il meurt étrangement lorsque Françoise a huit ans. Elle doit donc partir de la maison pour aller travailler. Elle doit s'occuper de jeunes enfants, faire le ménage, les repas et besogner dix-huit heures par jour. Elle ramasse ses dix sous par semaine et elle ne mange presque pas. Elle pleure souvent en priant le bon Dieu de venir la chercher et de l'emmener au ciel avec son père.

Un jour, une bonne famille veut l'adopter mais sa mère refuse. La petite lui rapporte l'argent de son dur labeur, ce qui assure ainsi la survie de ses jeunes frères encore à la maison. Durant ce temps, elle n'a malheureusement pas la chance d'aller souvent à l'école et elle doit parcourir des milles à pied pour s'y rendre. À son grand regret, elle doit l'abandonner définitivement vers l'âge de dix ans. Mais sa soif d'apprendre est si grande qu'elle s'instruit par elle-même à travers les livres de catéchèse et la Bible. Encore aujourd'hui, grâce à sa détermination, elle lit et écrit un français impeccable.

À quatorze ans, elle n'en peut plus et attrape un virus semblable à la grippe espagnole. Elle tombe dans le coma durant quatre mois. Elle est emmenée au couvent des bonnes sœurs qui la soigneront et l'hébergeront. Elle perd tous ses cheveux et elle doit aussi être enfermée dans une chambre noire, car elle peut devenir aveugle à cause de ses yeux bleus devenus très faibles. À son réveil, elle dit vouloir mourir, car elle a vu son père au ciel. Mais elle doit retourner travailler et, à dix-huit ans, à force de ramasser ses cents, elle achète une maison à sa mère qu'elle adore d'un amour inconditionnel.

La Deuxième Guerre mondiale arrive. Elle travaille alors dans une usine comme contremaître, parcourt aussi les villes pour vendre des bas de laine qui, entre autres, sont destinés à l'armée. Elle besogne sans arrêt. Elle doit également s'occuper de la maison des patrons, préparer les repas pour des invités pas toujours très *catholiques*! De plus, elle vient de perdre sa meilleure amie de la tuberculose ainsi que un de ses frères qu'elle adore. Françoise prie toujours le bon Dieu de venir la chercher.

Une nuit, un rêve lui confirme son désir profond d'avoir des enfants. Toujours célibataire, âgée de trente-quatre ans et ne pesant que quatre-vingt-cinq livres, elle consulte le docteur du village pour s'assurer qu'elle pourra enfanter, car plusieurs personnes lui disent qu'elle a trop manqué de nourriture et qu'elle est trop maigre. Heureusement, elle reçoit une réponse positive du médecin. C'est alors qu'elle rencontre mon père, âgé de trente-neuf ans, et ils se marièrent la même année. Françoise a cinq enfants, dont moi qui suis son bébé. Elle m'a mise au monde à l'âge de quarante-deux ans.

Je me souviens d'elle comme une femme de tête qui travaille constamment avec acharnement, qui prie le bon Dieu, qui va à l'église et qui ne se plaint jamais. Elle s'occupe de la tenue des livres du commerce de son mari, donne de bons soins à ses enfants, et garde aussi sa mère et sa belle-mère à la maison jusqu'à la fin de leur vie. La maison est toujours bondée de visite. Elle prépare constamment des repas pour tout ce monde.

À l'été de mes huit ans, sa mère meurt à la maison et, quelques mois plus tard, mon père, qui est devenu alcoolique, fera sa première crise de cœur. Il en fera d'ailleurs quatre, dont la dernière lui sera fatale. Durant toute sa maladie, ma mère s'occupe de lui en l'emmenant régulièrement à l'hôpital, elle le soigne à la maison après sa paralysie et jamais elle ose se plaindre. Par contre, elle pleure en cachette et je l'entends souvent prier le bon Dieu de l'aider à surmonter sa fatigue, son découragement et à joindre les deux bouts... et même de venir la chercher.

À soixante-cinq ans, maintenant veuve, elle se permet enfin de penser à elle. Elle vend sa maison, trop grande pour elle seule, et commencent alors des déménagements constants. Elle vit chez chacun de ses enfants, prend soin de ses petits-enfants, déménage dans plusieurs logements; elle se cherche. Elle ne trouve aucune place où elle se sent heureuse et épanouie. Elle vit une période assez sombre de remise en question. Elle dira d'ailleurs que c'est le bon Dieu qui la soutient durant tout ce temps.

À quatre-vingt-un ans, seule dans son appartement, elle fait un AVC et doit être hospitalisée pendant trois mois. Elle perd complètement la mémoire, ne nous reconnaît plus et divague complètement. Ma sœur l'accueille alors chez elle, où elle y vit depuis ce temps.

Aujourd'hui âgée de quatre-vingt-cinq ans, ma mère n'a gardé aucune séquelle de cet accident. Un vrai miracle! En fait, elle paraît même plus jeune. Avec sa voix très alerte, elle me raconte toujours des histoires qui me font chaud au cœur. Encore hier, je lui disais: «Maman, tu dois avoir hâte maintenant d'aller au ciel.» Et, à ma grande surprise, elle m'a répondu: «Non, j'ai demandé au bon Dieu de ne pas venir me chercher avant mes quatre-vingt-dix ans.» Quand je lui ai demandé pourquoi, elle m'a dit: «Parce que maintenant j'ai la paix intérieure et que je dois prier pour tous ceux qui en ont besoin. Si j'ai passé au travers des épreuves de ma vie, c'est grâce à ma foi. Je sais que je peux encore aider sur cette planète en priant et je prierai jusqu'à ce que le bon Dieu en décide ainsi.»

Je t'aime tellement, maman!

Renée Lemaire,
Drummondville

L'envol

C'est avec lui que j'ai pendu la crémaillère dans mon premier appartement. C'est avec lui que j'ai vécu ma première peine d'amour. C'est avec lui que j'ai appris à rire sans me prendre au sérieux. Et c'est avec lui que j'ai appris comment il fallait être responsable dans la vie.

Ce sont ses sourires qui m'ont fait croire en l'avenir. C'est avec lui que j'ai eu le moins de difficulté à laisser ma main dans la sienne. C'est avec lui que j'ai pleuré et ri. C'est avec lui que je suis devenue une adulte, aussi. Il est avec moi depuis mes seize ans. Toujours. Fiable et fort. Solide et fragile. Il m'a observée et me connaît sous bien des aspects. C'est mon *alter ego*, cette partie de moi qui est là depuis dix-sept ans. Ce pour quoi le soleil se lève chaque matin. C'est probablement lui qui sera à mon chevet, au moment de mon dernier souffle. Ce n'est pas mon ami. Il ne peut l'être, d'ailleurs. C'est mon continent, la chair de ma chair. Mon aîné. Celui que j'ai bercé alors qu'il n'avait que quelques minutes de vie. Celui qui a changé le cours de ma vie.

Il me reste neuf mois pour m'habituer au fait qu'il ne me sourira plus au quotidien. Neuf mois avant qu'il n'ouvre ses ailes et s'envole vers son propre monde. Neuf mois avant qu'il ne commence le cégep. Neuf petits mois de rien avant que j'accepte qu'il doive mener sa vie comme un grand, sans ma surveillance constante, sans mes conseils jour et nuit, sans ma lassante question: *T'as fait tes devoirs, mon grand?* Digne fils de sa maman, il a décidé, grand bien m'en fasse, de poursuivre ses études postsecondaires. Comme un grand, tout seul. À Québec, parce qu'il n'y a que là qu'il se donne, le super programme qui fera de lui un adulte sur le marché du travail.

Dans neuf mois, il pliera donc bagages pour entreprendre son aventure à lui, son chemin en solitaire, sans rentrer dormir chaque soir chez maman. Sans s'asseoir à la table avec nous… sauf les quelques fins de semaine où il aura la bonté et le désir de retourner chez maman pour manger sa lasagne et repartir avec une caisse de bouffe déjà préparée.

J'ignore comment se sentent les parents qui ont eu leurs enfants à un âge plus *normal*. Mais moi, je me sens bizarre de prévoir au calendrier qu'à mes trente-quatre ans, j'aiderai fiston premier à faire son trousseau. Magasiner des chaudrons, des draps, des meubles. Pour sa vie en appartement. Pour sa vie d'étudiant au collège. Pour sa vie. À lui. Avec et sans moi. Dans ma tête, dix-huit ans pour partir de la maison, c'est tellement tôt... et si je réalise qu'à son âge, j'étais déjà seule avec un tout petit de un an à élever, c'est encore plus bizarre. Je le sens trop jeune, trop petit, trop «mon bébé» encore. Et pourtant. Dans quelques mois, je verrai mon avenir posséder son avenir.

J'ai confiance, évidemment. Je suis heureuse de son choix. De ses choix. De son ambition. De lui je suis fière. Mais c'est si difficile de laisser l'oiseau s'envoler hors du nid! C'est fou comme c'est beau. C'est beau comme c'est fou.

Nous avons aujourd'hui reçu les photos de finissants. Il est si grand, si fier, si fort, si... petit. Neuf mois. Comme lorsqu'on apprend qu'on est enceinte. Et qu'on attend... qu'on sent le développement! Qu'on sait qu'on fabrique un être humain! Il me reste neuf mois pour mettre au monde un adulte que la vie emportera dans son tourbillon. Neuf petits mois pour effectuer le travail. Ensuite, je ne serai d'office que pour les conseils d'usage, les poches de lavage apportées les vendredis, où il passera quelques heures avec sa vieille mère avant d'aller rejoindre les copains au billard.

Le temps d'une grossesse et mon tout petit deviendra grand. C'est fou comme devenir parent ne nous prépare pas nécessairement à devenir autre chose que le gardien du temps entre le moment où il dit *maman* pour la première fois et celui où il vous dit *Love you, Mom, à plus tard*. J'ai attendu sa venue durant neuf longs mois. Je ne sais pas pour vous... mais dans mon cas, les futurs neuf mois, je les trouve trop courts, cette fois!

Martyne Desmeules,
Nicolet

Poule mouillée

Pour nos premières vacances en famille, nous avions décidé d'aller au Mexique. Avant de prendre l'avion du retour, notre fils aîné, âgé de huit ans à l'époque, tenta de pratiquer son anglais en lisant les affiches à l'aéroport. Logiquement, il associa l'affiche CHECK IN avec l'expression populaire CHICKEN, utilisée pour se taquiner entre amis.

Josée Lacourse et Sylvain Dion,
Gatineau

Illustration de Serge Malette, Gatineau

Un cactus
tellement précieux

Il vaut mieux jeter au hasard
une pierre qu'une parole...

Anonyme

C'est étrange comment les choses simples qui nous entourent dans la maison peuvent nous rappeler des moments inoubliables. Il y a bien longtemps, quand nos enfants étaient encore très jeunes, ma femme, Denise, et moi avions acheté un beau cactus d'environ trente centimètres de haut. Ce cactus semblait bien ordinaire au début, mais après quelque temps, nous avons vite remarqué qu'il grandissait avec une rapidité incroyable. Et ce, à un point tel qu'après quelques années, il dépassait en grandeur les enfants, pour atteindre une hauteur d'environ 2,8 mètres. Il faut dire que nous en étions très fiers et qu'il faisait partie de notre environnement familial. Tantôt, on le plaçait dans le salon, tantôt dans la cuisine, selon le bon plaisir de ma femme. Ce qu'il faut également mentionner, c'est que, malgré le temps qui passait depuis son acquisition, nous n'avions jamais remplacé le pot d'origine pour un plus grand. Celui-ci était définitivement trop petit pour la hauteur du cactus, qui était donc toujours un peu chancelant.

Une nuit au cours de laquelle j'avais de la difficulté à dormir, je décidai de me lever pour aller me préparer une tisane. En sortant du lit, étant donné que je n'avais pas mis mes lunettes et que, sans elles, j'ai de la difficulté à voir, surtout dans le noir, j'accrochai le fameux pot du cactus, qui était à ce moment-là placé devant la fenêtre, près de mon lit. Tout cela s'est passé si vite! À la faible lueur qui éclairait la pièce, je revois encore le cactus qui commençait à tomber en ma direction. Et moi, je me revois encore penché et en sous-vêtements, pensant à toute la gravité de la situation si le cactus s'écraserait par terre et se brisait.

Oh non!

Alors, bravement et sans hésitation, je m'élançai les bras grands ouverts, comme si je faisais un gros câlin à un vieil ami, et j'attrapai le cactus qui toucha presque le sol. Je le remontai doucement, centimètre par centimètre, jusqu'à ce qu'il revienne à sa position d'origine. Et moi dans tout ça? *Oh la la!* J'étais couvert de milliers de piquants là où le cactus avait touché ma peau et, très rapidement, je fus couvert de petits points rouges partout! Quelle désagréable sensation!

Peut-être vous demandez-vous si j'ai réussi à me rendormir cette nuit-là? Eh bien, non! Je ne pouvais même pas supporter le déplacement de l'air dans la chambre tellement ma peau brûlait! J'ai dû passer le reste de la nuit dans mon lit, allongé sur le dos par-dessus les couvertures, bras et jambes écartés, car la douleur était devenue intolérable, je ne pouvais plus bouger.

Au petit matin, quand ma femme se réveilla, je me suis empressé de lui dire: «Denise, qu'est-ce que tu as pensé de placer le cactus si près du lit?» Après lui avoir raconté toute l'histoire de ma mésaventure de la nuit, elle me répondit tout naturellement, sur un ton narquois: «Luc, mon chéri, le plus important, c'est que tu aies sauvé le cactus!»

Luc Tremblay,
Val-d'Or

Elle choisit la vie!

C'est l'histoire d'une des étapes de vie que notre fille Marie-Michèle vécut à l'automne 2005. Pour vous situer, elle est née en février 1984 avec deux tours de cordon ombilical autour du cou; ce qui, par le fait même, lui a apporté une multitude d'inconvénients tant au niveau physique qu'intellectuel. Depuis sa naissance, nous, ses parents, sa sœur et son frère, en avons vu de toutes les couleurs et en avons bavé parfois. Au fil des années, tous ces problèmes nous ont, par contre, beaucoup plus rapprochés que divisés.

Revenons donc à l'automne 2005. Marie-Michèle, qui demeurait à cette époque en résidence, s'était encore une fois étouffée! Comme d'habitude, elle fut conduite à l'hôpital en ambulance afin de libérer ses bronches et ses poumons de la nourriture qui les bloquait et de lui faire une bronchoscopie.

Une fois de plus, elle fut gardée en observation pour vingt-quatre heures. Mais voilà que les choses se compliquèrent lorsque, durant la soirée, elle manqua à nouveau d'oxygène. Vite, on l'amena dans la salle voisine pour tenter de la réanimer et elle revint plus tard dans son lit, intubée. À l'hôpital, on ne lui avait pas encore administré, depuis son arrivée, ses médicaments usuels pour l'épilepsie. On a alors dû changer la dose, car l'attente avait été trop longue avant qu'elle les reçoive. C'était relié au fait qu'on n'avait pas le droit de donner des médicaments qui n'étaient pas prescrits par le docteur, à la pharmacie de l'hôpital. Il nous fallut donc attendre que le médicament soit à nouveau correctement dosé et fasse son effet pour que notre fille retourne en résidence.

Durant les jours qui suivirent, Marie-Michèle, qui ne comprenait pas ce qui lui arrivait, tanta souvent de tirer sur le tube qu'elle avait dans le nez et, une nuit, elle y parvint bien accidentellement. Toutefois, le matin venu, à l'hôpital, on dut lui mettre à nouveau les tubes d'urgence et, par la suite, elle fut mise en isolement parce qu'elle avait contracté le virus du SARM (staphylococcus aureus résistant à la méthicilline).

Nous la voyions dépérir presque d'heure en heure. Le pneumologue demanda alors à nous rencontrer pour nous expliquer que la seule façon de lui sauver la vie serait de lui faire une bronchotomie (un trou dans la gorge) pour qu'elle puisse respirer. Par la suite, nous rencontrâmes une gastro-entérologue qui nous recommanda également de faire une gastrotomie (installation d'un tube relié directement à l'estomac pour la nourrir) pour ne plus qu'elle s'étouffe avec de la nourriture. Il fallait donc pratiquer deux chirurgies sur notre fille. Afin de réfléchir ensemble sur cette pénible décision à prendre, nous avons alors demandé à nos deux autres enfants de venir se joindre à nous.

Durant notre réflexion, nous devions envisager que, si les deux interventions étaient pratiquées sur Marie-Michèle, elle devrait demeurer sous contention (les bras attachés le long du corps) pour le reste de sa vie afin d'éviter qu'elle arrache encore les tubes desquels elle dépendrait. Devant cette dure réalité, nous nous devions de refuser les interventions proposées, car elles limiteraient notre fille à ressembler à un robot pour le reste de ses jours. Par contre, si nous refusions les opérations, nous risquions de la voir mourir lorsque les médecins la désintuberaient. Il fallait donc prendre en considération que plus elle restait intubée longtemps, plus elle risquait de s'affaiblir, d'irriter et d'endommager ses voies respiratoires.

Le lendemain, nous avions convenu de nous réunir pour un souper familial à la maison. Juste avant de passer à table, je décidai de faire jouer la chanson que Céline Dion chantait à la mémoire de sa nièce décédée de la fibrose kystique: *Vole*. Je l'avais fait à ce moment dans le seul et unique but de nous sensibiliser intérieurement, de nous éclairer sur la décision à prendre ce soir-là, afin qu'elle soit vraiment prise avec le cœur et que nous n'ayons pas de regrets par la suite. Soutenus admirablement par notre gendre, nous décidâmes à l'unanimité, à travers des larmes libératrices et des accolades réconfortantes, de refuser les interventions chirurgicales et de choisir de nous en remettre à Dieu si notre fille devait mourir le lundi matin suivant, soit lorsque le médecin lui retirerait le tube qui lui permettait de respirer depuis le lundi précédent.

Nous préférions de loin la laisser *s'envoler* plutôt que la voir *attachée* pour la vie. Pendant ce temps, lors de nos visites à l'hôpital, notre Marie-Michèle nous faisait toujours son éternel sourire lorsqu'elle nous voyait arriver, et ce, malgré le tube et le masque à oxygène qu'elle portait. Comme il nous était difficile de la voir attachée à son lit ou à sa chaise afin qu'elle n'arrache pas tout. Du même coup, cela réveillait en nous un grand sentiment de fragilité devant notre impuissance à intervenir. C'était déchirant.

Le lundi matin arriva et nous étions tous à la fois anxieux et inquiets de ce qui arriverait après que le pneumologue aurait retiré le tube du nez de Marie-Michèle. Mais à ce moment précis, dans nos cœurs nous étions prêts à faire face aux conséquences de ce geste, parce que notre décision avait été prise de façon réfléchie.

Lorsque le docteur retira le tube, à notre très grande joie, elle s'est tout à coup mise à respirer librement, comme si rien ne s'était passé auparavant. Les sons rauques qui sortirent de sa gorge nous prouvèrent hors de tout doute qu'elle avait choisi la vie! Aujourd'hui encore, Marie-Michèle se porte à merveille malgré qu'elle se soit encore étouffée deux autres fois.

Nous ne répéterons jamais assez à quel point nous sommes reconnaissants et heureux de la voir libre de ses mouvements et surtout en vie. Si, un jour, elle devait partir parce qu'elle se serait étouffée de nouveau, notre décision demeurerait la même, afin qu'elle aille retrouver son Créateur où elle ne souffrira plus jamais, si tel est son destin. Mais pour le moment, elle choisit la vie!

Roger Poirier,
Chicoutimi

Les souliers du directeur

Ce qui me passionne dans mon travail de conseillère en communication, c'est la diversité des problèmes qui doivent être analysés et résolus avec doigté. Je suis formée pour intervenir dans toutes sortes de situations, mais celle-là... *ouf!*

Quand j'ai parlé au directeur la première fois, il m'a confié qu'il croyait avoir un problème de communication. Selon lui, personne ne semblait être à l'aise en sa présence. Au téléphone, pourtant, il m'a semblé aimable, impliqué et prenant très à cœur l'opinion de ses collaborateurs. Nous avons convenu d'un rendez-vous et, à l'heure prévue, j'ai immédiatement *senti* quel était le problème de communication. En trois minutes à peine de conversation, c'était une évidence: *il était insupportable.*

Moi qui scande que tout peut être dit avec courtoisie, j'étais là, sans mots, coincée, étouffée par la suffocante odeur de *gouda* qui émanait de ses souliers. Dieu qu'ils puaient! Une combinaison toxique des meilleurs fromages d'ici aux plus puissantes émanations et d'un élevage d'épagneuls mouillés. Même les plus terribles relents concentrés des plus horribles marais du pays des ogres ne dégagent pas autant d'odeurs nauséabondes. Je sentais déjà mes narines fondre. J'imaginais mes poumons emplis d'une fumée verte asphyxiante sortie directement de ses chaussettes. Devant lui, je m'efforçais d'afficher un air quand même professionnel, malgré la rareté d'oxygène sain dans la pièce.

D'abord, trouver le moyen de sortir de là. *Charité bien ordonnée commence par soi-même*, dit-on.

– Allons prendre un café, voulez-vous?

De l'air, vite, de l'air...

En longeant le corridor qui menait à la cuisinette, le Yéti me précédait et je n'avais qu'une envie: sniffer de la lavande jusqu'à *l'overdose.*

Vous ai-je mentionné qu'il empestait? Une usine d'équarrissage avec un diplôme en gestion. Recevoir un traitement de canal aurait été plus joyeux que devoir passer une heure avec le directeur. À chaque inspiration, j'avais la même interrogation en tête: *Personne dans ce bureau n'a jamais osé lui dire que son odeur était littéralement mortelle?* Un coup d'œil furtif à son annulaire gauche me montra un doigt sans anneau. Mon Shrek n'était pas marié. Je me suis quand même lancée:

– Dites-moi, monsieur le directeur, vous vivez seul?

Bien sûr que oui!

Le café servi, comptant les secondes qui me séparaient de l'air pur, j'ai tenté une approche:

– Monsieur, cela vous semblera bizarre, mais... pourriez-vous me décrire, par exemple, l'odeur de ce café? Non? Comment, non? Vous avez des problèmes de sinus? Vous n'avez plus d'odorat? Pas vrai... dommage... comme ce doit être difficile... Dites-moi maintenant, monsieur, si vous pouviez sentir que quelqu'un dégage une odeur répugnante, une senteur abominable, comment lui diriez-vous?

Il m'a regardé droit dans les yeux, intrigué. Puis, il m'a répondu:

– Je serais poli mais ferme.

– Bien, je vois. Alors ce sera rapide, je serai polie mais ferme.

Rapidement, dis tout rapidement, tu y arriveras.

– Si vous le désirez, nous pourrons ultérieurement regarder ensemble les mécanismes de communication de votre entreprise. Mais, pour le moment, monsieur, vous puez tellement des pieds que j'en pleure des yeux. Cette consultation est gratuite et lorsque vous aurez réglé le problème actuel, nous pourrons rediscuter de tout cela. Ce fut un plaisir.

Souris, sans éclater de rire. Allez, ma grande, poignée de main, tu te lèves et tu te sauves.

Surtout, surtout, dans une pareille situation, ne pas se retourner. Le visage cramoisi du directeur pourrait vous hanter toute votre vie.

Martyne Desmeules,
Nicolet

10

VIVRE ET RÉALISER
SES RÊVES

Tu es captif de ta vie
ou tu en es le capitaine.
Peu importe, le choix t'appartient.
Ton âme et ton esprit
ne peuvent être paralysés;
si tu peux respirer, tu peux rêver.

Ne baisse pas les bras, ne lâche pas.
Va, tu as tout ce qu'il faut,
Et bien plus qu'il n'en faut.
Mais donne-toi le temps.
Vas-y, élance-toi, vis ton rêve.

Sylvain Dion

Dix aiguilles

Ce jour-là, mon meilleur ami, Patrick, arriva chez moi comme un cheveu sur la soupe en me demandant si je pouvais lui rendre un service délicat.

– Martin, je connais un homme dont le fils, Sean, âgé de douze ans seulement, se retrouve pour la troisième fois déjà dans sa courte existence à lutter contre un cancer d'une forme très rare. La semaine passée, il a dit une fois de plus à son père qu'il aimerait écrire un livre sur sa vie. En fait, la situation de ce jeune garçon commence à se compliquer avec sa maladie et il répète toujours à ses parents qu'écrire ce livre serait l'un de ses derniers rêves les plus importants à réaliser avant de partir. Il veut que son livre s'appelle *Dix aiguilles* parce que, depuis qu'il a neuf ans, il doit recevoir en moyenne dix piqûres par jour!

À ce moment bien précis, mon cœur s'est serré. Je retenais mes larmes. Mon ami Patrick enchaîna alors:

– Toi qui as déjà écrit deux livres, Martin, accepterais-tu de rencontrer ce jeune pour l'interviewer, enregistrer ses réponses et peut-être mettre en pages quelque chose pour lui? Il est de plus en plus faible, le temps presse. Qu'en penses-tu?

Malgré les émotions qui m'habitaient, ma réponse fut instantanée:

– En toute humilité, si je peux aider ce jeune, je ferai n'importe quoi pour l'accompagner dans la réalisation de son dernier rêve.

J'ai donc accepté de rencontrer ce jeune garçon, Sean Collins, pour voir comment je pourrais lui être utile.

C'était la première fois de ma vie que je rencontrais un enfant dans une telle condition. Le teint pâle, les yeux cernés et plus aucun cheveu. En quelques secondes, j'ai été charmé par ce jeune garçon. J'ai terminé cette première rencontre tellement inspiré et emballé par le courage de Sean que l'idée m'est venue d'offrir à ses parents, Chris et Lisette, d'écrire le livre bénévolement et de remettre 100 % des profits du livre aux enfants malades.

Ma réflexion était simple: si, du haut de ses douze ans, ce jeune garçon pouvait démontrer un tel courage face à une situation aussi difficile, il n'y avait qu'une seule chose à faire pour l'aider, être au service de son rêve!

J'ai donc commencé à travailler sur la rédaction du livre de Sean. J'étais loin de me douter de la qualité et de la sagesse de ses réponses. Le jour de notre dernière rencontre restera gravé à tout jamais dans ma mémoire. Ce jour-là, je n'avais qu'une question pour lui.

– Sean, si tu avais un conseil à donner aux gens pour être plus heureux dans la vie, qu'est-ce que tu leur dirais?

À l'instant même où je lui ai posé cette question, il a eu un étourdissement. Il m'avait expliqué lors de nos rencontres précédentes que les antidouleurs et les traitements qu'il subissait lui causaient parfois des étourdissements sévères, mais je ne l'avais jamais vu en avoir devant moi. Ses pupilles se dilataient et rétrécissaient, et il gémissait doucement de douleur, comme s'il tentait de reprendre le contrôle.

Après cinq longues minutes à tenter de reprendre son focus, Sean m'a regardé avec un petit sourire et m'a dit:

– Vivez chacune de vos journées comme s'il s'agissait de votre dernière.

Je fus impressionné, touché et surtout ému par le courage de ce petit bonhomme. Il enchaîna:

– Je n'ai jamais pensé qu'un jour je n'allais plus être capable de marcher, de courir, de nager, de faire les petites choses simples que j'aimais faire. J'aimerais dire aux gens qu'il est important de faire les choses que l'on veut faire le plus tôt possible.

Vous comprenez bien que ce garçon avait toutes les raisons du monde pour ne pas s'investir à écrire ce livre.

Sean a passé les trois dernières années de sa vie à ingurgiter plus de 1000 cocktails antidouleur, à subir plus de 1000 piqûres, plus de 200 transfusions sanguines, plus de

100 neutropénies, plus de 120 semaines de chimiothérapie, plus de 30 semaines de radiothérapie et plus de 12 opérations.

Malheureusement, il nous a quittés avant la fin du projet. Toutefois, il s'était assuré de nous faire promettre, à moi ainsi qu'aux dizaines de bénévoles qui avaient appuyé l'initiative, que nous allions compléter son livre en sa mémoire.

Malgré les heures que j'avais investies sur ce manuscrit, j'aboutissais toujours à cette même conclusion: la fin ne m'appartient pas. Je n'étais pas présent au moment de son départ et c'était parfait ainsi. Je tentais donc de trouver une fin qui allait lui rendre justice, mais les mots me manquaient toujours.

Un jour, voyant bien que la fin du livre tardait à venir, Chris et Lisette me demandèrent si je voulais savoir comment Sean était parti. Je n'oublierai jamais le silence qui régnait dans la pièce quand Lisette, la mère de Sean, prit la parole.

– La maison était si calme, et on avait allumé des chandelles un peu partout. On a brûlé de l'encens toute la journée afin d'apaiser l'atmosphère. À tour de rôle, Chris et moi, ainsi que les gens très proches de Sean, se succédaient à son chevet. Les gens allaient prier et lui parler alors qu'il était dans un état comateux, m'expliqua Lisette avec une expression si triste, mais si paisible à la fois.

Son père, Chris, enchaîna:

– Durant les dernières minutes de Sean, Lisette et moi étions à son chevet, et Sean arrivait à sortir de son coma pour de courtes périodes. Lorsqu'il ouvrait les yeux, on tentait de lui expliquer qu'il pouvait partir, que c'était correct d'aller au paradis. On voulait qu'il sache que ce qui l'attendait était beau. Qu'il n'y aurait plus d'hôpitaux, plus de chimio, plus de radiothérapie, plus de chirurgies, plus de douleur. Il remuait les lèvres avec difficulté et on lui donnait de petits baisers comme pour tenter d'apaiser sa lutte et lui transmettre notre amour une dernière fois. Et c'est à cet instant que Sean est sorti faiblement de son coma et qu'il nous a dit, d'une petite voix: «Vous ne saurez jamais à quel point je vous aime.»

Les yeux voilés de larmes, je venais de trouver la merveilleuse fin du livre de Sean et, du même coup, je réalisais que, jusqu'à son dernier souffle, Sean Collins a célébré la vie.

À ce jour, le livre *Dix aiguilles* a été vendu à plusieurs milliers d'exemplaires et a permis d'amasser plus de 150 000 $ pour les enfants malades. Après seulement trois semaines de ventes, il était devenu un *best-seller* national.

Rien de cela n'aurait vu le jour sans le courage de ce petit bonhomme d'aller jusqu'au bout de son rêve, ce qui, par le fait même, m'a enseigné qu'il n'y a rien de plus merveilleux en ce monde que d'être au service d'un rêve, un service accessible à tous et à toutes.

Martin Latulippe,
Memramcook, Nouveau-Brunswick

Notre rêve olympique

*Créez votre propre réalité! N'attendez pas que quelque
chose ou quelqu'un en soit l'instigateur!*

Paul Snyder

Au début, il n'y avait pas de rêve olympique. À l'école primaire, à Montréal, nous étions des jumelles obèses manquant de coordination. Pendant les cours de gymnastique, quand on formait les équipes, peu importe le sport, baseball, ballon chasseur ou autre, on nous choisissait toujours en dernier.

C'était sérieux au point où un jour notre professeur nous a dit: «Penny et Vicky, vous avez été choisies ainsi que quatre autres élèves pour être exemptées des cours de musique et suivre des cours de rattrapage en gymnastique.» Nous étions incapables d'attraper ou de lancer une balle correctement. Nous étions totalement humiliées.

Même si cette humiliation a affecté notre confiance en nous, nous avons continué de tenter notre chance dans d'autres sports et activités à l'extérieur de l'école. Puis, à l'âge de huit ans, nous avons découvert la nage synchronisée. C'était comme si le sport nous avait choisies, car c'était le seul où nous avions quelque talent, et nous l'adorions.

C'était le sport idéal pour des jumelles identiques et nous avions beaucoup de plaisir à créer des numéros musicaux. Nous adorions travailler avec les autres nageuses et nos entraîneurs, et nous travaillions très fort. Chaque année, nous nous fixions de nouveaux objectifs et nous réussissions toujours à les atteindre. Puis, en 1979, à quinze ans, nous étions enchantées de représenter le Québec aux Jeux du Canada. Les victoires qui ont suivi nous ont permis de voyager dans le monde entier et ont fait germer notre rêve de participer aux Jeux olympiques.

Nous avons atteint plusieurs de nos objectifs, dont sept fois championnes canadiennes en duo en nage synchronisée et une fois championnes mondiales en équipe. Nous étions enchantées d'avoir été le premier duo à recevoir une note parfaite de «10».

Pourtant, à notre grande déception, les Jeux olympiques de 1980 nous ont échappé à cause du boycottage de plusieurs pays, dont le Canada. Par la suite, en 1984, nous n'avons pas été choisies sur l'équipe. Après quatorze ans d'entraînement et d'efforts, nous avons dû reconnaître que notre rêve olympique ne se réaliserait pas. Nous avons pris notre retraite de la compétition pour terminer nos études à l'Université McGill et entreprendre nos carrières.

Puis, cinq ans plus tard, en regardant une compétition de nage synchronisée, nous avons toutes deux ressenti une étrange émotion. Nous avons soudain compris que notre rêve olympique n'était pas mort et nous ne pouvions pas l'ignorer. Le 1er avril 1990, nous avons décidé de faire un retour sans précédent et de viser les Jeux olympiques de 1992. Nous hésitions à annoncer officiellement notre décision au cas où nous échouerions, mais à la fin, nous avions plus peur de ne pas essayer et de devoir vivre avec cette question sans réponse: «Que serait-il arrivé si?» Nous avons décidé d'y mettre toutes nos énergies et d'être fières de faire de notre mieux. «Si on n'essaie pas, on ne le saura jamais!» nous sommes-nous dit.

Tout le monde croyait que c'était impossible. Mais notre désir intense nous a donné l'énergie et la persévérance nécessaires. Nous n'avions que deux ans pour reprendre la forme et nous classer parmi les meilleures au monde. Jamais auparavant une nageuse n'avait fait un retour après une absence de cinq ans, et certainement pas à l'âge de vingt-sept ans!

Nous n'avions droit à aucune subvention; nous avons donc gardé notre travail à temps plein et nous nous sommes entraînées cinq heures par jour après le travail. Nous devions subvenir à nos besoins et payer tous nos déplacements pour participer aux compétitions internationales. Nous étions décidées à réussir et nous nous disions: «Cette fois, rien ne nous arrêtera.» Pendant deux ans, nous avons maintenu ce régime assommant sans savoir si nous avions une chance de réussir.

Dieu merci, nous avions quatre entraîneurs dévoués du Québec qui se sont donnés corps et âme pour nous permettre de réaliser notre rêve. Julie était notre entraîneur-chef, André s'occupait de notre musculation, Richard nous aidait à reprendre la forme et Denise nous aidait à préciser nos mouvements dans l'eau. Nous n'aurions jamais pu y arriver sans eux.

Nous avons été poussées jusqu'à nos limites pendant les entraînements, car nous avions cinq années à rattraper. Pourtant, nous aimions toujours cela et jamais nous n'avons perdu notre sens de l'humour. Parfois, nous riions si fort avec Julie que nous manquions d'air et nous calions au fond de la piscine. Julie nous a aidées à avoir toujours confiance en nous. Nous pouvons encore l'entendre dire: *OK, les jumelles, vous êtes capables!*

Le jour des essais olympiques est enfin arrivé. Nous avions confiance mais nous étions nerveuses. Nous avions de la difficulté à respirer en attendant nos notes pour la finale. Quand elles ont été annoncées, nous avons sauté de joie et sommes tombées dans les bras l'une de l'autre. Nous avions gagné par 0,04 seconde! C'est à cet instant mémorable que nous avons compris que nous allions enfin vivre notre rêve olympique.

Nous étions très excitées quand l'équipe olympique canadienne de 1992 s'est réunie à Toronto en route pour Barcelone. Quand nous avons reçu nos uniformes olympiques, nous étions comme des enfants le matin de Noël! C'est alors que Ken Read, notre chef de mission, a tenu une réunion et a dit au groupe: «Félicitations et bienvenue à l'équipe olympique du Canada! Vous êtes désormais des olympiens et personne ne pourra jamais vous enlever cela.»

Notre expérience olympique a été inoubliable. Pendant les cérémonies d'ouverture, nous étions excitées d'entrer dans le stade plein à capacité sous les applaudissements et de voir s'agiter des centaines de drapeaux canadiens. Nous avons aussi découvert à quel point les Canadiens de tous les coins du pays nous supportaient. Grâce au programme Courrier olympique de Poste Canada, notre moral a reçu un énorme soutien au cours des difficiles derniers jours d'entraînement. Plusieurs Canadiens nous ont envoyé leurs vœux sur des cartes

postales adressées simplement à «Penny et Vicky Vilagos –
Barcelone.» Chaque jour, après notre entraînement, nous courions fouiller dans l'énorme pile de cartes postales jaunes des-
tinées à l'équipe canadienne pour trouver celles qui nous
étaient adressées. Nous en avons reçu en français et en anglais
de nos amis d'enfance de Montréal et de Québec, de parfaits
étrangers, d'anciens athlètes et de fiers Canadiens de tous
âges. Elles nous ont inspirées et nous ont fait rire et même
pleurer. Imaginez ce que nous avons ressenti à la lecture du
message suivant:

> *Chères Penny et Vicky, vous vivez mon rêve.*
> *Autrefois, j'étais capable de franchir*
> *deux longueurs de piscine sans respirer.*
> *Aujourd'hui, je suis handicapé et je ne peux plus nager.*
> *Je vous envoie ma force.*
> *Que le soleil brille pour vous.*

Et le soleil a brillé pour nous à Barcelone. Enfin, notre
grand jour est arrivé. Nous étions très stressées, sachant que
des millions de téléspectateurs nous regarderaient, mais nous
étions prêtes. En entrant à la piscine après avoir entendu
«Concurrentes #9... Canada», nous étions très fières. Pendant
que les Canadiens nous encourageaient et agitaient leurs drapeaux, nous regardions l'eau et nous nous sommes concentrées
sur le travail à faire. À ce moment, nous aurions pu être ten-
tées de penser aux 30 000 heures d'entraînement qui nous
avaient menées ici, mais il serait toujours temps de le faire
plus tard...

Ce jour-là, nager pour le Canada a été magique. Malgré le
stress, nous avons profité de chaque instant. Quand la musique s'est tue et que les applaudissements ont fusé, nous avons
regardé Julie et son expression nous disait ce que nous savions
déjà – nous avions donné la performance de notre vie!

Enfin, en survêtement du Canada, nous avons fait le tour
de la piscine pour la cérémonie de remise des médailles. En
montant sur le podium pour recevoir notre médaille d'argent,
nous pensions à nos entraîneurs qui étaient là avec nous pour
partager ce moment spécial. En regardant le drapeau monter,

la pensée que tant de Canadiens étaient fiers de nous a rendu l'expérience encore plus mémorable.

Nous étions encore dans les nuages quand est venu le moment de la cérémonie de clôture. Nous n'oublierons jamais l'atmosphère électrisante dans le stade alors que tous se balançaient en chantant «Amigos Para Siempre» ou «Amis pour la vie». C'est à ce moment que nous avons compris, après vingt et un ans, que notre rêve olympique s'était enfin réalisé!

Penny et Vicky Vilagos,
Montréal

Déterminé

La détermination d'une seule personne
est plus forte que toute une armée.

Anonyme

Dès son plus jeune âge, mon fils aîné était meneur de troupes. Il avait son mot à dire sur tout, même les gardiennes ne pouvaient lui tenir tête. Haut comme trois pommes, il criait déjà à l'injustice. Lorsque je remplissais les verres de lait de ses frères, il s'assurait toujours qu'aucun d'eux en ait une goutte de plus! Je l'avais surnommé «Le petit avocat».

À l'âge de cinq ans, croyant ralentir ses ardeurs fougueuses et *sculpter* un petit homme plein de douceur, je l'ai inscrit à des cours de patinage artistique. Durant la même plage horaire, un cours de hockey se donnait de l'autre côté de la patinoire. Il n'en fallut pas plus pour que je comprenne l'appel de son cœur. Rien ne sert de nager à contre-courant.

Les années ont filé et il a continué de m'épater avec son côté fonceur et persévérant, et surtout avec sa détermination de réussir. À douze ans, lors d'un tournoi de hockey, il s'en est pris à l'un de ses coéquipiers qui n'avait pas donné son maximum! Au cours du même match, il a sermonné son entraîneur, l'accusant de ne pas avoir su placer ses joueurs afin d'assurer une victoire.

Quelques années plus tard, alors que j'élevais seule mes fils, il a décidé de poser sa candidature à mes côtés comme père de famille, non pas pour m'épauler mais pour me faire comprendre que le navire avait besoin d'un meilleur capitaine. En fait, comme l'argent ne coulait pas à flots et que je devais dire non plus souvent qu'à mon tour pour certaines dépenses, il a jugé à-propos d'évaluer lui-même mon budget...

En tant que capitaine, j'ai pris soin de remettre mon mousse à l'ordre et je l'ai envoyé pendant toute une année au pensionnat, dans un collège privé, question de remettre les pendules à l'heure. J'ai eu droit aux grincements de dents, au chantage et à la culpabilité. Cependant, ce fut une année charnière, puisque au bout de dix mois, j'ai retrouvé mon fils transformé. Il avait rencontré son meilleur ami et s'épanouissait dans les sports. Son regard avait changé. Il appréciait à nouveau ce qui lui avait manqué: sa maison, ses frères, et moi, sa mère.

J'ai semé un jardin avec de bonnes valeurs, telles que le courage, la persévérance, la joie de vivre, l'entraide, l'hospitalité et la compassion. Mes enfants ont tous grandi entourés de personnes déficientes en santé mentale. Ma mission était d'être une famille d'accueil pour ces gens démunis.

Alors que mon fils était âgée de quinze ans, je l'ai emmené à son premier séminaire de développement personnel. Avec notre goût insatiable pour la lecture empreinte d'inspiration et de sagesse, nous étions devenus une combinaison gagnante. Ma nature positive alliée à sa soif d'apprendre et de comprendre nous permettaient de philosopher pendant des heures.

Tous ces échanges ont permis l'éclosion d'un rêve, celui de toucher le cœur des gens. Ce rêve, mon fils Sylvain le porte à bout de bras, avec toute une province derrière lui, à travers des témoignages de personnes qui ont bien voulu nous faire part de leur courage, de leur sensibilité, de leur force et de leur joie de vivre afin de vous offrir ce *Bouillon de poulet pour l'âme des Québécois.*

Johanne Plante,
Sherbrooke

Maintenir le cap

Je vais commencer mon histoire à l'âge de dix-huit ans. Je venais de terminer mon cinquième secondaire et je ne savais pas du tout ce que je voulais faire dans la vie. En fait, je n'en savais tellement rien que c'en était souffrant!

Mes amis, eux, *savaient* qu'ils voulaient être policiers, physiothérapeutes, comptables, et j'étais le seul à sembler totalement perdu. Je m'étais quand même inscrit au cégep en techniques policières parce que mes meilleurs amis voulaient devenir policiers. *Ce sera une bonne façon de passer le temps en attendant de savoir ce que je veux faire de ma vie,* me suis-je dit.

Après ma première année de cégep, j'ai abandonné mes études et je suis retourné vivre chez mes parents. Me voici donc à dix-neuf ans sans aucune idée de ce que je veux devenir! Plus le temps passait et plus je ressentais de la pression à me trouver une carrière. Je sentais un étau qui se refermait de plus en plus sur mon torse et c'était étouffant.

Comme mon père possédait une compagnie de pose de pavés, je travaillais pour lui durant l'été. Presque tous les jours, je pelletais de la roche, je transportais des pavés, je posais des pavés et j'avais vraiment mal aux muscles tous les soirs. Lors de mes journées de congé, j'étais tellement épuisé que je ne faisais pas grand-chose, à part dormir et manger. J'avais l'impression de perdre les meilleures années de ma vie et cela me dérangeait profondément, mais je ne savais pas plus quoi faire... *Merde!*

L'hiver venu, je bûchais un peu de bois et je vivais de prestations d'assurance-emploi. Je profitais de ce temps libre pour me *chercher*, mais je ne me trouvais toujours pas!

Puis, un jour, je suis tombé sur un programme de développement personnel d'un auteur très connu mondialement, qui nous recommandait d'écrire nos objectifs très ambitieux, avec de courts échéanciers, afin de nous inciter à passer à l'action.

J'ai alors acheté un cahier et j'ai écrit des objectifs très far-felus. Par exemple, que je gagnais 100 000 $ par mois, même si, à l'époque, je gagnais plutôt entre 6 000 $ et 10 000 $ par année. J'ai noté que je parlais devant des foules et que j'écrivais des livres.

Et comme j'écoutais tous les jours les disques compacts de cet auteur, j'étais vraiment motivé et convaincu que j'allais parvenir à atteindre mes objectifs. Devinez ce qui s'est passé après une année de travail intensif avec ces CD? *Rien! Absolument rien!*

J'étais encore plus découragé et déprimé. Mes objectifs me semblaient encore plus irréalistes après avoir passé toute une année sans aucun progrès... mais je considérais tout de même que je n'avais rien à perdre. Soit que je faisais quelque chose, soit que je continuais ma vie telle qu'elle était, et elle était pénible. J'avais déjà mal au dos et à l'épaule à cause du travail éreintant de pavés et de ma condition physique moins qu'optimale pour ce genre d'emploi – une façon polie de dire que je n'avais vraiment pas la forme pour un tel boulot!

Alors, je me suis inscrit à mon premier cours de développement personnel qui m'a fait connaître la PNL (programmation neuro linguistique) ainsi que Richard Bandler. Puis, sur un coup de folie, je me suis inscrit à ma première formation avec le Dr Bandler aux États-Unis. Je peux dire qu'enfin, à ce moment-là, j'ai remarqué des changements en moi.

Savez-vous ce qui s'est passé après cette formation exceptionnelle? *Pas grand-chose...*

Cependant, j'ai rencontré un homme qui réussissait à créer des changements chez un groupe de personnes simplement en leur parlant. Je me suis alors dit: «Moi aussi, je veux faire ce qu'il fait, c'est génial! Je ne pensais même pas que c'était possible!»

J'avais donc trouvé ma vocation et le sentiment qui m'habitait était tellement intense quand je m'imaginais en train de faire la même chose que j'ai décidé de plonger afin de développer mes compétences.

J'ai donné mon premier atelier d'une soirée à Sainte-Mélanie, mon village natal, dans une salle qui me coûtait 25 $ de location. Je demandais 5 $ par personne et il s'est présenté – *roulement de tambour ici* – trois personnes! J'avais donc 10 $ de moins en poche, mais cette petite expérience m'a permis de constater que j'adorais être devant un groupe, malgré le stress dû à mon incompétence.

J'ai persévéré et, plusieurs semaines plus tard, je donnais un atelier semblable où il y avait maintenant cinq personnes. Je couvrais mes frais!

Pendant les années qui ont suivi, ma vie ressemblait à ceci: durant l'été je posais des pavés et l'hiver je me perfectionnais en suivant des formations. Je donnais également des formations qui duraient maintenant une ou deux journées et je demandais 150 $ à chaque personne. Il y avait entre cinq et huit participants.

J'ai continué ainsi jusqu'à ce que les revenus générés par mes formations dépassent ceux générés par mon travail harassant de pavés. J'ai alors quitté cet emploi cette année-là. Cette étape a été à la fois l'une des plus importantes et des plus difficiles de ma vie, car j'adore mon père et je savais que son souhait était que je continue de travailler avec lui. Comme je ne voulais pas lui faire de peine, lui annoncer ma décision me torturait. Je ne me rappelle même plus de quelle façon je lui ai annoncé cela, tellement cette expérience était émotionnellement chargée pour moi.

J'ai continué à donner mes formations. Elles pouvaient durer maintenant quatre, six et même douze jours et le nombre de participants augmentait graduellement, allant jusqu'à quinze ou vingt personnes.

Tout se déroulait très bien quand, soudain, j'ai eu une idée folle... celle de donner un atelier d'une journée au Palais des congrès de Montréal et demander aux participants de faire un don à leur discrétion à la fin de la journée. Je trouvais l'idée complètement ridicule, mais elle me revenait constamment en tête. Alors, j'ai organisé l'atelier, tout en étant inquiet à savoir si la salle serait presque déserte ou si les gens donneraient suffisamment pour que je puisse couvrir les dépenses, qui sont grandes pour ce genre d'événement.

J'avais aussi une autre inquiétude parce que je me demandais si les personnes qui avaient réservé allaient vraiment se présenter le jour venu, puisqu'elles n'avaient pas eu à verser un acompte. Avec mes années d'expérience, j'avais appris que absence d'acompte égale absence d'engagement réel.

Après avoir jonglé avec toutes ces inquiétudes et ces doutes, je suis arrivé au Palais des congrès le 18 avril 2009; la salle était presque remplie, il y avait 400 personnes! J'ai donné l'atelier, qui a été un succès, et les participants ont été suffisamment généreux pour que je puisse couvrir mes dépenses.

Après ce succès et le *high* qui a suivi, je me suis mis à l'écriture de mon deuxième livre, que j'ai envoyé à deux éditeurs. Celui qui a choisi de le publier était l'éditeur que je préférais.

Entre-temps, j'ai donné des formations au Québec, en Ontario et en Europe. Quand je pense que je suis natif de Sainte-Mélanie, que j'ai seulement un diplôme de cinquième secondaire en poche et que je mène la vie que j'ai présentement, je ne peux que m'émerveiller et être vraiment heureux de la tournure des événements.

En écrivant ces lignes, je repense à ce qu'un de mes mentors m'a souvent répété: «La plupart des gens surestiment ce qu'ils sont capables d'accomplir en une année et, surtout, ils sous-estiment grandement ce qu'ils peuvent accomplir en dix ans.»

Je maintiens le cap depuis douze années maintenant et je ne peux que m'incliner devant la vérité de ce qu'il m'a dit. Je suis là à vous écrire et à me demander ce qui se produira dans les dix prochaines années si je continue sur ma lancée… Comme j'ai de la difficulté à l'imaginer! Ce devrait être tout aussi étonnant que ce que je vis actuellement.

Peut-on réaliser nos rêves au Québec? Oui! Maintenez le cap le temps nécessaire et vous finirez par vous rendre là où vous le désirez vraiment.

Alexandre Nadeau,
Blainville

Prière à l'Univers

Mon corps frissonnait lorsqu'un soir de 1994, en me couchant, j'ai imploré pour la première fois l'Univers de changer ma vie... Peu de choses ayant changé par la suite au fil des années, c'est à genoux cette fois, le regard tourné vers les étoiles scintillantes de cette nuit du premier de l'An 2000, que j'ai supplié l'Univers d'intervenir.

Mais la vie continua son cours jusqu'à ce que je prenne quelques jours de vacances en septembre. En compagnie de ma mère, j'ai eu la chance de rencontrer quelques personnes de son entourage. La veille de mon départ, l'une d'elles, curieuse, m'interrogea sur mes projets d'avenir. À cette époque, je n'en savais trop rien; c'étaient plutôt les événements de la vie qui façonnaient mon présent et mon futur.

Surprise de la question, j'ai confié à cet homme, avec toute ma franchise, que je rêvais depuis une vingtaine d'années d'un travail que je serais fière d'obtenir un jour. Mais, malgré quelques tentatives dans ma région, il y avait peu d'opportunités pour ce genre de poste. Calmement, mon interlocuteur me répondit: «Mais pourquoi ne pas déménager et dénicher cet emploi si tu le veux?» Prise au dépourvu et cachée derrière les excuses pour dissimuler ma peur du changement, j'ai prétexté que j'aimais aussi mon travail actuel. À la vérité, cette personne venait de me confronter à moi-même au sujet de ce vieux rêve dont j'avais souvent parlé mais que je n'avais jamais réalisé.

De retour de vacances, je ne pensais qu'à cette discussion fortuite. Serais-je capable de faire ce changement et déménager? Je me sentais poussée par une force intérieure et une petite voix qui me chuchotait: *Mais qu'est-ce que tu attends au juste?* En racontant cette anecdote à une bonne amie, elle me remit sur la voie en me répliquant d'un trait: «Pourquoi ne pas faire le saut si c'est ce que tu as toujours désiré? Ne rate pas cette occasion! Comme on dit: *tu bâtiras le pont quand tu arriveras à la rivière.*» Quelle phrase! Cette remarque me secoua tellement que je suis restée perplexe, sans savoir quoi lui répondre. Mais j'avais la trouille de quitter mon travail actuel. Qu'allaient penser les gens autour de moi? Pourrais-je? Devrais-je?...

L'Univers façonne parfois subtilement notre vie dès notre jeune âge et elle oriente nos choix sans que nous nous y opposons vraiment. Mais, malgré mille interrogations et remises en question, après plusieurs années intenses de vie familiale et de carrière, il m'arrivait fréquemment de me demander si mon *échelle de vie* était appuyée sur le bon mur. Ma vie continuait son cours sans que rien ne change; parler... rêver... parler... rêver...

Il faut dire que j'avais le bonheur d'avoir deux merveilleux garçons qui volaient maintenant de leurs propres ailes en tant que jeunes adultes. Alors pourquoi n'irais-je pas plus loin dans mon cheminement? Et si je me décidais? Je parlais un peu de mon projet, mais les questions des autres semaient le doute dans mon esprit: «Comment feras-tu? Tu ne connais personne, tu n'es pas bilingue... As-tu pensé à ta famille? Tu seras loin d'eux... Trouveras-tu un loyer avant? Et si tu n'obtiens pas d'emploi à long terme?» et j'en passe. Dans toute cette confusion, j'ai compris que, si je voulais changer quelque chose, je devais garder le secret et élaborer mon propre plan. *Tu bâtiras le pont quand tu arriveras à la rivière*, me répétais-je.

Après m'avoir créé une *carte de cheminement* pour savoir si je pouvais atteindre mon but, j'ai fait mon évaluation personnelle et j'ai noté toutes les étapes à franchir ainsi que les connaissances que je devais acquérir pour obtenir ce poste tant convoité. J'ai évalué aussi mes liens avec mes enfants, ma famille, mes amis et mes collègues. Je réalisais que ce n'est pas forcément parce que les gens sont près de nous qu'ils sont disponibles. La plupart du temps, chacun a ses propres obligations et sa propre recherche du bonheur. Après cette constatation, je me suis sentie encore plus seule. Novembre arrivait.

Pendant près de deux mois, j'ai entrepris la plus importante croisade de changements dans ma vie. Ma mission était de découvrir si je devais ou non passer à l'action et, au fil des événements, j'y voyais plus clair, j'y arrivais. Un mois plus tard, huit curriculum vitae s'envolèrent par la poste! Je

venais de franchir une autre étape, ma décision était prise.
L'attente commença...

Cinq semaines plus tard, le téléphone sonna! J'étais convo-
quée à une entrevue dans deux semaines. Quelle joie! À la fin
de mars, avec des papillons au creux de l'estomac, je me suis
présentée à l'entrevue. Après avoir discuté et fait le tour des
bureaux, les directeurs me posèrent seulement une question:
«Pourquoi voulez-vous avoir cet emploi et déménager?» D'un
ton calme, je répondis simplement que je voulais changer ma
vie, que j'étais prête et que je réaliserais ainsi un rêve que je
caressais depuis au moins vingt ans. Sans me demander si
j'acceptais le poste, l'un des directeurs déclara: «Vous com-
mencez dans deux semaines, telle date et le bureau vacant
sera votre bureau!» Je suis restée bouche bée! Après les salu-
tations d'usage, je suis sortie dehors, ébranlée et désorientée;
je ne leur avais même pas répondu oui! Incroyable, le destin
parfois! L'année suivante, j'ai su qu'on m'avait offert ce poste à
cause de ma détermination, de mon autonomie et de ma capacité à faire le travail sans trop de supervision. Incontestable-
ment, c'était une autre victoire!

Sur le chemin du retour, tout se bousculait dans ma tête, je
me suis vue *rendue à la rivière*: comme elle était large et profonde! Cela m'a fait sourire et j'ai repensé aux paroles que mon
amie m'avait dites quelques mois auparavant. La peur était
disparue, faisant place au futur. Malgré le fait que je n'aie pas
élaboré de plan précis, j'ai décidé de faire les choses une à la
fois. Quelques jours après, c'est avec grand étonnement que
mon entourage a appris la nouvelle. Les deux semaines qui ont
suivi passèrent en un clin d'œil.

Le grand jour est enfin arrivé! Nous étions à la mi-avril
2001, le soleil était superbe et mon cœur battait fort lorsque
je suis entrée dans l'édifice, pour la première fois, en tant
qu'employée. Je tremblais et j'avais les yeux pleins d'eau. Si
vous saviez comme j'étais fière de franchir les portes de mon
rêve! J'étais heureuse d'avoir fait le grand saut et d'y avoir mis
autant d'efforts. C'était magique, je n'avais aucun regret.

Une vieille connaissance avait accepté de m'héberger pour
quelques jours et, malgré la pénurie de loyers dans cette ville à

l'époque, j'ai déniché très rapidement un joli petit appartement. Tout se fit sans contrainte: j'y croyais et je l'ai demandé.
Le jour où j'ai remis les clés de mon appartement en Abitibi, le
cours de ma vie venait de changer. Je partais maintenant pour
une autre région, d'autres expériences.

Grâce à cette belle énergie, j'ai obtenu une promotion
douze mois plus tard et, l'année suivante, j'ai eu un poste à
temps plein. D'un bonheur à l'autre, j'ai réalisé en 2004 un
autre rêve de mon adolescence: celui de conduire une moto.
Deux ans après, j'ai rencontré un homme qui devint mon conjoint et, en plus de tout ce que cela apporte d'heureux et de
positif, ce fut l'achat d'une maison. Loin des yeux, loin du
cœur? Pas nécessairement, puisque je vois beaucoup plus mes
enfants, ma famille et mes amis depuis mon déménagement.

Aujourd'hui, en repensant à tout mon cheminement, je me
revois encore à genoux en ce soir du premier de l'An 2000
implorant l'Univers. Ce fut l'une des belles aventures qu'il
m'ait été donné de vivre et, depuis, la vie me réserve encore de
belles surprises, sans compter que je suis déjà très reconnaissante de tout ce que j'ai: de merveilleux enfants, plusieurs
petits-enfants qui sont des anges et une famille extraordinaire.

Je m'affaire constamment à m'améliorer, à assumer mes
choix et, autant que possible, à aider les autres ou à partager
avec eux cette belle énergie qui m'entoure. Croire simplement
que quelque chose est possible fait toute la différence pour
l'obtenir.

Je souhaite humblement et sincèrement vous faire part
d'un petit secret: chérissez vos rêves, car ils sont réalisables la
plupart du temps. Vous êtes la seule personne qui puisse
mettre en marche l'énergie positive nécessaire; osez demander un changement. Avec confiance et persévérance, identifiez
vos propres opportunités et passez à l'action!

Suzanne Marin,
Gatineau

Quand quelqu'un
croit en vous

Enfant, Marco a tout essayé pour recevoir l'amour et l'attention de son père. Il a travaillé fort pour obtenir les meilleures notes, il a essayé d'être obéissant, il a choisi de bons amis et il s'est toujours efforcé de bien agir.

Il était sensible et timide, si timide qu'il portait toujours des cols roulés. Il se cachait derrière sa chevelure qu'il portait longue, entourant son visage et ses oreilles. Pire encore, Marco était plus petit que les autres enfants. Comme ses bonnes notes lui avaient permis de sauter la deuxième année, il était le plus jeune et le moins grand de tous. On le surnommait «minus» à l'école. Ce n'était rien pour l'aider à prendre confiance en lui.

Les parents de Marco ont divorcé quand il avait huit ans, et on l'a envoyé dans un pensionnat. Six ans plus tard, lui et sa jeune sœur, Sandra, ont déménagé avec leur père et sa nouvelle femme à Saint-Léonard, un quartier canadien-français et italien dans l'est de Montréal. Marco avait l'impression que son père avait peu de temps à consacrer à lui et à Sandra, partagé comme il l'était entre son travail et sa jeune épouse. Sauf ses demandes pour une liste de travaux autour de la maison les soirs et les fins de semaine, il n'y avait pas de communication entre eux. Il semblait à Marco que les seules fois où son père lui parlait étaient pour exiger des choses ou pour critiquer. Il a commencé à appréhender de plus en plus le moment du retour de l'école.

Marco s'enlisait de plus en plus dans sa faible estime de lui-même et il était dévasté par le sentiment de ne pas être apprécié, d'être incompétent; il était déprimé et fragile. Il se sentait désespérément seul et isolé.

Un jour, son père, qui était déjà fatigué après une longue journée, a trébuché sur la bicyclette de Marco dans le garage. La confrontation épique qui a suivi a donné à Marco l'impression qu'il avait été violé et humilié. Il semblait que, malgré ses efforts, il ne faisait jamais rien de bien. Désespéré, Marco a crié: «Ça suffit! C'est assez! Je vais me suicider.»

«Toi?» a aussitôt répliqué son père de façon désobligeante. «Tu n'en as même pas le courage!»

Pendant deux jours, Marco était si malheureux qu'il ne pouvait que penser à mourir pour ne plus avoir à endurer cette grande douleur, ce sentiment accablant de rejet et de nullité. Puis il se disait: *Si je me suicide, jamais je ne pourrai apprécier les bonnes choses de la vie et je ne reverrai plus ma mère, ma grand-mère et ma sœur que j'aime. Elles souffriront terriblement et je ne veux pas les blesser de la sorte. Mais si je ne le fais pas, papa aura raison – et il gagnera.*

En colère, triste et confus, Marco se sentait coincé. Il est retourné à l'école et s'est réfugié dans le silence et l'isolement.

Trois jours plus tard, sa tante lui a téléphoné. Marco a cru que c'était un miracle. Tante Ginette ne téléphonait généralement qu'une fois par année, à son anniversaire. Elle lui a dit qu'elle venait de voir sa fille participer à un concours oratoire, le Gala Personnalité Jeunesse, parrainé par le Club Optimiste – et elle avait pensé à lui. Elle croyait qu'il devrait y participer. Elle lui a dit qu'elle croyait fermement qu'il pourrait performer en public comme d'autres jeunes, puisqu'elle l'avait vu faire des numéros pour la famille à Noël.

Marco était surpris et complètement déconcerté. Lui? Sur scène? Dans un concours oratoire? Accepter serait contraire à sa personnalité si timide. Mais tante Ginette avait tellement confiance. Elle semblait vraiment sérieuse. Elle était certaine que c'était quelque chose qu'il pouvait faire. Elle croyait vraiment en lui. Marco, qui ressentait la confiance de sa tante, contre toute attente, contre tout ce qu'il avait déjà fait ou ressenti, a accepté de se présenter au concours.

Pendant toute la saison de l'hiver 1980-1981, deux fois par semaine après le souper, il prenait trois autobus différents à l'aller et au retour pour un voyage de trois heures afin de pratiquer à Anjou, où la compétition devait avoir lieu. Marco avait trouvé une force qu'il n'avait jamais éprouvée avant. Les heures et les obstacles ne comptaient plus. Les critiques de son père et de sa belle-mère sur ses absences pour les corvées à faire après le repas n'importaient plus. Son père désapprouvait ce nouveau rêve, craignant qu'il ne trouve plus le temps de faire ses travaux scolaires, que ses notes diminuent, en plus de son évidente perte de contrôle sur lui. Marco, de son côté, était très performant à l'école et il n'a jamais manqué une journée. Son père l'aimait vraiment et il voulait ce qu'il y avait de mieux pour lui, mais sa propre insécurité le faisait réagir négativement face à tout ce qui pourrait nuire à l'avenir de son fils, projection de lui-même. Même sa sœur l'a aidé à vivre son rêve en s'occupant de la vaisselle les soirs où il était absent; ils s'étaient échangé des «soirs». Elle n'avait que douze ans, mais elle était très perspicace et généreuse.

Quatre mois plus tard, ce fut le grand soir. Sa mère, sa sœur, sa grand-mère et sa tante Ginette se trouvaient toutes dans la salle. Les neuf autres participants étaient tous plus âgés que lui. Marco était fébrile, mais remarquablement calme pour une première expérience. Bien entendu, il avait des papillons dans l'estomac. Mais lorsqu'il est monté sur scène et a commencé à parler, il s'est senti tout à fait chez lui, totalement en paix, et une certaine sérénité l'auréolait. Il était drôle, vif, et son jeu était très naturel. L'auditoire l'a beaucoup aimé! Il s'est senti énergique et très vivant – comme une vraie naissance, ou renaissance! À son grand étonnement, il a gagné!

Quand il a aperçu le visage de sa mère et ses yeux qui brillaient d'amour et de fierté, il a alors compris qu'il «existait», qu'il était «quelqu'un». Ce sentiment – tout nouveau pour lui – venait du fait que quelqu'un croyait en lui. Sa tante avait cru en lui. Et sa mère croyait en lui.

Marco, parce qu'il avait gagné, est allé aux finales régionales où il a gagné à nouveau! Son nom était publié dans les journaux locaux et il savait que c'était le début de sa nouvelle vie, et du nouveau Marco. Il a commencé à croire en lui. Sa confiance et son estime de soi ont commencé à grandir. Non seulement croyait-il mériter de vivre, mais il a commencé à réaliser qu'il méritait d'être heureux et respecté. Ce concours a été un moment déterminant dans sa vie.

Maintenant, Marco est l'un des conférenciers les plus populaires au Canada, qui aide les gens des quatre coins du monde à donner et à devenir le meilleur d'eux-mêmes.

* *

Lors de mes conférences autour du monde, je leur raconte l'histoire de Marco. Je leur raconte cette histoire parce que c'est la mienne.

Tout cela est arrivé à la suite d'un petit appel téléphonique d'une seule personne qui croyait simplement en moi. Grâce à elle, j'ai pu réaliser beaucoup plus que mes rêves. J'ai pu inspirer et rejoindre la vie de milliers de personnes, les aidant à réaliser leur plein potentiel.

Marc André «Marco» Morel,
Montréal

Ce que tu donnes t'appartient pour toujours.
Ce que tu gardes est perdu à jamais.

Anonyme

Les Jeux du Québec
sont nés

Un peuple sans âme est une vaste foule!

Alphonse de Lamartine

Croire très fort à son projet... c'est ainsi que les Jeux du Québec sont nés. Le ministre québécois du Tourisme, de la Chasse et de la Pêche de l'époque, Gabriel Loubier, demande à Claude Lacasse, un jeune fonctionnaire, de mettre au point un projet qui permettrait à la jeunesse québécoise de se rencontrer. Il n'en faut pas plus à l'éducateur physique pour qu'il commence à rédiger un concept de rassemblement sportif axé sur la participation. Bien sûr, une tournée dans tous les cantons du Québec s'impose pour prendre le pouls des communautés au sujet de cet audacieux projet. Le projet, dessiné sur une table de cuisine, commence à faire du bruit.

Des jeux sportifs provinciaux vous intéressent? – Oui, mais c'est impossible pour nous. Pas d'argent, pas d'infrastructures, pas d'entraîneurs, pas de jeunes qui voudraient se soumettre à une discipline. Les membres des conseils régionaux de loisirs ne veulent pas y croire. Résistance au changement, aux idées nouvelles. On ne cherche pas des solutions; on en démontre le côté farfelu. Sans se décourager, Claude Lacasse insiste pour continuer son mandat. Il croit très fort à son projet rassembleur pour le Québec; il y a bien les Jeux de l'Acadie au Nouveau-Brunswick? Mais les régions québécoises n'y croient pas.

Bénévolement, en 1969, il tente l'expérience des jeux interduchés dans le cadre du Carnaval de Québec; le prototype est né. Claude présente son projet lors du congrès de fondation de la Confédération des sports du Québec, à Montréal. Encore des tournées en région pour tâcher de convaincre les administrateurs des organismes de sports et de loisirs, un à un, groupe par groupe, que le projet est viable. On vise le développement du sport à la portée de tous, pas seulement dans les grandes villes, mais pour toute la population québécoise, aussi éloignée qu'elle soit.

C'est ainsi qu'avec l'aide de différents paliers de gouvernement, le désir des citoyens, l'engagement de nombreux bénévoles convaincus et, surtout, la détermination et la ténacité d'un Québécois croyant fermement en son projet, que des jeux régionaux s'organisent en 1969. On commença à y prendre goût: on pensa à une finale provinciale. Elle se tiendra plus tard à Rivière-du-Loup à l'été 1971 et, depuis, les Jeux continuent pour le plus grand plaisir des jeunes et de leurs parents. Ils génèrent des retombées socio-économiques importantes et créent des infrastructures durables partout où ils s'organisent.

Qui ne connaît pas, dans son entourage, un des 2 700 000 athlètes, un des 650 000 bénévoles qui ont déjà participé à des Jeux du Québec d'hiver ou d'été? Les premiers bâtisseurs des Jeux ont baptisé Claude Lacasse le *père des Jeux du Québec.* Un Québécois qui a toujours cru en son projet.

François Lacasse,
Gatineau

Un tour du monde en famille

SEPTEMBRE 1999

Un couple de Québécois,
Claire Roberge et Guy Lavoie,
quitte le Québec avec leurs deux filles,
Chloé, 9 ans et Joëlle, 7 ans,
pour un tour du monde en voilier.

Le périple de 32 000 milles nautiques durera
cinq ans, leur fera découvrir 34 pays
et sillonner 3 océans.

Guy a un rêve: vivre sur un voilier et faire le tour du monde à la découverte de soi et des autres.

J'ai mis les pieds sur un voilier pour la première fois de ma vie à dix-neuf ans, raconte Guy, un peu avant de connaître Claire. C'était lors d'un voyage en Bretagne et l'expérience m'a plu. Déjà, le voyage prenait une place importante dans ma vie, j'aimais ça!

C'est à la lecture des récits de grands navigateurs tels que Marcel Bardiaux, Bernard Moitessier, Adlard Coles, Yves Gélinas et plusieurs autres, que le rêve a pris de l'ampleur. Un rêve tellement obsédant que la seule façon de me le sortir de la tête était de le réaliser.

La rencontre de Claire fut un point tournant dans cette aventure. À la fin des années 80, nous passions une commande pour une coque de voilier en acier à un chantier de la région montréalaise. Nous avions une foi inébranlable en notre projet et un amour fou l'un pour l'autre.

UN BATEAU QUI GRANDIT

Le rêve prenait forme, celui d'un joli voilier de 10,50 mètres. En 1994, après sept années de travail acharné, de sacrifices, de persévérance et de volonté, notre voilier Balthazar fut mis à l'eau sur la rivière Richelieu au Québec.

DES RONDS DANS L'EAU

Les cinq étés suivants, nous avons navigué sur le lac Champlain afin de bien connaître Balthazar et de nous familiariser avec la voile. Nous appréciions ces virées de fin de semaine au grand air.

LES PRÉPARATIFS DU DÉPART

En 1999, nous avons mis la maison en vente. Il fallait aussi penser à nous procurer le matériel nécessaire pour l'instruction des enfants. Pour les filles, quitter l'école n'a pas été trop difficile, car elles suivaient leurs parents! Je ne sais pas jusqu'à quel point, à 7 ans et 9 ans, elles étaient conscientes de tout ce qu'entraînait notre départ. Bref, nous nous délestions lentement de tout un tas d'acquis superflus… Curieusement, nous défaire de tous ces objets nous a soulagés. Les objets inutiles encombrent notre espace et notre esprit et nous empêchent d'être libres! Moins nous en avions, mieux nous nous sentions.

ENFIN!

Le 12 septembre 1999, nous quittions le quai de la marina Gosselin, cap au sud. Nous laissions dans notre sillage de terriens des années de travail, mais aussi tout le poids que la préparation d'un tel projet nous avait fait porter durant des années.

Nous partions en mer pour la liberté, l'émotion et la richesse d'une vie vécue en famille et non pour prouver quoi que ce soit. Nous ne courions après aucun record, après aucun fantasme, si ce n'est celui de vivre, poussés par le vent.

UNE ANNÉE D'ESSAI

Après quelques semaines, nous avons vite réalisé que nous n'étions pas en vacances! Il faut apprendre à gérer son temps de façon différente. Les courses à l'épicerie sans voiture, la lessive sans machine, le plein des réservoirs d'eau et les entretiens divers prennent un temps considérable.

Ce qui nous aidait à supporter l'inconfort de la mer et les aléas de la vie à bord, c'était l'incroyable sentiment de liberté que nous éprouvions d'aller où bon nous semblait et de faire ce que nous voulions de nos journées. Mais c'était aussi la fabuleuse couleur de la mer qui variait au gré des mouillages, la proximité de l'eau et de ses richesses, et l'excitation de partir vers des lieux inconnus. Bref, tout ce qui compose la magie d'un tel voyage.

Même si l'éducation scolaire de nos enfants exigeait une grande discipline quotidienne, nous aimions avoir le privilège de leur enseigner et de les voir se développer à nos côtés. Mais surtout, nous vivions une vie plus simple et plus en harmonie avec nos aspirations: passer plus de temps en famille et profiter de chaque minute.

La première année était capitale pour la suite du voyage. Il n'était pas question de se lancer en mer à la première occasion. Des conditions météorologiques hasardeuses et un mauvais coup de vent auraient pu tout remettre en question. Notre expérience de la navigation sur l'océan était nulle, alors mieux valait y aller graduellement et avec beaucoup de prudence. Les premiers mois, nous empruntions les canaux et rivières de l'Intracoastal Waterway et nous pratiquions une navigation simple vers le sud. C'est ainsi que s'est dessiné, en évitant les écueils de la météo, mille après mille, d'île en île, d'amitiés en découvertes, le sillage de Balthazar jusqu'aux portes du canal de Panama, quelque dix-sept mois plus tard.

Nous arrivons à Panama. C'est une étape importante, car une fois le canal traversé, il n'y a plus de retour en arrière. C'est le temps où jamais de se poser les bonnes questions: *Est-ce qu'on passe de l'autre côté? Est-ce qu'on continue pour trois ou quatre années encore?* Nous avons beaucoup discuté tous ensemble sur la poursuite du voyage et nous avons décidé de relever le défi.

GRANDES TRAVERSÉES

Malgré des moments inoubliables, la première année et demie en fut une de *stop and go*. Les navigations étaient courtes et faciles, mais je restais sur mon appétit, car j'aspirais à de grandes traversées. Le 20 avril 2001, nous levions l'ancre et quittions les îles Galápagos en direction des îles Marquises, porte de la Polynésie, pour une traversée de 3 000 milles nautiques. Devant l'étrave, le Pacifique sud s'étirait à perte de vue.

Pendant une traversée, nous vivions chaque journée avec intensité, au rythme du vent et de la mer.

Parfois, nous passions des jours sans ajuster une seule voile. Balthazar, poussé par l'alizé du sud-est, taillait sa route, d'une vague à l'autre, en direction de la Polynésie française. J'étais fier d'être là, sur cet océan. J'avais le sentiment de devenir un marin un peu plus chaque jour.

Février 2004, nous voilà au large de Cape Town en Afrique du Sud. Des oiseaux de toutes sortes virevoltaient autour du bateau. Parmi eux, un majestueux couple d'albatros, ces grands oiseaux des mers australes.

Adieu, Afrique du Sud et la belle région de Cape Town. Au revoir, les amis du voilier Aramia. Difficile après trois mois de grande complicité de lever les voiles en sachant que nous ne nous reverrons pas de sitôt. La vie de nomade est faite de rencontres; d'une escale à l'autre des amitiés se nouent. On s'apprivoise rapidement, on se quitte douloureusement! Ce jour-là, Balthazar mettait le cap au nord, direction le Québec, et Aramia mettait le cap sur l'Angleterre.

Avant de quitter l'Afrique pour remonter l'Atlantique, Claire a eu le goût de renoncer. La traversée de l'océan Indien et un virus attrapé à Bali l'avaient laissée sans énergie. Elle a alors proposé aux filles de rentrer en avion et de me laisser remonter l'Atlantique avec Balthazar. La réaction de Chloé et de Joëlle fut immédiate: «Maman, nous avons commencé quelque chose en famille et nous allons le terminer en famille!»

Sur ces paroles d'une grande sagesse, nous avons vogué vers l'île de Sainte-Hélène, distante de 1 400 milles de l'Afrique du Sud.

Au premier soir de cette traversée, réunis en famille sur le pont, nous avons admiré ce qu'aucun de nous n'avait vu auparavant. La pluie légère qui tombait décomposait le spectre lumineux du clair de lune: nous avons eu droit à un spectacle unique, un arc-en-ciel de lune! Était-ce le présage d'une traversée paisible?

À tribord, la côte africaine; à bâbord, l'Atlantique, notre océan, celui qui nous amenait chez nous. Que de milles dans ton sillage, mon bon bateau. Après plus de quatre années en mer, nous rentrions à la maison.

C'est dans les eaux du Pacifique Sud que j'ai senti une liberté m'envahir, me submerger comme une vague de fond... Une vague qui nous porta successivement de l'océan Pacifique à l'océan Indien, d'îles en continents, de l'Australie à l'Indonésie et, dans les derniers mois, de l'Afrique à l'île de Sainte-Hélène, d'Ascension aux Antilles et jusqu'à New York, avant d'accoster au quai de la marina Gosselin, à Saint-Paul-de-l'Île-aux-Noix, au sud du Québec, le 26 juin 2004.

La famille et les amis étaient là, au bout du quai, à faire de grands signes comme ils l'avaient fait cinq années plus tôt. Une immense joie nous a envahis, les amarres ont été lancées, Balthazar a ralenti et s'est immobilisé. Nous avons débarqué, poignées de main, accolades, l'émotion était à son comble. Nous flottions à quelques centimètres au-dessus du quai. Nous étions comblés et émus!

Claire Roberge et Guy Lavoie,
Henryville

À propos des auteurs

Sylvain Dion

Sylvain Dion est entrepreneur, auteur, conférencier, père de famille et coach de hockey, qui s'est donné pour mission de répandre le bonheur.

Natif de Sherbrooke, il grandit dans un milieu modeste avec sa mère et ses deux frères cadets. Très jeune, il sent qu'il doit contribuer de façon significative à l'avancement du potentiel humain. Débute alors pour lui une quête, assortie d'une soif de connaissances quasi illimitée, nourrie et inspirée par sa mère, portant sur la découverte de plusieurs principes de réussite et d'accomplissement de soi.

Passionné, il étudie sans relâche pendant plus de vingt ans tout ce qui a trait au développement personnel et spirituel: livres, séminaires et formations, afin d'être conscient de son propre cheminement de réussite et d'estime de soi. Il devient ainsi en mesure de partager avec les autres des outils pour les aider à réaliser leur plein potentiel afin de créer leur propre destinée.

Au départ, il réalise que les citations et les proverbes sont de puissants outils de réflexion et offrent aux gens une ouverture vers de nouveaux horizons.

C'est alors qu'en 1997, il découvre la série de livres *Bouillon de poulet pour l'âme,* des recueils de courtes histoires touchantes et inspirantes qui réchauffent l'âme des lecteurs et lectrices. Réalisant que ces histoires peuvent avoir un impact sur la vie des gens aussi important, sinon plus grand, que celui des citations, il caresse le rêve secret de publier un jour un recueil semblable.

Une nuit de 2003, une idée jaillit dans son esprit et navigue jusqu'à son cœur. Ses émotions sont si puissantes qu'elles éveillent en lui un sentiment de certitude et de joie d'avoir trouvé la voie qu'il doit prendre pour la suite de sa quête. Cette idée rejoint à la fois ses valeurs et ses ambitions personnelles et contribue de façon tangible au bien-être des gens.

Il désire publier un *Bouillon de poulet pour l'âme des Québécois*, en rassemblant des histoires inspirantes par ceux et celles qui forment notre belle société. Un recueil rempli d'espoir à l'image du Québec, comme le fait cette série à travers le monde entier.

Sylvain ne sait pas encore dans quoi il s'embarque. C'est un projet plus grand que nature, une première mondiale! Le premier *Bouillon de poulet* à être publié originalement dans une langue autre que l'anglais! Débute alors pour lui et ses proches une merveilleuse aventure de persévérance et de courage, parsemée de multiples obstacles.

Son destin est une preuve vivante que même les rêves les plus fous sont possibles. Après deux longues années de démarches, de refus et d'attente, il reçoit, au printemps 2007, un appel téléphonique confirmant qu'il peut aller de l'avant avec *Bouillon de poulet pour l'âme des Québécois*.

Ce rêve, il le partage avec tous ceux et celles qu'il croise sur son chemin, avec le Québec tout entier, sa famille, ses amis, ses partenaires et ses collaborateurs. Aujourd'hui, il vous invite à devenir, vous aussi, le créateur de la vie dont vous rêvez!

Homme de cœur, Sylvain accompagne aujourd'hui les gens dans leur quête du bonheur grâce à des ateliers, des formations et du coaching à travers toute la francophonie.

Venez le rencontrer!

www.motivision.ca

Jack Canfield

Jack Canfield est un des chefs de file en Amérique dans le développement du potentiel humain et de l'efficacité personnelle. Il est à la fois un conférencier dynamique et divertissant ainsi qu'un formateur hautement recherché. Jack possède un talent exceptionnel pour informer et inspirer des auditoires vers une meilleure estime de soi et un rendement personnel optimal. Il a écrit de nombreux ouvrages, dont *La force du focus* (avec Les Hewitt et Mark Victor Hansen).

Jack est le créateur et le narrateur de plusieurs programmes à succès sur audiocassettes ou vidéocassettes. Il est invité régulièrement à donner des conférences dans des associations professionnelles, des commissions scolaires, des agences gouvernementales, des églises, des hôpitaux, des entreprises commerciales et des sociétés. Il compte aussi parmi le corps enseignant de *Income Builders International*, une école de formation pour entrepreneurs.

Jack anime un séminaire annuel de huit jours qui s'adresse à toutes les personnes qui œuvrent dans les domaines de l'estime de soi et du rendement optimal. Ce programme attire des éducateurs, des conseillers, des formateurs en éducation des enfants ainsi qu'en entreprise, des conférenciers professionnels, des ministres du culte et d'autres gens désirant améliorer leurs compétences d'orateurs et d'animateurs de séminaires.

www.jackcanfield.com

Mark Victor Hansen

Mark Victor Hansen est un conférencier professionnel qui, au cours des vingt dernières années, s'est adressé à plus de deux millions de personnes dans trente-trois pays. Il a effectué plus de 4 000 présentations portant sur l'excellence et les stratégies dans le domaine de la vente, le pouvoir et le développement personnels ainsi que sur les différents moyens de tripler ses revenus tout en doublant ses temps libres.

Mark a consacré sa vie à sa mission de produire des changements profonds et positifs dans la vie des gens. Tout au long de sa carrière, non seulement a-t-il su inciter des centaines de milliers de personnes à se bâtir un avenir meilleur et à donner un sens à leur vie, mais il les a aidés à vendre des milliards de dollars de produits et services.

Mark est un auteur prolifique qui a écrit de nombreux livres. Il a également réalisé une collection complète de programmes sur audiocassettes et vidéocassettes portant sur la responsabilisation de soi, qui a permis à ses auditeurs de découvrir et d'utiliser toutes leurs ressources innées dans leur vie personnelle et professionnelle. Les messages qu'il transmet ont fait de lui une personnalité célèbre de la radio et de la télé-vision. Il a également fait la une de nombreux magazines dont *Success*, *Entrepreneur* et *Changes*.

Mark est un grand homme avec un cœur et un esprit tout aussi grands – une inspiration pour tous ceux et celles qui désirent s'améliorer.

www.markvictorhansen.com

Collaborateurs

Robert Alarie, autodidacte, étudie et fait des recherches sur les bienfaits de la spiritualité dans un contexte non religieux et sur les valeurs d'un comportement humaniste apolitique. Il a été bénévole en relation d'aide auprès de personnes en phase terminale. [*alarie.robert@videotron.ca*].

Nicole Audet, inspirée par le docteur Jacques Ferron, est médecin de famille et écrivaine. Elle a publié un guide de symptômes et de traumatismes chez Guy St-Jean éditeur et une collection d'albums jeunesse traitant des maladies courantes. Les héros de ces aventures sont Félix et Boubou, son stéthoscope magique.

Marie-Michelle Beaudin est diplômée en transport de véhicules lourds. À son fils Sébastien qui s'est battu pour vivre, elle lui dit avec fierté : « Tu es toute ma vie, mon ange ! » [*mariemichelle021@hotmail.com*].

Danielle Bergevin a reçu son baccalauréat en travail social à l'Université du Québec à Hull (1998). Agente de relations humaines à Gatineau, elle travaille auprès des gens dans le besoin. Elle aime les voyages et les randonnées pédestres. [*scodan@videotron.ca*].

Joe Bocan est chanteuse, comédienne, metteure en scène, auteure et conceptrice. En 2012, elle sortira un album pour enfants et un autre pour le grand public qui seront suivis d'une tournée de spectacles. De plus, elle enseigne le théâtre aux enfants du niveau primaire.

Carine Bofunga, titulaire d'un baccalauréat en traduction de l'Université de Montréal, travaille comme chargée de projet en traduction. Sa passion de l'écriture a débuté dans la composition de poèmes. Elle est aussi artiste peintre. Elle aime les voyages, le tennis, la natation et les randonnées. [*carinebo3000@yahoo.ca*].

Lise Bouchard est agente de pastorale. Elle a fait ses études en théologie à l'Université de Montréal. Elle aime la marche, le cinéma, la lecture et les rencontres familiales.

Chantale Bouffard est secrétaire médicale depuis dix ans. Elle se passionne pour la lecture, les arts, la musique et la photographie. [*chantou1970@hotmail.com*].

Sylvain Boulanger est ingénieur électrique. Gestionnaire par choix et par passion, il vise l'excellence. Le cancer lui a volé sa femme, sa fille et a tenté sans succès de lui dérober la sienne. Ses combats l'ont profondément changé. Il inspire la force, l'espoir et la résilience.

Martine Boulianne, native de la région de Charlevoix, est mère de deux enfants. Diplômée en service social, elle est gestionnaire dans un centre de santé. Elle aime les voyages, les activités extérieures et la lecture. [*jadeqc@hotmail.com*].

Denise Breton-Brodeur est épouse et mère de famille. L'écriture est son passe-temps ainsi que la lecture. Elle adore les enfants pour leur naïveté, les personnes âgées pour leur vécu, et les animaux pour leur fidélité. Tout ce qui est humain la passionne. [*breton_denise@hotmail.com*].

Monique Casault, native de Montréal, se passionne pour la marche et la lecture. Maintenant à la retraite, elle aime tout particulièrement se rendre dans les résidences pour personnes du troisième âge afin de les faire rire et chanter.

Nicole Charest, diplômée en programmation neurolinguistique, a toujours été passionnée par tout ce qui touche la psychologie, la spiritualité, le multimédia et la relation d'aide. Elle est l'auteure de deux livres et webmestre d'un site qui se veut une véritable oasis de ressourcement et de développement personnel. [*www.lapetitedouceur.org*].

Andrée Chouinard est adjointe administrative. Elle écrit pour son plaisir afin de garder les bons souvenirs. Elle aime les voyages, le ski, le vélo ainsi que passer du bon temps en famille.

Nicole Coté Réta aime l'écriture, sa passion première, à laquelle elle consacre tout son temps. Mère de trois enfants, ses centres d'intérêt sont aussi la musique, les arts de la scène et la lecture. [*nicole_4341@hotmail.com*].

Henri-Julien D'Amour, né à Rigaud, a fait ses études classiques au collège Bourget. Il est membre de l'Ordre des architectes du Québec et de la Société canadienne de l'aquarelle. Retraité, il s'adonne à la traduction de documents touchant les arts et l'aménagement. [*damour.h.julien@videotron.da*].

Kim Danis est une jeune femme de 31 ans de la Vallée-de-la-Gatineau. Elle partage son temps entre son emploi dans le domaine de l'éducation, sa petite famille et l'amour de sa vie. Elle aime beaucoup l'écriture et s'emploie actuellement à l'écriture d'un recueil de nouvelles.

Claire De La Chevrotière écrit sa vie à «fleur de peau». Elle donne à sa main droite la permission d'écrire ce qui se cache au fond de son âme. [*clairedlc@videotron.ca*].

Martyne Desmeules, gagnante du Prix littéraire Damase-Potvin en 2004, est diplômée en communications publiques et finissante à la maîtrise en gestion des organisations. Mère de deux grands garçons, mariée à un entrepreneur solide comme le roc, elle conduit une New Beetle et une Harley Davidson. Elle coordonne l'organisation communautaire chez Moisson Mauricie-Centre-du-Québec.

Mathieu Deux a fait du coaching en théâtre, en chant classique et pop durant vingt ans. Il est concepteur de Spirito-Relaxo-Motivo, séries audio (relaxation, motivation, spiritualité). Mélodiste, il fait également du bénévolat. [*mattdeux@live.ca*].

Annie Drouin, ergothérapeute de formation, œuvre comme conférencière et préventionniste sur le sujet de la santé psychologique au travail. Elle pratique plusieurs sports et adore se tenir en forme. Elle vit à Québec avec son mari et elle est très proche de sa famille.

Hélène Fortin est détentrice d'un baccalauréat en sciences de la communication à l'Université de Montréal. Elle travaille dans ce domaine depuis plus de dix ans. Après avoir longtemps entendu sa mère raconter son histoire de famille, elle a voulu lui rendre hommage en la mettant par écrit.

Mireille Fréchette est diplômée en administration-marketing (cégep Maisonneuve, 1989) et au baccalauréat en enseignement de l'histoire (UQAM, 1992). Elle a participé à des ateliers littéraires et quelques-unes de ses œuvres ont été publiées.[*m_frechette93@yahoo.ca*].

J.A. Gamache est conférencier et auteur du livre *Trac pas trac, j'y vais! 77 trucs pour en finir avec la peur de parler en public.* Il est le seul Québécois ayant remporté un podium au Championnat du monde des orateurs de Toastmasters International. [*www.tracpastrac.com* et *info@jagamache.com*].

Sylvia Garand a reçu trois baccalauréats (traduction, littérature, enseignement) de l'Université d'Ottawa. Conférencière-motivatrice, elle transmet un message d'espoir. Elle aime s'occuper des gens et s'impliquer socialement. Elle aime aussi lire, écrire, voyager, se baigner et profiter du moment présent. Son plus grand rêve est d'écrire et de publier un livre. [*sylviagarand@hotmail.com* et *sylviagarand.com*].

Josée Gagné est une épouse dévouée et mère de trois filles. Elle exerce sa profession d'infirmière auxiliaire au CSSS Maria-Chapdelaine depuis quelques années. [*joseeg69@hotmail.com*].

Lise Gagné a été enseignante au primaire pendant quinze ans. Aujourd'hui, elle se consacre à la création et à la vente de bijoux sous la bannière *Bijoux d'Alizée*. Elle aime les voyages, le ski, l'art sous toutes ses formes, l'informatique, la lecture et son rôle de grand-mère. [*lisgag@gmail.com* et *bijouxdalizee.canalblog.com*].

Déïtane Gendron est une artiste graphiste qui travaille dans le domaine de la création Web. Elle a sa propre compagnie dans la région de Lanaudière : *Déïtane Web Design*. Vous pouvez visiter ses œuvres sur son site. [*deitanewebdesign.com*].

Valérie Gendron a étudié différents domaines avant de se consacrer à l'éducation de son fils, un beau grand garçon déficient intellectuel. Elle a d'ailleurs transmis sa passion du hockey à son fils qui ne se gêne pas pour exprimer son opinion lorsqu'il écoute les matchs du Canadien (en attendant le retour des Nordiques!).

Martin Giguère, titulaire d'un baccalauréat en enseignement au primaire, enseigne dans les écoles de la Mauricie. De plus, il cumule de l'expérience comme chargé de cours à l'Université du Québec à Trois-Rivières. Il a publié certains jeux et manuels éducatifs destinés aux élèves du primaire. [*martin.giguere@live.ca*].

Francine Godin est une femme dans la cinquantaine qui adore écrire et lire. Elle a également une nouvelle passion : la peinture sur verre.

Josée Gosselin, bachelière en communication publique et diplômée de l'Université Laval (2007), est conseillère en télécommunications d'urgence à Québec. Cette passionnée de rédaction a écrit pour des publications spécialisées telles que *Mes finances, Ma caisse, Le Monde forestier* et *Informe Affaires*. Elle espère publier éventuellement son propre livre.

Sylvie Harnois est à l'emploi d'une institution financière depuis vingt-sept ans. Mère de deux filles, elle est aussi une mamie comblée. Elle occupe son temps à diverses activités artistiques, sportives, formatrices et bénévoles afin de découvrir de nouvelles passions.

Natalie Harrison, étudiante à la maîtrise à l'Université d'Ottawa en activité physique, aspire y faire également son doctorat. Passionnée de la vie, elle aime la musique, vivre des activités avec ses enfants et rire. [*natalie.harrison33@gmail.com*].

Josée Huard est assistante dentaire. Elle aime beaucoup les arts, la lecture, la peinture, la marche, le golf et les voyages.

Céline Jacques est auteure de cinq publications dont trois sont des *best-sellers*, tant au Québec qu'en Europe. Elle est chroniqueuse pour deux magazines ainsi que pour la radio. Elle occupe aussi les fonctions de rédactrice en chef d'un magazine de classe internationale. [*www.citeboomers.com*].

Sonia Jasmin, factrice, travaille dans un monde où voyagent les lettres de l'alphabet. Elle a toujours été bien en compagnie des mots, des feuilles de papier et d'un stylo... comme le peintre et ses pinceaux, comme le musicien allie de son instrument.

Doris Jolicœur est secrétaire dans une clinique de kinothérapie. Elle est une grand-mère et elle aime la lecture, la moto et voyager en VR. Elle administre un forum, se spécialisant sur l'entraide et l'écoute entre femmes. [*doriscanada2@hotmail.com*].

François R. Joly possède une maîtrise en administration des affaires de l'Université d'Ottawa. Il est gestionnaire de projets de formation. Passionné par l'écriture, il écrit des nouvelles, des récits, des romans et des contes lorsqu'il n'est pas occupé à élever ses enfants.

Ariane Jutras terminera son baccalauréat en administration des affaires, profil ressources humaines, à l'Université de Sherbrooke en 2012. Occupant ses temps libres entre ses multiples implications scolaires, le sport et le cinéma, cette passionnée de voyages avide de défis aspire à une carrière internationale.

François Lacasse est avocat. Il exerce sa profession au sein de la fonction publique fédérale dans la région de la Capitale-Nationale. Il est le fils de Claude Lacasse, le «père des Jeux du Québec».

Danielle Lacombe n'a jamais suivi de cours d'écriture. Elle n'a que son talent naturel de raconter ou d'écrire les histoires ou les anecdotes qu'elle a vécues ou aimées. Elle est aussi conférencière à ses heures. [*morgane1000@hotmail.com*].

Josée Lacourse, bachelière en éducation, est mère de deux beaux garçons. En plus d'être la partisane numéro un de ses deux jeunes joueurs de hockey, elle aime tout ce qui touche la culture, les voyages, le yoga et les sports.

Janick D. Lalonde a reçu un doctorat en sciences de l'eau de l'Institut national pour la recherche scientifique en 2003. Ses travaux lui ont valu la bourse d'excellence du directeur de l'INRS ainsi que la médaille d'or du gouverneur général.

Gisèle Lamontagne est traductrice, enseignante, thérapeute et auteure de *À l'eau, petite maman* et *Journey Out of Hades*. Elle détient un baccalauréat en psychologie (1995) et une maîtrise en travail social (2000). Elle aime la natation, la famille et la lecture. [*gisele_lamontagne@sympatico.ca*].

Daniella Landriault, mère de deux enfants et épouse depuis plus de trente-cinq ans, est généraliste en ressources humaines et détient un diplôme de conseillère en insolvabilité. Elle aime écrire, faire de la photographie et elle se réjouit d'endosser son nouveau rôle de grand-mère.

Dany Landry est comptable de formation. Depuis le décès de son fils, il écrit des textes axés sur le développement personnel et professionnel qu'il fait parvenir gratuitement chaque semaine à un groupe de lecteurs. **Marie-Claude Lizotte**, qui participe à l'écriture de ses textes, est détentrice d'un baccalauréat en administration. [*beneficesnet@hotmail.com*].

Chantal Laplante a travaillé à titre de secrétaire au sein de plusieurs entreprises. Sa passion pour la langue française lui permet de partager son amour du Québec. [*chlap106@yahoo.ca*].

Martin Latulippe est un entrepreneur social, visionnaire et leader. Il a rejoint plus de 350 000 participants aux quatre coins du globe avec ses conférences d'inspiration. Auteur de quatre *best-sellers*, il est aussi le fondateur de l'initiative *www.lameilleureanneedevotrevie.com* qui se veut la formation personnelle la plus complète qui soit, sur Internet, en francophonie mondiale.

Claire Leblanc, diplômée en radiologie médicale, est retraitée depuis 2003. Lire est l'une de ses passions; elle a toujours un ou plusieurs volumes en cours de lecture, et ce, depuis son enfance. Elle va régulièrement au cinéma, au théâtre, à des concerts et elle adore voyager. Elle s'intéresse beaucoup aux sports, particulièrement le golf et le tennis.

Hélène Leblanc est propriétaire de l'Agence Art xTerra, qui met en contact les artistes en arts visuels auprès des entreprises et firmes de design pour leurs besoins en cadeaux de reconnaissance ou design d'intérieur. Son agence regroupe plus de 500 artistes et a gagné plusieurs prix grâce à son modèle d'affaires innovateur. [*www.artxterra.com*].

Julie Lefebvre, maman de deux magnifiques garçons et amoureuse comblée, est une femme énergique qui mord dans la vie et qui ose être ce qu'elle désire vraiment. Son travail en ressources humaines lui convient parfaitement, car elle y retrouve l'élément *humain*. La lecture et l'écriture font partie intégrante de sa vie depuis toujours!

Renée Lemaire, diplômée en bureautique du secteur de l'administration, travaille comme analyste d'affaires du système informatique SAP. Elle aime les voyages, la lecture, le tennis, les animaux et la nature. [*renee.lemaire@cgocable.ca*].

Céline Lemay a obtenu un AEC en techniques du génie industriel. Elle a écrit de nombreux contes pour enfants et créé plusieurs jeux de société. Elle aime le cinéma, la musique, lire, composer et créer. Elle travaille sur la route auprès du public. [*celinelemay10@gmail.com*].

Geneviève Lemelin a complété un baccalauréat en administration des affaires à l'UQTR en 2006. Elle travaille à la coordination du programme d'immersion française Explore et de la francisation des immigrants à Trois-Rivières. Passionnée par les chevaux, les voyages et l'écriture, elle a publié plusieurs récits de ses aventures aux quatre coins du globe. [*kebekgen@hotmail.com*].

Patrick Leroux, entrepreneur, auteur et réputé conférencier québécois, est un professionnel de l'action. Il propose des idées solides, simples et originales afin d'obtenir de meilleurs résultats dans la vie personnelle et professionnelle de ses participants. Son style est dynamique, direct et drôle. [*patrick@patrickleroux.com – www.patrickleroux.com*].

Manon Léveillée a terminé son baccalauréat en enseignement préscolaire et primaire à l'Université de Sherbrooke en 1975. Retraitée depuis juin 2010, elle a enseigné pendant trente-cinq ans. Mère de trois enfants et grand-maman de six petits-enfants, elle vit maintenant à la campagne avec son époux. Elle partage son temps entre le gardiennage, les voyages, la lecture et les plate-bandes. [*manon.leveillee@hotmail.ca*].

Guy Loubier est traducteur retraité. Pigiste et réviseur, il a rédigé une chronique philatélique dans *Le Droit* de 1968 à 1975, ainsi que de nombreuses chroniques dans divers sites Internet. Il est également un cinéphile passionné. [*yloubier@videotron.ca*].

Yoland Mallet est papa de trois beaux enfants. Il est passionné de voyage avec sa conjointe et sa petite famille.

Julie Magnan détient un baccalauréat en communication graphique ainsi qu'un certificat en arts plastiques de l'Université Laval. Épouse et mère de trois enfants, elle se passionne pour la création (visuelle et littéraire) et travaille au sein d'organismes communautaires en périnatalité. [*ceraginaire@videotron.ca*].

Bill Marchesin, conférencier, en est à sa dixième année d'intervention dans les entreprises. Il a inspiré des milliers de personnes dans toutes les sphères d'activité. Les gens adorent ses idées stimulantes, ses stratégies simples et efficaces ainsi que sa façon colorée de transmettre l'information afin de transformer les situations. [*www.billmarchesin.com*].

Suzanne Marin fait carrière en gestion à Ottawa. Ses expériences et ses réussites se succèdent grâce à son travail, son conjoint, ses enfants, ses petits-enfants, sa famille et ses ami(e)s sincères. Elle a fait du culturisme, elle lit sur la croissance personnelle, elle aime conduire sa moto et voyager.

Mario Michaud travaille dans l'imprimerie depuis quarante ans. Il aime la marche, le golf et les réunions de famille.

Danielle Michaud, aînée d'une famille de trois enfants, a toujours vécu entourée d'animaux. En plus de son travail à temps plein, elle se passionne pour les voyages, l'aviation, la photo, la course automobile, la lecture de biographies et d'ouvrages inspirants. Elle travaille comme bénévole auprès de différents organismes impliqués lors de saisies d'animaux au Québec.

Marc André Morel, auteur à succès sur les sujets du leadership personnel et de la motivation, est reconnu pour ses conférences et ses textes percutants, alliant humour et réflexion. Diplômé en marketing de l'Université Concordia à Montréal, il est l'auteur de plusieurs livres – dont deux *best-sellers*. [*www.marcandremorel.com*].

Nathalie Morin vit une énergie contagieuse. Passionnée par la condition humaine, l'âme et la conscience universelle, elle s'est donné pour mission de transformer le cœur des gens à travers l'écriture et par le biais de formations telles que: *Comment retrouver sa paix intérieure; L'écoute active; La synergie des équipes et la résolution de conflits.* [*www.humanimaconsultation.com*].

René Morin, dixième d'une famille de quatorze enfants, est un conteur merveilleux comme son père, Hector. Il sait tout aussi bien inventer des histoires pour ses petits-enfants que décrire aux adultes des événements du passé de façon à leur faire vivre une deuxième enfance.

Claire Morissette, originaire de Québec, vit à Gatineau depuis une trentaine d'années. Elle a travaillé quinze ans en service social et vingt ans en ressources humaines. Mère de deux filles, elle adore les voyages, le plein air et les arts.

Alexandre Nadeau est l'auteur du livre *L'essence du bonheur.* Il fait de la recherche intensive sur le développement humain depuis plus de quinze ans. Il a créé des techniques révolutionnaires qui font de ses ateliers des événements courus. [*www.alexandrenadeau.com*].

Sylvie Ohanessian est d'origine arménienne et québécoise, fille de Ohaness, amie, sœur de Michou, maman de Cédric, conjointe, intervenante en relation d'aide mais avant tout un être spirituel... Elle possède une curiosité admirative face à la vie et tend à vivre dans l'amour et la simplicité du moment. [*sohaness@hotmail.com*].

Johanne Paradis aime beaucoup lire et écrire. C'est la première fois qu'elle envoie un de ses écrits pour être publié ; elle espère qu'il touchera un grand nombre de personnes.

Jean-Guy Payette est marié et père de deux enfants. Sa famille compte aussi trois petits-enfants. Il aime tous les sports, surtout le hockey.

Pascale Piquet, arrivée de Paris en 2001, s'est bien installée au Québec. Coach de réussite, elle est l'auteure du *best-seller Le syndrome de Tarzan*, publié chez Béliveau Éditeur et *Gagnez au jeu des échecs amoureux*, chez Michel Lafon. [*www.pascalepiquet.com*].

Johanne Plante s'intéresse à la lecture de tous genres et l'écriture est sa passion. Depuis l'âge de 12 ans, les mots vagabondent dans sa tête. Sa vie a tourné auprès des gens démunis en tant que famille d'accueil pour la santé mentale, déficience physique et intellectuelle, sans oublier les personnes du troisième âge qu'elle a pu cajoler.

Martine Plante est une personne ordinaire qui veut faire des choses extraordinaires, changer le banal en fantastique, être une petite lumière dans l'ombre. Le monde des affaires la reconnaît sous la fonction de préposée à la clientèle depuis plus de dix-sept ans et, depuis novembre 2010, en tant que courtier immobilier en Estrie. [*plantem@sutton.com*].

Roger Poirier a été policier dans la SQ. De son union avec sa belle Princesse trois enfants sont nés et trois petits-enfants. Il aime la marche, la natation, les voyages et le camping. Alors qu'il se plaît à composer des poèmes et des acrostiches pour son épouse, son expérience littéraire s'enrichit à mesure qu'il écrit des textes pour ceux qu'il aime.

Ariane Pomerleau, diplômée en enseignement primaire et préscolaire (2005), possède maintenant son service de garde. Elle est la maman de deux petits garçons, Maxim et Alexandre.

Rémi Robert est détenteur d'une maîtrise de l'Universite de Sherbrooke et d'un doctorat en éthique. Il s'intéresse aux questions éthiques dans le domaine de l'enseignement.

Claire Roberge et **Guy Lavoie**, conférenciers professionnels, parcourent le Canada en partageant leur passion de la vie, aidant les gens et les entreprises à ressentir une urgence d'agir, de bouger et de changer, bref, d'être en action. À l'été 2012, ils largueront de nouveau les amarres en direction du Grand Nord et tenteront le mythique passage du Nord-Ouest. [*www.voilierbalthazar.ca*].

Maurice Robitaille est massothérapeute sportif depuis vingt-deux ans. Il aime les sports, la lecture et la spiritualité. Grand amoureux de la nature, il a aménagé chez lui un petit paradis, garni de fleurs et de plantes diverses. Venez le rencontrer. [*http://fr-fr.facebook.com/pages/Massage-Myologie-Joliette/111913012185252*].

Chanel Roussel aime écrire. Pour lui, c'est souvent un moyen d'extérioriser ce qu'il n'arrive pas toujours à dire. Il possède un bon sens de l'humour et il aime lire tout ce qui a trait à des faits vécus.

Marthe Saint-Laurent présente des conférences sur les relations entre femmes au travail et l'intimidation à l'école, en plus du coaching qu'elle offre. Elle est l'auteure des *best-sellers* suivants: *Ces femmes qui détruisent les femmes*; *Bitchage, guide de survie*; *Bitcher et intimider à l'école, c'est assez*; *Les femmes aussi aiment le sexe*, publiés chez Béliveau Éditeur. [*www.marthesaintlaurent.com*].

Caroline Saint-Louis, native de La Reine en Abitibi, est détentrice d'un baccalauréat en administration des affaires. Elle et son conjoint sont des entrepreneurs et des conseillers en ressources humaines. Ce sont des gens passionnés, sportifs, qui aiment voyager en famille avec leur belle Rosalie, âgée de quatre ans. [*www.management360.ca*].

Alain Samson, tour à tour conférencier, formateur et auteur, écrit depuis bientôt vingt ans. Détenteur d'un MBA et premier diplômé québécois du *Authentic Happiness Coaching Program*, il croit qu'on peut faire rimer productivité et mieux-être. [*alain@alainsamson.net*].

Isabelle Sénéchal, petite-fille de Rose-Alma Dubé et Émile Sénéchal, s'est basée sur les mémoires de sa grand-mère, qui a aujourd'hui 92 ans, pour écrire son histoire. Ses grands-parents, qui partagent leur vie depuis 73 ans, sont toujours aussi fiers de leur grande famille.

Sylvie Thibault, retraitée après trente-trois ans d'enseignement principalement au primaire, profite de son nouveau statut pour lire, écrire, marcher, pêcher et voyager. Elle espère aussi passer plus de temps avec sa famille, son conjoint et ses amis. Depuis qu'elle sait écrire, elle a composé des centaines de poèmes et participé à quelques concours de poésie. [*sylviethibault@hotmail.com*].

Harold Tremblay, ancien membre des forces armées, est présentement en réorientation de carrière. Il est passionné de musique et de photo. Sa devise est: *Une journée sans avoir appris quelque chose de nouveau est une journée perdue.* [*hornett188@hotmail.com*].

Luc Tremblay, natif de Macamic, demeure actuellement à Val-d'Or. Il est propriétaire de l'entreprise DL Tremblay Inc., qui se spécialise dans la création d'emploi et la formation. [*tremblay_isa@yahoo.ca*].

Benoit Trépanier croit, depuis son accident de la route qui l'a laissé traumatisé crânien cérébral, que l'important est de reprendre le plus possible le contrôle sur sa vie. Il serait heureux de voir que son expérience puisse en inspirer d'autres à faire de même.

Suzanne Valois est bachelière en langues modernes (traduction) et en enseignement de l'anglais, langue seconde, de l'UQTR. Elle œuvre principalement dans le domaine de la traduction automobile comme pigiste. Elle est aussi mère de quatre enfants. Elle aime bien le plein air et la danse country. [*trado1999@gmail.com*].

Penny et Vicky Vilagos sont des spécialistes quand il s'agit d'inspirer les gens à atteindre l'excellence en équipe. Elles sont également membres du Temple de la renommée olympique du Canada. En tant que conférencières et motivatrices, elles traduisent «ce qu'il faut pour réussir dans le sport» en «ce qu'il faut pour réussir en affaires». [*info@vilagosinternational.com* et *www.vilagosinternational.com*].

Cristal Wood est une écrivaine indépendante et plusieurs de ses articles ont été publiés dans des journaux locaux. Elle possède un baccalauréat en anglais de l'Université du Manitoba ainsi qu'un diplôme en journalisme. Elle aime la lecture, la danse et la décoration intérieure.

✦ Section Cadeaux ✦

N'oubliez pas de visiter notre site Internet:
www.bouillondepoulet.com

Vous y découvrirez les auteurs et les entendrez, eux-mêmes, raconter leurs histoires. De plus, vous y trouverez de nombreux bonis et cadeaux, qui rendront ces récits encore plus vivants.

Nous avons aussi préparé un forum afin que vous puissiez échanger avec d'autres au sujet des histoires qui vous ont particulièrement touché.

✦ Partagez avec nous ✦

Nous aimerions obtenir vos commentaires à propos des histoires contenues dans cet ouvrage. Dites-nous celles que vous avez préférées et pourquoi elles vous ont touché.

Nous vous invitons également à nous soumettre des histoires que vous aimeriez lire dans de futurs *Bouillon de poulet pour l'âme des Québécois*. Elles peuvent être écrites par vous ou par une autre personne.

Faites-les parvenir à:

Bouillon de poulet pour l'âme des Québécois
www.bouillondepoulet.com
histoires@bouillondepoulet.com

✦   ✦

Série
Bouillon de poulet pour l'âme

~ ~

1er bol*
2e bol
3e bol
4e bol
5e bol

Ados I* et II*
Ados — Journal
Ados dans les
moments difficiles*
Aînés
Amateurs de sport

Amérique
Ami des bêtes*
Ami des chats*
Ami des chiens*
Canadienne

Célibataires*
Chrétiens
Concentré**
Couple*
Cuisine (Livre de)

Deuil
Enfant*

Femme
Femme II*
Future Maman*

Golfeur*
Golfeur, la 2e ronde
Grand-maman
Grands-parents*
Infirmières*

Mère I* et Mère II*
Mères et filles
Noël
Père*
Préados*

Professeurs*
Romantique*
Québécois
Sœurs
Survivant

Tasse**
Travail*
Vainqueurs
du cancer**

* Disponibles **également** en format de poche

** Disponibles **seulement** en format de poche